6.1 瓦礫だらけのドイツの街を歩く連合軍兵士とドイツ市民。

6.2 ケルンを空爆する連合軍爆撃機。他のドイツの主要都市同様、ケルンも爆撃により破壊された。ライン川に架かる崩落した橋と、奇跡的に残っているケルン大聖堂がみえる。

6.3 東西ベルリンのあいだに東ドイツが建てた悪名高いベルリンの壁。西ドイツからの侵入者を防ぐためと説明されたが、実際には東ドイツ国民が西へ逃亡するのを阻止するためだった。

6.4 1968 年のドイツの学生たちによる抗議運動。ドイツで世代の交代が起こった年だった。

DER SPIEGEL
SPIEGEL-UMFRAGE
Durfte
Brandt knien?

6.5 ドイツ現代史における重要な瞬間。西ドイツのヴィリー・ブラント首相はポーランドのワルシャワ・ゲットーを訪れた際、みずからひざまずき、ナチスの戦争犯罪とその数百万にのぼる犠牲者の存在を認め、ポーランド人の赦しを求めた。

6.6 1939 年にドイツ軍は、地理的な障害のない平坦な北ヨーロッパ平野を通ってポーランドに侵攻した（写真）が、歴史を通じて、ドイツ軍以外の軍隊も、ここを通って現在のドイツにあたる国土に侵攻した。

7.1 20 世紀半ばのオーストラリアの人口は圧倒的に白人が多かった。

7.2 ヨーロッパの風景とは異質の、オーストラリアの砂漠とカンガルー。

7.3 現在のオーストラリアの人口はさまざまな人種から成っている。

7.4 オーストラリア国旗（上）はイギリス国旗（下）の外側に南十字星があしらわれている。

7.5 1915年、地球の裏側のガリポリ半島で、イギリスを守るためにトルコ軍に突撃するアンザック（オーストラリア・ニュージーランド軍団）の部隊。ガリポリ上陸を記念したアンザック・デー（4月25日）はオーストラリアの重要な祝日となっている。

7.6 1941年12月10日、シンガポールの海軍基地を防衛するというイギリスの勝ち目のない戦略により、日本軍の空爆を受けて沈みかけているイギリスの戦艦〈プリンス・オブ・ウェールズ〉。

7.7 1942 年 2 月 15 日、シンガポールの海軍基地において日本軍に投降するイギリス軍部隊。これにより、オーストラリアは日本の攻撃に対して無防備になった。

7.8 1942 年 2 月 19 日、日本軍による空襲で炎と黒煙をあげるオーストラリアの都市ダーウィン。

7.9 1954年にイギリスのエリザベス女王がオーストラリアを訪問した際には、何百万ものオーストラリア人が街路に並んで歓迎した。

7.10 オーストラリアのもっとも有名な建築物であり、もっとも有名な現代建築のひとつでもあるシドニー・オペラハウスは、デンマークの建築家が設計し、1973年に竣工した。

9.1 アメリカの空母。他国の空母の合計より多くの空母をアメリカは保有している。

9.2 アメリカのグレート・プレーンズ。世界最大でもっとも生産性の高い農地である。

9.3 ロサンゼルス港。アメリカ沿岸に数多くある、守りにすぐれた大水深の港湾のひとつである。

9.4 ミシシッピ川を航行する船舶。安価な水運を可能にする、アメリカに多く存在する内陸河川の最大のもの。

9.5 ベトナム戦争反対の抗議運動。最終的にアメリカ政府は対ベトナム政策の失敗を認めて政策を放棄するが、このような反政府の抗議運動が可能なのは民主主義国においてのみである。

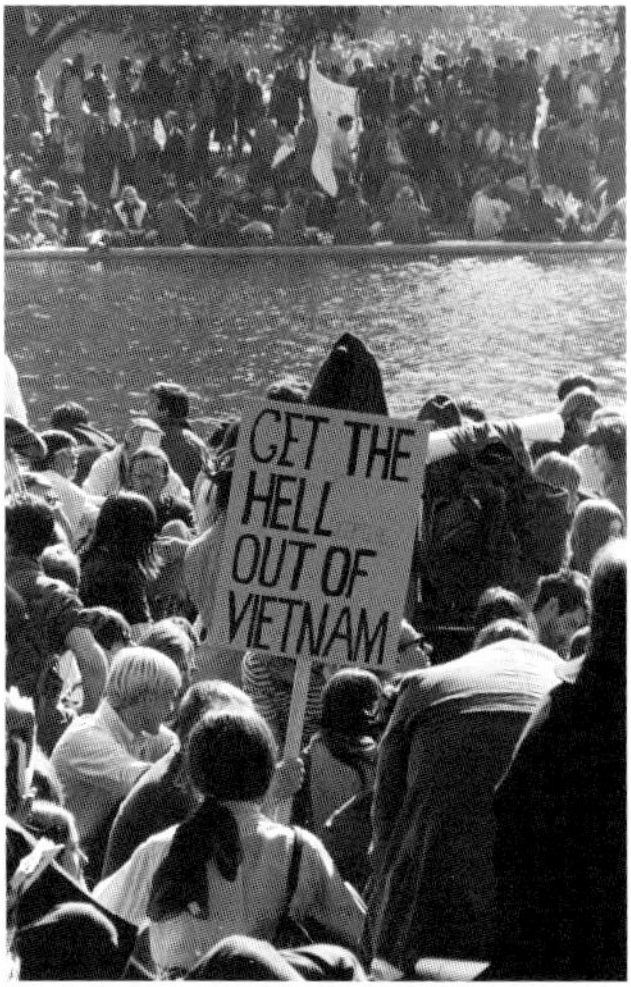

9.6 アメリカの連邦制の利点。各州は、他の州からは無謀とみえる法律でも実施することができ、それがうまくいった場合には、他の州もそれにならうことができる。たとえば、カリフォルニア州は、一時停止後であれば交差点の信号が赤でも右折できるという法律を全米で最初に採用した。

9.7 トーマス・エジソン。もっとも有名なアメリカの発明家でありイノベーターである。

9.8 ハーバード大学の卒業生たち。彼らの多くは最近の移民である。

9.9 アメリカで政治的妥協が機能していた頃。共和党のロナルド・レーガン大統領と民主党のトーマス・“ティップ”・オニール下院議長は 1981 年から 86 年まで、しばしば対立しながら妥協点を見出し、建設的に協力して、多くの重要法案を通過させた。

9.10 フィリバスター（議事妨害）の最長記録を持つストロム・サーモンド上院議員。フィリバスターは、政治的少数派が多数派から譲歩を引き出すためのものである。

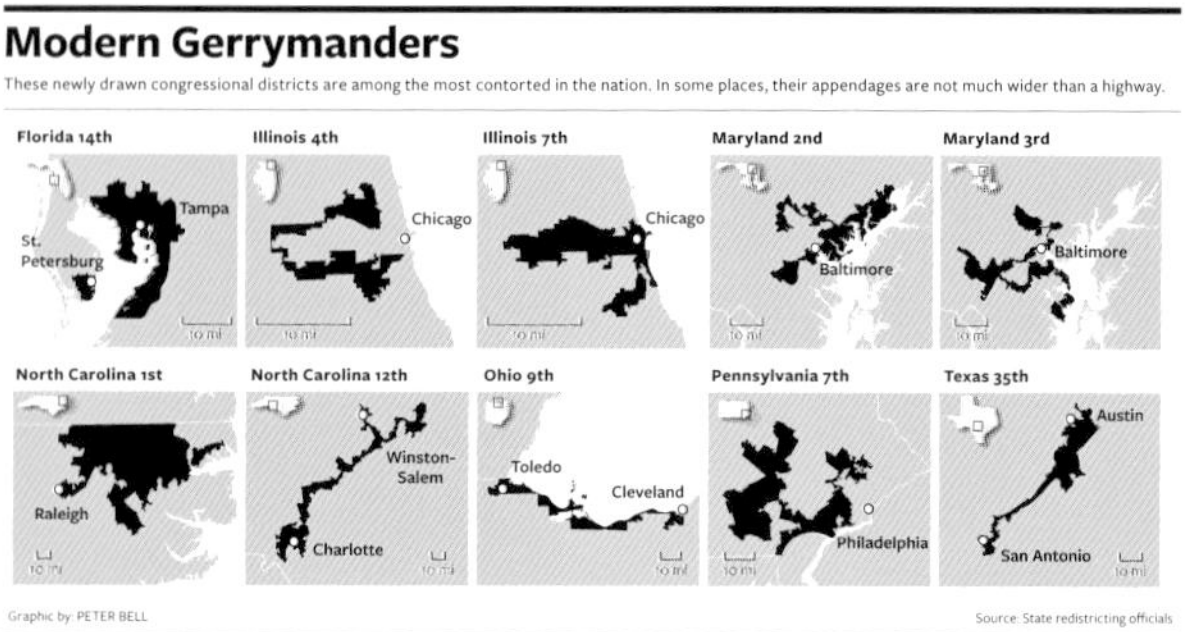

9.11　アメリカの州の下院選挙区におけるゲリマンダーの例。ゲリマンダーとは、その州で支配的な党が自党有利になるように選挙区の区割りをおこなうことであり、その結果として選挙区が奇妙なかたちになる。

10.1　1992 年、ロサンゼルスで起きた「ロドニー・キング暴動」。突き詰めれば、アメリカ社会における経済格差と絶望感の結果である。

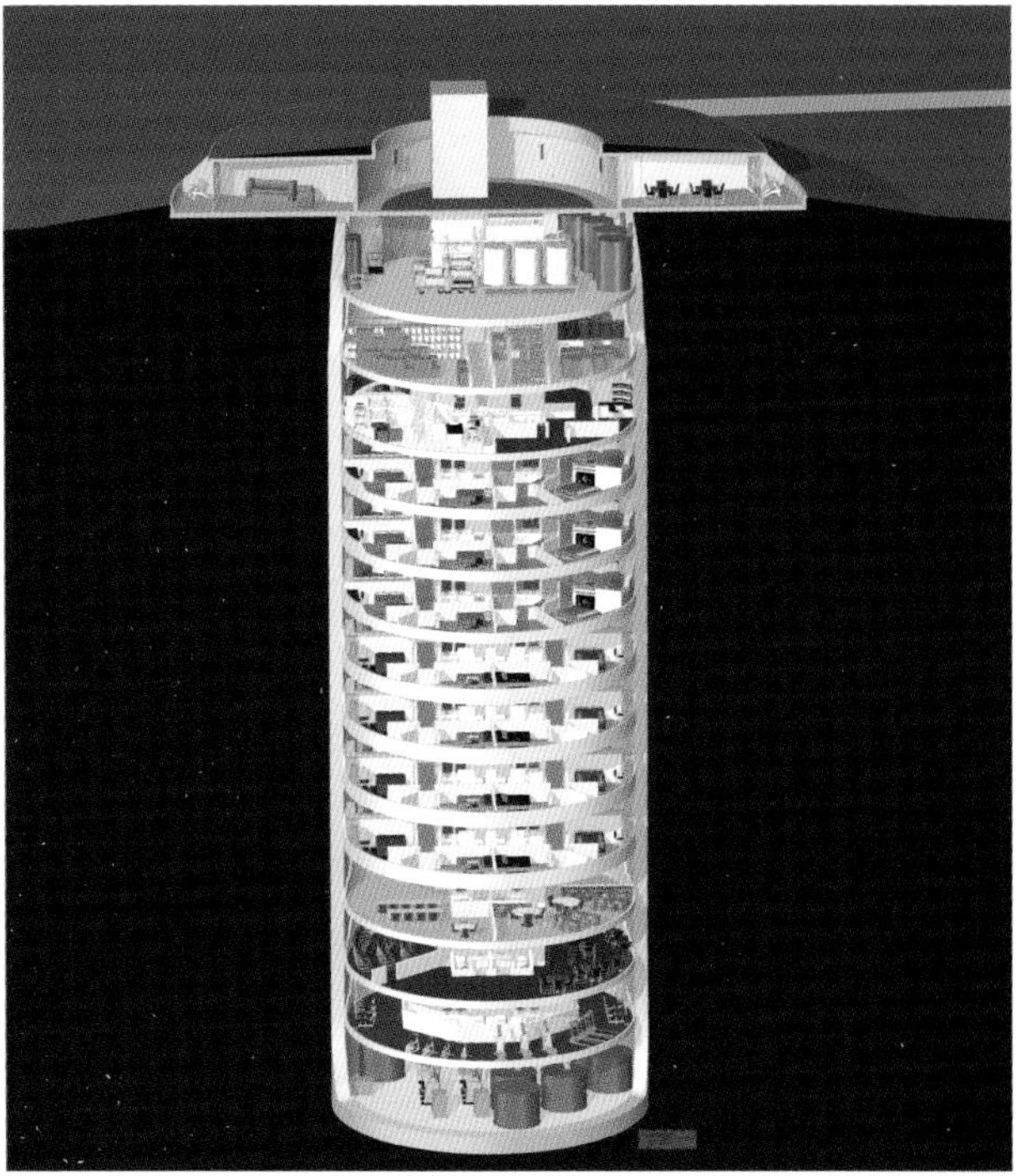

10.2　アメリカ社会のさまざまな問題に対する反応として、一部の裕福で力のあるアメリカ人は、問題解決に向けて努力するのではなく、大金を費やして国内の打ち捨てられた地下ミサイル倉庫を豪華な防空壕に改装して、問題を避けようとしている。

11.1 現在の世界が直面している大きな問題のひとつは、核兵器使用のリスクである。

危機と人類 ㊦

ジャレド・ダイアモンド
小川敏子　川上純子＝訳

日経ビジネス人文庫

UPHEAVAL

Turning Points for Nations in Crisis

by

Jared Diamond

Originally published in 2019 by Little, Brown and Company

a division of Hachette Book Group, Inc.

Japanese translation rights arranged with Brockman, Inc., New York.

Jacket artwork © Kinuko Y. Craft / National Geographic Creative

危機と人類 ㊦ 目次

上巻　目次

第2部

国家――明らかになった危機（承前）

表1・1　個人的危機の帰結にかかわる要因（再掲）

1	危機に陥っていると認めること
2	行動を起こすのは自分であるという責任の受容
3	囲いをつくり、解決が必要な個人的問題を明確にすること
4	他の人々やグループからの、物心両面での支援
5	他の人々を問題解決の手本にすること
6	自我の強さ
7	公正な自己評価
8	過去の危機体験
9	忍耐力
10	性格の柔軟性
11	個人の基本的価値観
12	個人的な制約がないこと

表1・2　国家的危機の帰結にかかわる要因（再掲）

1	自国が危機にあるという世論の合意
2	行動を起こすことへの国家としての責任の受容
3	囲いをつくり、解決が必要な国家的問題を明確にすること
4	他の国々からの物質的支援と経済的支援
5	他の国々を問題解決の手本にすること
6	ナショナル・アイデンティティ
7	公正な自国評価
8	国家的危機を経験した歴史
9	国家的失敗への対処
10	状況に応じた国としての柔軟性
11	国家の基本的価値観
12	地政学的制約がないこと

第6章　ドイツの再建

一九四五年のドイツ

ヨーロッパにおける第二次世界大戦は、一九四五年五月七日から八日にかけてドイツが降伏して終結した。その時点のドイツはつぎのような状況だった。

ナチスの指導者だったヒトラー、ゲッベルス、ヒムラー、ボルマンは、すでに自殺したか、まもなく自殺するところだった。ドイツ軍はヨーロッパの大部分を制圧したものの後退を余儀なくされ、敗北していた。約七〇〇万人のドイツ人が殺されていた。そのなかには兵士もいれば、爆撃で亡くなった一般市民も、難民となって逃げる途中で殺された人もいた。とくに東部ではソ連の進軍により多くのドイツ人が殺されたが、これはドイツ軍がソ連の一般市民におこなった蛮行の報復だった。

生き延びた何千万人ものドイツ人も、激しい爆撃により心に痛手を負っていた（口絵

6・1）。主要都市は、ほぼすべてが爆撃や戦闘により瓦礫《がれき》と化していた（口絵6・2）。各都市で、家屋の四分の一から二分の一が破壊された。

ドイツの領土の四分の一は、ポーランドとソ連の手に渡った。残った国土は四つの占領地区に分割され、やがてふたつの国に分断されることになる。

およそ一〇〇〇万人のドイツ人が家を失い、難民になった。行方不明の家族を探すドイツ人も何百万人にものぼった。何年も経って奇跡的に再会できた例もあったが、ほとんどは行方がわからず、亡くなった日時や場所、状況もわからないままだった。私が最初についたドイツ語の先生は、一九五四年にはドイツから亡命中だったが、あるときふと息子さんがいることを口にした。私が深く考えずに息子さんについて訊《たず》ねると、苦痛に満ちた声で訴えた。「やつらがあの子を連れていってしまい、それ以来、いっさい知らせがないのですよ！」。その時点ですでに一〇年、先生と夫人は息子の消息がつかめずにいたのだ。後に親しくなった二人のドイツ人は、やや「幸運」の部類に入った。一人は父親から最後に連絡を受けてから「わずか」一年後に、どうやら父が亡くなったらしいと知り、もう一人は兄弟の死を三年後に知ることができたのだ。

一九四五年当時、ドイツの経済は破綻していた。ドイツの通貨はインフレにより急速にその価値を失いつつあった。ドイツ国民は一二年間にわたりナチスに洗脳された後だった。ドイツ政府の役人と裁判官はいずれも、実質的にナチスの信奉者または協力者だ

6°
8°
10°
12°
14°
54°
52°
50°
48°
デンマーク
北 海
スウェーデン
バルト海
ロシア
イギリス
オランダ
ポーランド
ベルリン
ドイツ
（西ドイツ）
（東ドイツ）
ベルギー
ルクセンブルク
チェコ共和国
フランス
オーストリア
スイス
イタリア
N
キロメートル
0
300

図6　ドイツの地図

った。個人的にヒトラーに忠誠を誓わなければ、政府の職に就くことはできなかったからだ。ドイツ社会は権威主義的だった。

今日のドイツは自由民主主義国である。世界第四位の経済大国であり、世界屈指の輸出国でもある。ロシアの西に位置し、ヨーロッパで最大の力を持つ国家だ。独自の通貨（ドイツマルク）の価値を安定させ、その後ヨーロッパの共通通貨（ユーロ）の導入にも主要な役割を果たし、EUの設立に寄与し、現在はその一員であり、かつて攻撃対象とした他の加盟国とも平和な関係を築いている。ナチスの過去とも真摯に向き合ってきた。ドイツ社会は以前ほど権威主義的ではなくなった。

一九四五年五月から今日までのあいだに、何がこのような変化をもたらしたのだろうか？　私が初めてドイツを訪れたのは一九五九年だった。一九六一年の大半をその地で暮らし、以来、何度も訪れている。ここでは、私が戦後ドイツで目にした五つの変化を論じることにしたい。そのうちふたつ（東西分裂、西ドイツの経済回復）は、私がドイツで暮らしていた頃にはほぼ完了していた。つぎのふたつ（ナチズムの残滓《ざんし》への対峙、社会の変化）はすでにはじまっていたが、その動きが加速したのはもう少し後のことだ。最後のひとつ（再統一）が実現したのは何十年も後のことで、一九六一年の時点では、私もドイツ人の友人も想像することすらできなかった。本書における危機と変化の枠組みからみれば、ドイツの例は、地政学的な制約、良くも悪くも際立った指導者が果たした役割など、多くの点で極端である。なんといっても、ドイツが直面した危機は群を抜いて深刻なものだった。幕末・明治期の日本は攻撃の脅威のみがあった。フィンランドとオーストラリアは攻撃はされたが占領はされなかった。一方、一九四五年のドイツと日本は攻撃、制圧、占領と、本書で扱う他の国々よりもはるかに大きな痛手を負った。

一九四五年から一九六一年まで

第二次世界大戦に勝利した連合国は、ドイツを四つの地区に分割して占領した。南はアメリカ、南西はフランス、北西はイギリス、東はソ連が統治した。ソ連占領地区の中央にあった首都ベルリンも四国間で分割されたため、ソ連の占領地区のなかにソ連に占領されていない地区が島のように存在することになった。一九四八年、ソ連はベルリン内のアメリカ、イギリス、フランスの占領地区への陸路を封鎖し、西側の連合国三カ国に各国の占領地区を放棄させようとした。連合国側はこれに対してベルリン大空輸を実施し、一年近くにわたり航空機でベルリンに物資補給をつづけたため、一九四九年、ソ連はついに諦めて封鎖を解除した。

同じく一九四九年、連合国側は各国の占領地区をひとつにまとめ、ここにドイツ連邦共和国、またの名を西ドイツ、ドイツ語ではBundesrepublik Deutschlandという国が誕生した。ソ連の占領地区はドイツ民主共和国という別の国となり、こちらは東ドイツ、またはドイツ語の名称の頭文字をとってＤＤＲとも呼ばれた。現在では、東ドイツは共産主義による独裁体制の失敗例だという見解が一般的で、同国は結局は崩壊して実質的に西ドイツに吸収された。「ドイツ民主共和国」という名称は大きな欺瞞《ぎまん》として記憶されている。現在の北朝鮮が「朝鮮民主主義人民共和国」を名乗っているのと同じようなものだ。今日では忘れられがちだが、東ドイツ建国にはソ連の強引さのみでなくドイツの共産主義の理想もかかわっていた。当時は大勢のドイツの知識人が西ドイツから、あるいは亡命先の外国から東ドイツに移り住むことを選んだのである。

だが、東ドイツの生活水準と自由度は、西ドイツのレベルには遠くおよばなかった。西ドイツにはアメリカからの経済支援が流れ込んでいたが、ソ連はみずからの支配地区に賠償金を科し、工場を丸ごと解体してロシアに移設し、東ドイツの農場を集団農場に再編成した。こうして、一九九〇年に再統一されるまで二世代にわたって東ドイツの人々は、西側の民主国家の人々のように、自分たちの生活を向上させるために懸命に働こうという意欲を持てなくなっていた。

その結果、東ドイツから西ドイツへ逃亡する人々があいついだ。そこで東ドイツは一九五二年に西ドイツとの国境を封鎖したが、それでも東ドイツの人々は東ベルリンから西ベルリンに入り、西ベルリンから西ドイツへ空路で逃れることができた。戦前からのベルリンの公共交通機関（地下鉄と都市鉄道）には東西ベルリンを結ぶ線があったため、東ベルリンの人はだれでも電車に乗るだけで西ベルリンに行くことができたのだ。一九六〇年に私が初めてベルリンを訪れたときには、他の西側からの旅行者と同じく、地下鉄で東ベルリンへ行き西ベルリンへ戻った。

一九五三年、東ドイツでは人々が不満を爆発させ、ストライキが暴動に発展し、ソ連軍に鎮圧された。不満をつのらせ、ベルリンの公共交通機関を使って東ドイツから西ドイツへと逃亡する人は後を絶たなかった。一九六一年八月一三日の夜、東ドイツ政府は突然東ベルリンの地下鉄の駅を封鎖して東ベルリンと西ベルリンのあいだに壁を建造し、国境警備隊に監視させ、壁を越えようとする人々を射殺させた（口絵6・3）。当時私はドイツで暮らしていたのだが、壁が建造された翌日の西ドイツの友人たちの愕然とした様子、衝撃、怒りを今でも覚えている。東ドイツは壁を建造した理由として、西ドイツからの侵入者や犯罪者を防いで東ドイツを守るためであると正当化し、不満を抱えた東ドイツ国民が西へ逃亡するのを阻止するためだとは認めなかった。西側の連合国はあえて壁を壊そうとはしなかった。東ドイツ軍とソ連軍に囲まれた西ベルリンのために何もできないとわかっていたからである。

それ以来、東ドイツは別の国家として存続し、西ドイツへの逃亡を試みれば国境で殺される確率はかなり高いと覚悟しなければならなかった（実際に逃亡を試みたドイツ人一〇〇〇人以上が命を落とした)。かたやソ連と東欧の共産圏、かたやアメリカと西ヨーロッパという資本主義陣営の二極化した世界にあって、ドイツ再統一が実現するという望みはほぼ断たれていた。たとえるなら、アメリカがミシシッピ川を境に共産主義の東アメリカと民主主義の西アメリカに分断され、将来の再統一が見込めないようなものだった。

第二次世界大戦直後、連合国側は戦時中に立案されていたいわゆるモーゲンソー・プランを活かし、西ドイツの工業再興を防ぎ農業国に戻して戦争の賠償金を徴収しようと考えた。実際、第一次世界大戦後には連合国が、そしてこのときはソ連が東ドイツに対して、賠償金徴収をおこなっていた。連合国側としては、つぎのような見解であった。ドイツはヒトラーのもとで第二次世界大戦を引き起こした責任があり(これについては意見がほぼ一致している)、さらに皇帝ヴィルヘルム二世のもとで第一次世界大戦を引き起こした責任もある(これについては異論も多い)、したがってドイツがふたたび工業国となればつぎの世界大戦につながるかもしれない。

連合国側がこの見方を変えたのは、冷戦が深刻化し、つぎの世界大戦をもたらす真の脅威はドイツではなくソ連であると認識したためである。第4章でチリに対するアメリカの政策を述べた際に触れたが、第二次世界大戦後の数十年間、アメリカの外交政策の根底を支配する動機となったのは、この認識であった。ソ連軍によって占領された東欧諸国がすべて共産圏に組み入れられ、ソ連は原子爆弾、つづいて水素爆弾を保有し、一九四八年から四九年にかけてベルリン封鎖を実行して西側の占領地区を弱らせようとした。西欧の民主国家にも共産党が力を伸ばしてきた国があった（とくにイタリア）ことなどから、冷戦が深刻化してつぎの世界大戦が勃発する可能性がもっとも高いのは、西欧だと思われた。私がドイツで暮らすことになったのは一九六一年だが、その時点でも父（アメリカ人）からは、ヨーロッパで少しでも危険な兆候があればすぐに安全なスイスに逃げるようにと真剣にアドバイスされた。

こうした視点で捉えれば、西ドイツはヨーロッパの中央に位置し、共産主義の東ドイツとチェコスロバキアに国境を接しており、西欧の自由を守るためにきわめて重要な存在であった。西側諸国としては、共産主義の防波堤として西ドイツにふたたび力を取り戻してもらう必要があった。他にも、力を失って不満をつのらせたドイツがふたたび（第一次世界大戦後のように）政治的に過激路線に走るリスクを減らしたい、経済的に弱体化した西ドイツに連合国が食糧などを継続的に支援する経済的負担を軽減したい、などの理由が連合国にはあった。

一九四五年以降、こうした認識が西側の連合国のあいだで固まるのに数年かかった。その間、西ドイツ経済は悪化の一途をたどっていた。アメリカは一九四七年から、他の西欧諸国に対してマーシャル・プランによる経済支援を開始していた。一九四八年、ついに西ドイツも支援対象に含めることが決定された。同時に西ドイツは、インフレで弱くなっていたライヒスマルクを新通貨ドイツマルクに切り替えた。西側の連合国は各占領地区を統合して西ドイツというひとつの国家としながらも、立法に関しては自分たちの拒否権を手放さなかった。だが、西ドイツの初代首相コンラート・アデナウアーは巧みな手腕を発揮し、共産主義の攻撃に対するアメリカの恐怖をうまく利用して西側の干渉を減らす方向へ、そして西ドイツが主権を行使することを黙認させる方向へと持っていった。アデナウアーのもとで経済大臣となったルートヴィヒ・エアハルトは修正自由市場政策を導入し、マーシャル・プランによる支援を活用して「Wirtschaftswunder（経済の奇跡）」と呼ばれる経済回復をみごとに成し遂げた。配給制度は廃止され、工業生産高と生活水準は急上昇し、車や家を買うという夢が現実のものとなった。

私がイギリスから西ドイツへ移り住んだ頃には、イギリスよりも西ドイツのほうが繁栄し、住民の満足度も高いように感じられた。イギリス人の友人たちがよく苦々しげにいっていたように、第二次世界大戦ではドイツが負けてイギリスが勝ったのに、皮肉にも経済の奇跡を成し遂げたのは西ドイツであってイギリスではなかったのである。政治的には、一九五五年に西ドイツは主権を回復し、連合軍による占領は終わった。連合国はドイツを破って武装解除するために二度の世界大戦をおこなったというのに、皮肉にも西ドイツは再軍備をはじめ、軍を再建した——（信じがたいことに）西ドイツ議会では否決されたが西側諸国が要請したためである。西ドイツにも西欧の防衛を負担させるのが連合国の目的だった。一九四五年当時の見解からすると、これはアメリカ、イギリス、フランスによる対ドイツ政策のもっとも驚くべき転換だった。

西ドイツ経済の特徴は、比較的良好な労使関係、ストライキの少なさ、柔軟な雇用条件である。雇用主と労働者のあいだには暗黙の了解があり、事業が成功するよう労働者はストライキをせず、その代わりに雇用主は成果を労働者たちに分配する。ドイツの産業界で発展した徒弟制度は今日まで受け継がれていて、若者は会社で見習いとして、給料をもらいながら自分の仕事を覚える。見習い期間を終えると、その会社で職を得ることができる。今日、ドイツはヨーロッパ随一の経済大国となった。

ドイツ人がみずからを裁く

第二次世界大戦が終わると、連合国はまだ生きていたナチスの指導者二四名を戦争犯罪者としてニュルンベルクで裁判をおこなった。一〇名は死刑を宣告され、そのうちもっとも高い地位にあったのが、外務大臣ヨアヒム・フォン・リッベントロップとドイツ空軍総司令官ヘルマン・ゲーリングである（ゲーリングは処刑予定日の前夜に服毒自殺した）。七名には長期刑または終身刑が科せられた。ニュルンベルク裁判ではそれほど地位の高くないナチ党員も大勢裁かれ、比較的短い刑が科せられた。連合国はさらに多くのドイツ人を対象として「非ナチ化」のプロセスを実施し、ナチ党員としての過去の調査と再教育をおこなった。

だが、ニュルンベルク裁判と非ナチ化のプロセスを経ても、ドイツ人にとってのナチズムの残滓の問題は解決しなかった。地位は低くともナチスを信奉していたりナチスの命令に従ったりしたドイツ人は数多くいたが、そうした人々は追及の対象になっていなかった。裁判はドイツ人自身ではなく連合国によっておこなわれたものであり、ドイツ人がみずからの行動に対して責任をとったわけではない。一連の裁判は「Siegerjustiz（勝者の裁き）」、つまり勝者から敗者への復讐にすぎないとドイツではみなされるようになった。西ドイツは自国の司法制度でも独自に追及をおこなったが、当初、その範囲は限られたものにならざるを得なかった。

戦後ドイツで機能する政府を築くにあたり、連合国とドイツ人双方にとって現実的な問題となったのは、経験ある役人の確保だった。一九四五年の時点で政府で働いた経験がある者といえば、大多数がナチス政権下で公職にあった者である。要するに、戦後ドイツで政府の役人が務まりそうな人材（裁判官を含む）は、ナチスの信奉者か、少なくともナチスに協力した人ばかりだった。例外的に、外国へ逃れていたりナチスによって強制収容所に送られたりした人々もいたが、当然ながら政府での経験を積む機会はなかった。たとえば戦後の西ドイツの初代首相となったコンラート・アデナウアーは非ナチ党員で、ナチスによりケルン市長の職を追われた。首相に就任したアデナウアーがおこなった政策は、「赦《ゆる》しと融和」といわれている。具体的には、ナチス時代の行為の責任を個々のドイツ人には問わず、それよりも、食べ物もろくに手に入らず家を失った何百万人ものドイツ人たちに食糧と住居を与え、爆撃されたドイツの諸都市と壊滅的な打撃を受けた経済を再建し、ナチスによる一二年間の支配の後にあらためて民主的な政府を打ち立てることに力を注いだ。

その結果、大半のドイツ人がつぎのように考えるようになった。ナチスの犯罪はごく一部の邪悪な指導者個人の責任であってドイツ国民の大多数は無実、ソ連を相手に勇敢に戦ったふつうのドイツ人兵士も無罪、したがってナチスの犯罪に関して(一九五〇年代半ばの時点で)これ以上おこなわれるべき重要な調査はない。こうした考え以外にも、西ドイツ政府によるナチス追及が進まなかった理由がある。戦後の政府として追及する側にも、元ナチ党員が多数残っていたのだ。たとえば西ドイツの連邦刑事庁の職員四七名のうち三三名、そして西ドイツの情報機関の職員の多くが、かつて狂信的なナチス親衛隊に所属し指導的立場にあったことがわかった。私が一九六一年にドイツに滞在していたときに親しくなった年配のドイツ人から、ナチス時代を擁護する発言が出るのを聞いたことがある。いずれも私と二人きりで話をしていたときのことで、彼らはナチス時代には三〇代か四〇代だった。たとえば、ユダヤ人を絶滅させるために何百万人も虐殺したといわれているが数学的にそんなことは不可能であり、途方もない嘘である、と語ったのは、チェロとピアノのためのソナタを私と一緒に演奏した女性音楽家の夫だった。別の年配のドイツ人の友人は、私にヒトラーの演説の録音を聞かせ、これを聞くとうれしいような楽しいような気持ちになるのだといった。

一九五八年、ついに西ドイツの全州の法務大臣たちが、西ドイツ国内全土および国外でおこなわれたナチスの犯罪追及に総力を結集するための中心的機関を設立した。この追及の先頭に立ったのは、フリッツ・バウアーというドイツ系ユダヤ人の法律家である。反ナチスの社会民主党員であったが、一九三五年にドイツからデンマークへ逃亡を余儀なくされていた。一九四九年にドイツに帰国すると、すぐに戦犯の追及に着手した。一九五六年から亡くなる一九六八年まで、バウアーはドイツのヘッセン州の検事長を務めた。フリッツ・バウアーが職務を果たすうえでの信条は、ドイツ人はみずからを裁くべし、である。これは、連合国が裁判にかけた指導者にとどまらず、ごくふつうのドイツ人も追及の対象とすることを意味していた。

バウアーの名が初めて知れ渡ることになったのは、ドイツでアウシュヴィッツ裁判と呼ばれている裁判だった。彼はナチス最大の強制収容所であるアウシュヴィッツで下級職員として働いていたドイツ人を追及した。衣料室の管理者、薬剤師、医師など、組織の末端の人々が被告となった。バウアーはさらに追及の手を伸ばしていく。ナチスの下級の警察官も被告となった。ユダヤ人や抵抗運動指導者のドイツ人に有罪判決または死刑判決を下した裁判官も、ユダヤ人実業家を迫害したナチ党員も、ナチスの安楽死政策に携わった医師や裁判官も、安楽死を実行した職員も、ドイツの外交機関の役人も裁かれた。東部戦線に従軍したドイツ兵が残虐行為により有罪判決を受けたことは、ドイツの人々にとって最大の衝撃だった。残虐行為をおこなったのはナチス親衛隊のような狂信的なグループであってごくふつうのドイツ人兵士ではない、という考えがドイツ人のあいだに広まっていたからである。

バウアーはこのような追及に加えて、戦後姿をくらました、ナチスのなかでもとくに重要で邪悪な人物の行方を追った――ヒトラーの側近マルティン・ボルマン、医師としてアウシュヴィッツ強制収容所に勤務し人体実験をおこなったヨーゼフ・メンゲレ、ユダヤ人の移送を指揮したアドルフ・アイヒマンである。メンゲレとボルマンを探し出すことはかなわなかった。メンゲレは一九七九年にブラジルで死亡した。ボルマンは一九四五年、ヒトラーとほぼ同じ時期に自殺していたことが後に判明した。

アルゼンチンに逃亡していたアイヒマンの居どころについては、情報が入った。確実に捕らえて処罰するためには、ドイツの情報機関に居どころを伝えるのは得策ではないとバウアーは判断した。彼らがアイヒマンに情報を漏らして逃がしてしまうのではないかと危惧したのである。そこでバウアーはアイヒマンの所在に関する情報をイスラエルの情報機関に伝えた。イスラエル側はアルゼンチンでアイヒマンの拉致に成功し、秘密裏にエルアル航空の飛行機でイスラエルに輸送して裁判にかけ、絞首刑に処した。このことは世界中の注目を集め、アイヒマンだけでなく、ナチスの犯罪に対する個人の責任という問題そのものへの関心が高まった。

バウアーの裁判はドイツ国内で広く注目された。一九三〇年代から四〇年代にかけてのドイツ人がナチス時代に何をおこなっていたのかが、一九六〇年代のドイツ人の目の前で暴かれていったのである。バウアーに追及されたナチスの被告たちはみな、同じような弁解をした。自分は命令に従っていただけだ。当時の社会の基準や法律にきちんと従っていた。私はあの人たちが殺されたことに責任のある人間ではない。ユダヤ人を鉄道で強制収容所に移送するための手配をしただけだ。自分はアウシュヴィッツで薬剤師として、警備員として仕事をしただけだ。自分の手で直接だれかを殺したわけではない。ナチス政権が喧伝していた権威やイデオロギーをうのみにしてしまい、間違いを犯していると気づかなかった。

これに対しバウアーは裁判や公の場で、繰り返しつぎのように述べた。ドイツ人が犯した人道に対する罪を自分は追及している。ナチス国家の法律は違法であった。そのような法律に従っていたことは行動の言い訳にはならない。人道に対する罪を正当化できる法律など存在しない。善悪の判断の基準は一人ひとりが持つべきであり、政府に左右されるものではない。これにもとづいて判断すれば、アウシュヴィッツの強制収容所などバウアーが殺戮機械と呼んだものに関与していた人はだれであれ有罪である。さらに、バウアーが裁判にかけ、自分は強制されたのだと弁解していた被告の多くが、実際には強制ではなくみずからの信念にもとづいて行動していたことが明らかとなった。

現実には、バウアーによる追及の多く、おそらくはほとんどが実を結んでいない。一九六〇年代のドイツの法廷で、被告たちはつぎつぎに無罪となった。バウアー自身はしばしば中傷され、命を脅かされたこともある。だがバウアーの真の業績は、ドイツ人であるバウアーがドイツの法廷で、ナチス時代におけるドイツ人の信条や行為を事細かに論証し、ドイツの一般の人々に繰り返し示してみせたことである。ナチスの犯罪行為は数人の邪悪な指導者だけがおこなったのではない。多数の、ごくふつうの兵士や役人がナチスの命令を実行した。それは人道に対する罪である。そして、彼らの多くが、西ドイツ政府の高官となっていた。こうしたバウアーの追及は一九六八年の学生運動の重要な背景となるのだが、これについては後であらためて述べる。

私がドイツで暮らしていたときと比べて、ドイツ人のナチス時代に対する見方が変わってきたと痛感したのは、二一年後の一九八二年のことだ。その年、私は妻マリーとともにドイツで休暇を過ごした。高速道路でミュンヘンに近づいた頃、高速の出口を示す標識にダッハウという郊外の町の名が記されていた。かつてナチスの強制収容所（ドイツ語ではKZと略す）があったところで、今では博物館になっている。私も妻も、まだ一度もKZの跡地を訪れていなかった。KZそのものについてはマリーの両親（KZの生存者）から話を聞いたり子どもも時代にニュース映像を見たりしていたので知識はあった。だから「単なる」博物館の展示に心を揺さぶられるとは、まったく想像していなかった。ドイツ人が自国の強制収容所をどのように説明、あるいは釈明するのかについて、私たちは微塵も期待していなかったのである。

だが、ダッハウ訪問は衝撃的な体験だった——後に訪れた、もっと大規模で悪名も高いアウシュヴィッツにも劣らぬ体験だったといえる。アウシュヴィッツも博物館になっているが、こちらはポーランド国内にあるのでドイツによる展示ではない。ダッハウの博物館ではダッハウKZとその背景について、写真とドイツ語による解説文で説明されていた。一九三三年にナチスが権力を得たこと、一九三〇年代のナチスによるユダヤ人と非ナチ党員のドイツ人への迫害、戦争へと向かうヒトラーの歩み、ダッハウKZの仕組み、ナチスによるその他の収容所の仕組みが克明に示されていた。ドイツの責任をうやむやにするどころか、ここの展示はフリッツ・バウアーのモットー「ドイツ人はみずからを裁くべし」を体現していた。

一九七〇年代以降、ドイツはすべての子どもたちに、あのときに私たちがダッハウで見たとおりのことを見せている。子どもたちはナチスの残虐行為について詳しく教わり、校外学習としてダッハウのように展示施設となっているKZの跡地を訪れることも多い。国として過去の罪に向き合うのは当然のこと、などと思ってはいけない。このような過去の罪への責任をドイツほど真剣に受け止めている国を、私は知らない。インドネシアの生徒たちは一九六五年の大量虐殺（第5章）について、今でも何も教わらない。私が知り合った若い日本人は、日本の戦争犯罪について何も教わらなかったそうだ（第8章）。アメリカでは、アメリカがベトナムで犯した罪について、アメリカ先住民やアフリカから連れてきた奴隷に対して犯した恐るべき罪について、国の政策として子どもたちに学校で詳しく教えるようなことはしない。ドイツも、一九六一年に私が滞在していたときにはこうではなかった。自国の暗い過去にきちんと向き合っていると感じられるものは、あまり目にしていない。これからみていくように、ドイツが分水嶺を越えたといえる象徴的な年は一九六八年だった。

一九六八年

一九六〇年代、自由主義世界で暴動や抗議運動、なかでも学生たちによる運動が広まった。はじまりはアメリカで、公民権運動、ベトナム反戦運動、カリフォルニア大学バークレー校のフリースピーチ運動、ＳＤＳ（民主的社会のための学生同盟）による運動などが起きた。学生による抗議運動は、フランス、イギリス、日本、イタリア、ドイツでも広まった。抗議行動は若い世代による上の世代への反抗という側面があり、これはアメリカも他の国も同じだったが、ふたつの理由から、とくにドイツで世代間の対立が激化した。第一に、ドイツでは旧世代がナチスに関与していたため、新旧の世代間の溝がアメリカよりはるかに深かった。第二に、伝統的なドイツ社会は権威主義的傾向が強かったため、旧世代と新世代とが軽蔑し合う関係になりやすかった。ドイツでは自由化につながる抗議運動が一九六〇年代に高まりをみせていくのだが、こうした抗議活動が一気に噴出したのが一九六八年だった（口絵６・４）。なぜ一九六八年だったのだろう？

ドイツに限らずアメリカでも、世代が違えば経験が異なり、呼ばれ方も異なる。アメリカでは世代をおおまかに分けてベビーブーム世代、ジェネレーションX、ミレニアル世代などと呼んでいる。しかしドイツでは、一年ごとの変化が、アメリカよりずっと速くて大きかった。アメリカ人同士が親しくなって、互いの生い立ちについて語り合うとして、「私は一九四五年生まれです。それだけで私の人生やものの考え方がかなりおわかりですよね」などと切り出すことは、まずないだろう。ところがドイツ人は、「Ich bin Jahrgang 1945」、つまり「私は一九四五年生まれです」というふうに自己紹介をはじめる。同じ国の者同士でも、生まれ育った時代によって人生経験がまるで異なることを、ドイツ人ならだれもが知っているからだ。

たとえば、私と同じくらいの年齢、一九三七年前後生まれのドイツ人の友人たちが、どんな経験をしているのか紹介しよう。彼らは成長期に、私たちアメリカ人や今の若いドイツ人ならふつうの生活と呼ぶものを、だれ一人送っていない。全員が、戦争のせいでつらい子ども時代を経験している。一九三七年前後に生まれた親しいドイツ人の友人は六人いるが、ある人は兵士だった父が亡くなったため孤児になった。ある人は、父親が住んでいた地域が爆撃されるのを遠くからみていた（さいわいにも父親は無事だった）。ある人は一歳のときに父親と別れ、再会したのは一一歳のときだった。父親が戦争で捕虜になったからだ。ある人は戦争で兄を二人失った。ある人は、子どもの頃は毎晩外に出て橋の下で寝ていた。住んでいた町が毎晩爆撃されて家のなかで寝るのは危険だったからだ。ある人は毎日母親に鉄道の駅に石炭を盗みに行かされ、その石炭で暖をとっていた。このように一九三七年頃に生まれたドイツの友人たちは、戦争の記憶とそれにつづく混乱や貧困、学校の閉鎖などの記憶が心に深い傷として残った。だが彼らは、ヒトラー・ユーゲントというナチスの若者たちの組織に入れられてその教義を植え付けられる年齢には達していなかった。また、一九五五年に西ドイツ軍が新たに創設されたときに徴兵年齢に達していた人もほとんどいない。ぎりぎり徴兵をまぬかれた年齢だった。

このようにドイツでは、生まれた年で経験にとてつもない差がついた。一九六八年にドイツで学生運動が激化していった背景には、こういう事情もかかわっていた。一九六八年にドイツで抗議運動に参加した人たちが生まれたのは、だいたい一九四五年前後、ちょうど終戦の時期である。ナチスの教義を教え込まれたり、戦争を経験したり、あるいは戦後の混乱や貧困が記憶に残ったりすることはなかった。彼らの成長期は、ドイツ経済が復興した後の経済的に落ち着いた時代にほぼ重なる。生き抜くために苦労する必要はなかった。余暇と安全を享受し、抗議活動に打ち込んだ。そして二〇代前半で一九六八年を迎える。フリッツ・バウアーがふつうのドイツ人が犯したナチスの罪を暴こうとしていたのは、彼らが一〇代だった一九五〇年代から六〇年代のはじめである。被告はちょうど彼らの親の世代にあたる。一九四五年生まれの活動家たちの親の多くが生まれたのは、おそらく一九〇五年から一九二五年にかけてだろう。子どもたちの世代からみれば、ヒトラーに投票し、ヒトラーに従い、ヒトラーのために戦い、ヒトラー・ユーゲントによってナチスに洗脳された世代なのである。

一〇代の若者は親を批判したり親に反抗したりするものだ。一九六〇年代、フリッツ・バウアーによって事実がつぎつぎに明るみに出ていた頃、一九四五年にドイツで生まれた若者たちの親はナチス時代についてはあまり語らず、戦後の経済の奇跡のなかで仕事に没頭していた。「お父さんとお母さんはナチス時代に何をしていたの？」と子どもに聞かれたら、どう答えただろう。私は一九六一年に、年配のドイツ人たちから、ときにつぎのような言葉を聞いた。「あなたのように若い人には、全体主義の国で暮らすのがどういうことなのか想像もつかないだろう。自分の信条にもとづいて行動することなど、できやしないのだ」。親たちは、似たようなことをいっただろう。しかし若者たちは納得しなかった。

その結果として一九四五年頃に生まれたドイツ人は自分の親や親の世代をナチスと同一視し、不信感を抱くようになった。第二次世界大戦で侵略する側だった他の二国、つまりイタリアと日本で学生運動が激化した理由を考える際に、これは参考になる。これに対し、アメリカで一九四五年に生まれた人々の親は、第二次世界大戦を戦ったことで、戦争の英雄とみなされることはあっても戦争犯罪者とみなされることはなかった。もちろん、一九六〇年代のアメリカのティーンエイジャーたちが親を批判しなかったわけではない。ただし、戦争犯罪者呼ばわりはしなかった。

一九六八年のドイツを象徴する出来事として多くの人々が記憶しているのは、ベアーテ・クラースフェルトという若い非ユダヤ人女性（生まれたのは一九四五年より数年前）の行為である。彼女の夫はユダヤ人で、夫の父親はアウシュヴィッツでガス室に送られた。一九六八年一一月七日、彼女は西ドイツ首相クルト・キージンガーに向かって

「ナチめ！」と叫び、顔面を平手打ちした。彼が元ナチ党員だったからだ。このように、一九四五年頃に生まれたドイツ人は、親がナチスの犯罪に加担していたためにとくに親を軽蔑しがちだったわけだが、それだけで一九六八年の抗議運動が激化したわけではない。抗議の対象は、それ以上に、アメリカの学生や「ヒッピー」の抗議対象と共通していた。すなわち、ベトナム戦争、権威、ブルジョアの生活、資本主義、帝国主義、伝統的な倫理観への抗議である。一九六八年の若者たちは当時のドイツの資本主義社会をファシズムと結びつけた。一方、上の世代の保守的なドイツ人は、暴力的な反体制運動をおこなう左翼の若者を「ヒトラーの子どもたち」と呼び、暴力的で狂信的なナチスの突撃隊や親衛隊の再来だとみなした。反乱を起こした若者の多くは極左派で、なかには東ドイツに移住した者もおり、東ドイツは西ドイツにいる支持者に資金や資料を注ぎ込んだ。彼らのような反体制派の若者に、西ドイツの上の世代の人々は「そうか、ここが嫌なら東ドイツに行ってしまえ！」と告げた。

一九六八年のドイツで過激な学生運動をしていた若者は、同じ時期にアメリカで活動していた若者よりもはるかに暴力的だった。なかにはパレスチナでテロリストの訓練を受けた者もいた。こうしたドイツのテロリスト集団でもっともよく知られていたのは、ドイツ赤軍（ＲＡＦ）を名乗った組織である。その名をよく知られた指導者二人（ウルリケ・マインホフとアンドレアス・バーダー）にちなんでバーダー・マインホフ団とも呼ばれる。テロリストたちは店への放火を手はじめに、誘拐、爆破、殺人にまで手を染めていく。彼らによって誘拐あるいは殺害された犠牲者のなかには、ドイツのエスタブリッシュメントの指導者たちがいた。たとえば西ベルリンの最高裁判所長官、西ベルリン市長候補、ドイツ連邦検事総長、ドイツ銀行頭取、西ドイツ経営者連盟会長などが犠牲となった。こうした極左派の暴力行為に対し、ドイツ左翼ですら危機感をつのらせて大半が離れていった。西ドイツのテロリズムは一九七一年から活発になっていき、一九七七年に頂点を迎える。投獄されたテロリストたちの解放を要求してルフトハンザ機をハイジャックしたが失敗に終わり、アンドレアス・バーダーを含む三人のＲＡＦの指導者が獄中で自殺を遂げた。その後テロ活動は二度、活発になったが、ＲＡＦは一九九八年に解散を宣言した。

一九六八年の余波

一九六八年のドイツにおける学生の抗議運動は、「成功を生んだ失敗」と評されることがある。過激派の学生たちは資本主義から別の経済体制に変えて西ドイツの民主的な政府を打倒しようとしたものの果たせなかったが、彼らがめざしたことの一部は間接的に達成された。彼らのアジェンダの一部は西ドイツ政府が採用し、彼らの思想の多くはドイツ社会の主流派に取り込まれたのである。一方、一九六八年の過激派のなかには、後に西ドイツの緑の党に参加して政界の要職に就いた者たちもいる――その一人がヨシュカ・フィッシャーで、投石もおこなう過激派だったが、やがて高級スーツを着こなしてワインをたしなむようになり、西ドイツの副首相兼外務相に就任した。

伝統的なドイツ社会は、政治的にも社会的にも権威主義的だった。これはヒトラーの登場よりもずっと前からの特徴であったが、ナチス時代に「Führerprinzip」、つまり「指導者原理」が重視されたことで明瞭になった。ヒトラー自身が公式に「Führer（総統）」と呼ばれ、すべてのドイツ人が彼の統治に無条件に服従することを宣誓した。ナチス時代のドイツでは政治以外にも、社会生活においてさまざまな分野、さまざまなレベルでリーダーに従うことが求められた。

ドイツは第二次世界大戦で大敗し、権威主義的なドイツという国の権威は失墜したが、かつてのエリート層や彼らの考え方は戦後も残った。政治的な例ではないが、私が一九六一年のドイツ滞在中に出くわしたことをいくつかご紹介しよう。当時、子どもへの体罰は広くおこなわれていた。容認されていただけでなく、ときには親としての務めであるとさえみなされていたのだ。また、私はドイツのとある科学研究機関で働いていたが、その機関に所属していた一二〇人の科学者の処遇は、所長一人の手に委ねられていた。たとえば、ドイツで大学教員の職を得るには博士号に加えて「Habilitation（ハビリタチオン)」という教員資格が必要だったが、所長は毎年一二〇人の科学者のうち一人だけに「ハビリタチオン」を取得させると決め、人選も自分でおこなった。また、何かを「禁止(verboten)」とする掲示が、いたるところに――通り、芝生、学校、個人の建物、公共の建物にも――あり、してはいけないこと、すべきことが指示されていた。ある朝、ドイツ人の同僚が憤慨した様子で出勤してきた。彼が住むアパートの外には芝生があって子どもたちが遊び場にしていたのだが、前の晩帰宅すると、その芝生が有刺鉄線(ドイツでは否応なく強制収容所を連想させる)で囲われていた。同僚がアパートの管理人に抗議しに行ったところ、管理人は悪びれもせずにこう答えたのだそうだ。「芝生は立ち入り禁止なのに、甘やかされた子どもたちが勝手に入って芝生を踏みつけてしまうから、有刺鉄線を張ったんですよ。当然のことをしたまでです」

今振り返ると、私がいた一九六一年頃にはすでに、こうした権威主義的な行為や態度にも変化が起きていた。有名な例が一九六二年のシュピーゲル事件だ。週刊誌シュピーゲルはたびたびドイツ政府を批判していたのだが、このときはドイツ連邦軍の力に疑問を呈する記事を掲載した。アデナウアー政権の国防相だったフランツ・ヨーゼフ・シュトラウスは強権を振るい、国家反逆罪の罪でシュピーゲルの編集者たちを逮捕し、資料を押収した。これに対し国民から激しい抗議の声が上がり、政府はやむなくこの件の取り締まりを断念し、シュトラウスは辞任に追い込まれた。それでもシュトラウスは力を失わず、一九七八年から八八年までバイエルン州の首相を務め、一九八〇年にはドイツ首相に立候補した（落選に終わった）。

一九六八年以降、すでにはじまっていたリベラル化の動きはより強くなった。一九六九年には、二〇年間連立によって政権を握りつづけてきた保守派が敗北した。今日のドイツ社会は一九六一年よりもはるかにリベラルになっている。子どもへの体罰はおこなわれておらず、法律で禁じられている！　服装はカジュアルになり、男女の役割の不平等も改善されつつある（女性首相としてアンゲラ・メルケルは長くその座に留まっている）。「あなた」を意味する代名詞として親称「Du」が使われることが増え、敬称「Sie」はしだいに使われなくなってきた。

とはいえ、今もドイツのあちこちに「禁止」の掲示があるので、私は訪れるたびにぎょっとしてしまう。アメリカに滞在したことのあるドイツ人の友人たちの意見はさまざまだ。現在のドイツに比べたらアメリカのほうが権威主義的だという声もあれば、今のドイツのヒエラルキーを如実に示すぞっとするエピソードを語る人もいる。一方ドイツを訪れたアメリカ人に、ドイツが権威主義的だと思うかどうか訊ねてみると、二通りの答えが返ってくる。まず、一九七〇年以降に生まれた比較的若いアメリカ人は、ドイツ社会はまだ権威主義的だと答える。彼らは一九五〇年代のドイツを知らないので、当然ながら現在のドイツと現在のアメリカを比較する。一方、私と同年配のアメリカ人は一九五〇年代（後半）のドイツを知っているので、現在のドイツを一九五〇年代のドイツと比較する。そして、今のドイツは昔ほど権威主義的ではないと答える。どちらの比較も正しいと思う。

ブラントと再統一

一九六八年に学生たちが暴力に訴えて実現しようとしたことのいくつかは、政府の手で平和裏に実現していったが、ヴィリー・ブラントが西ドイツ首相に就任するとさらに弾みがついた。一九一三年生まれのブラントは、政治的立場のためにやむなくナチスから逃れ、戦時中はノルウェーとスウェーデンで過ごした。一九六九年、ブラントはドイツ社会民主党（SPD）党首として西ドイツ初の左派の首相となった。それまでの二〇年間、首相はいずれもコンラート・アデナウアー率いる保守派のドイツキリスト教民主同盟（CDU）に属していたのだ。ブラントのもとドイツの社会改革が進み、その一環として政府主導で権威主義的傾向を弱めたり女性の権利を拡大するなど、学生たちがめざしたことが実現していった。

しかしブラントの最大の功績は外交関係にある。それまでの保守政権では、西ドイツ政府は東ドイツ政府の存在すら法的に認めようとせず、ドイツ国民の正統な代表は西ドイツのみであると主張した。ソ連以外の東欧共産圏の国々とは国交を持たなかった。戦後ドイツは事実上オーデル川とナイセ川の東の領土をすべて失い、東プロイセンはソ連、残りはポーランドの領土となっていたが、そのことも認めようとしなかった。

ブラントは新たな外交政策をとり、それまでの否認路線を覆した。東ドイツと条約を結び、ポーランドをはじめ他の東側諸国とも国交を樹立した。オーデル・ナイセ線をポーランドとドイツの国境線として認め、その線以東にあるドイツの領土すべての恒久的な喪失を受け入れた。そのなかには、シュレジエン、プロイセンの一部、ポメラニアなど、長いあいだドイツの領土でありドイツのアイデンティティの中心でもあった地域も含まれていた。この領土放棄は途方もなく大きな一歩で、保守派のCDUにとってこの苦渋の選択は受け入れがたく、一九七二年の選挙で政権を取り戻した暁には条約を破棄すると宣言した。だがドイツの有権者はブラントの苦渋の選択を受け入れ、一九七二年の選挙でブラントの党は得票数をさらに伸ばして勝利した。

一九七〇年、ブラントはポーランドの首都ワルシャワを訪れた。政治家としてもっとも劇的な瞬間を、彼はそこで迎えた。ポーランドは、第二次世界大戦で人口に占める死者の割合がいちばん高かった国である。ナチス最大の強制収容所もこの国にあった。ポーランド人はナチスとしての反省をしようとしないドイツ人を、当然ながら忌み嫌っていた。ワルシャワを訪問したブラントは、一九七〇年一二月七日にワルシャワ・ゲットーを訪れた。ここは、一九四三年四月から五月にかけて、ユダヤ人がナチスによる占領に対し反乱を起こしたものの失敗に終わった場所である。ポーランドの群衆の前でブラントはみずから進んでひざまずき、ナチスによる犠牲者数百万人を追悼し、ヒトラーの独裁と第二次世界大戦に対する赦しを求めた（口絵6・5）。ドイツ人への不信感を抱きつづけていたポーランド人ですら、ブラントの行為が計算ずくではなく心の底からの真摯なものであると理解できた。今日、外交の場での発言といえば、入念に準備され感情を排した言葉であるのがあたりまえのなかで、ワルシャワ・ゲットーでひざまずいたブラントは異彩を放っている。ある国の指導者が、大きな被害を被った他国の人々に心から謝罪したのである。たとえばアメリカ大統領がベトナムの人々に、日本の首相が朝鮮半島や中国の人々に、スターリンがポーランドとウクライナの人々に、ド・ゴールがアルジェリアの人々に、同じことをしてはいない。ひざまずいて謝罪をしない指導者は大勢いるのだ。

ブラントの行為が西ドイツに政治的な成果をもたらすのは、ワルシャワ・ゲットー訪問の二〇年後、一九七四年に首相を辞してずいぶん経ってからである。一九七〇年代、そして八〇年代にも、東西ドイツの再統一に向けて西ドイツの首相が直接行動を起こす機会はまだなかった。ブラントの後に首相となったSPDのヘルムート・シュミット、そしてCDUのヘルムート・コールは、東ドイツと貿易するというブラントの政策を継承し、東側諸国との和解の道を探り、鉄のカーテンの両側の主要な国々の指導者たちと個人的に良好な関係を築くことに努めた。アメリカと西欧は、西ドイツを民主国家としても同盟国としても信頼できるという結論に達した。ソ連とその傘下にある東側諸国にとって西ドイツは重要な貿易相手国となり、武力制圧や領土侵犯の脅威におびえる必要はないという結論が下されていた。

ブラントによる東西ドイツ間の条約締結、それにつづくシュミットとコールによる協定のおかげで、西ドイツからは大勢の人々が東ドイツに行けるようになり、東ドイツからも人数こそ少ないが西ドイツを訪れることが可能になった。両ドイツ間の貿易は拡大した。しだいに、東ドイツでは西ドイツのテレビ番組が視聴できるようになる。すると東ドイツの人々は、西ドイツの生活水準が高くなっているのに対し自分たちの生活水準は低くなっていることに、否応なしに気づかされた。ソ連本国でも経済および政治状況がしだいに悪化し、他の東側諸国に影響をおよぼすことが難しくなっていった。こうした事情を背景に、東ドイツの終わりがはじまったが、それは西ドイツも東ドイツもまったく力がおよばないところからはじまっていた。一九八九年五月二日、東側諸国のひとつハンガリーが、自国の西に位置するオーストリアとの国境の柵を撤去すると決定した。オーストリアは民主国家であり、西ドイツとも隣接している。四カ月後、ハンガリーが正式に国境を開放すると、このときとばかり東ドイツから何千もの人々がチェコスロバキアとハンガリーを経由して西へと脱出した（国境が正式に開放されたのは、奇しくも一九七三年のチリで起きたピノチェトのクーデター、および二〇〇一年のアメリカ同時多発テロ事件と同じ、九月一一日であった）。まもなく東ドイツでは政府に抗議する大規模なデモが起きた。まずライプツィヒで、つづいて東ドイツの他の都市で何十万人もの東ドイツ人がデモに参加した。これを受けて東ドイツ政府は、西ドイツに直接入る旅行許可証を発行することで対処しようとした。ところがテレビでそれを公表する際、担当官がミスを犯し、政府は「ただちに」西ドイツへの旅行を許可するといってしまった。すかさずその日の夜（一九八九年一一月九日）のうちに何万人もの東ドイツ人が西ベルリンへ入り、国境警備隊も止めようとはしなかった。

当時の西ドイツ首相ヘルムート・コールは、みずからの手で国境を開放したわけではなかったが、この機会の活かし方は心得ていた。一九九〇年五月、彼は東西ドイツ間で経済と社会福祉を統一する条約を締結した（ただし政治的な統一はまだだった）。また、ドイツの再統一に難色を示す西側諸国とソ連の懸念を和らげるべく奔走し、巧みに立ち回った。とくに重要だったのは一九九〇年七月におこなったソ連のゴルバチョフ大統領との会見である。そこでソ連に巨額の経済支援を提示し、ゴルバチョフを説得してドイツの再統一を受け入れさせただけでなく、再統一後のドイツがＮＡＴＯ内に留まることも認めさせた。一九九〇年一〇月三日、東ドイツは消滅し、それまで東ドイツだった地域は新たな連邦州として（西）ドイツに統合された。

地政学的な制約

第2章から第5章で取り上げた四つの国々の場合と同じように、危機についての枠組みを戦後ドイツの歴史にあてはめ、さらに考察を深めてみよう。戦後ドイツ史は、一見したところ、かなり異質である。第2章から第5章で紹介した四カ国の歴史は、ある日突然危機が訪れて事態が大きく動いた。日本には一八五三年七月八日にペリーが来航し、フィンランドは一九三九年一一月三〇日にソ連から攻撃され、チリでは一九七三年九月一一日にピノチェトがクーデターを起こし、インドネシアでは一九六五年一〇月一日にクーデターが勃発した。これに対し戦後ドイツでは、ある日突然何かが起きて重要な転換点となったわけではない。むしろ一九四五年から一九九〇年にかけて複数の出来事が重なり、じわじわと困難に襲われたという見方ができる。第7章で取り上げるオーストラリアの戦後も、第2章から第5章でみてきたパターンとは違い、ドイツのように徐々に事態が展開していく。ある日突然起きる場合だけでなく、じわじわと襲ってくるケースにも「危機」という語をあてはめるのはふさわしくないだろうか？

じつのところ、この二種類のパターンは明確に分けられるものではなく、程度の差にすぎない。ドイツも突発的な事態に襲われている。しかも一度だけでなく、三度も。まず、一九四五年五月七日から八日にかけて降伏したときの状況は、本書で取り上げた他の国が直面した危機とは比べようのないほど悲惨だった。さらに一九六一年八月一三日のベルリンの壁の建設、一九六八年の数カ月間にピークを迎えた学生運動も突発的な事態であった。では、ペリーの日本来航とチリでのピノチェトのクーデターはどうだっただろう？　実際のところ、何の前触れもなくある日突然起こった出来事ではなかった。それまで何十年にもわたって少しずつ進行していたことが積もり積もった結果であり、事態が（部分的に）解決されるまでにはそれから何十年もの時間が必要だったのである。これはそのまま、戦後ドイツの歴史にもあてはまる。第2章から第5章で述べた「国家を襲う突然の危機」と、本章と次章で扱う「漸進的国家危機」とでもいうべきものの要因とは似通っている。これから先を読んでいただければ、おわかりいただけると思う。

したがって、どちらのパターンの歴史も同じ枠組みで捉えることには意義があると私は考える。とくに戦後ドイツ史は、国家的危機の枠組みを構成する要素のほとんどについてわかりやすい例を示してくれる。なかでも四つの要因が非常に顕著に現れている。まずその四つについて取り上げ、つぎに、それほど顕著ではないがやはり重要な要素をいくつかみていくことにしよう。

ドイツに顕著に現れている第一の要因としては、地政学的な制約（要因12）により主導権をとりにくかったことが挙げられる。必然的に、他の国々の行動から生じる好機を待つ、ということになる。第2章から第7章で取り上げている六カ国のうちドイツとフィンランドは、独自の行動がとりにくいという点で共通している。といわれても、ドイツ人でない人は違和感をおぼえるかもしれない。二〇世紀のドイツは独自の行動を控えるどころか（皇帝ヴィルヘルム二世とヒトラーのもと）大胆な軍事行動を実行に移し、それが二度の世界大戦をもたらしたという見方が一般的である。しかし、二度の世界大戦でドイツは惨敗している。それは、まさにヴィルヘルムとヒトラーが好機を待たずに主導権を行使したためであり、大惨事を招く結果となった。

地政学的な制約がドイツの主導権にどう影響したのかを理解するには、一三ページに載せた現在の地図と、少し前のヨーロッパの歴史的な地図をみるとよい。現在、ドイツと陸で国境を接している国は九カ国（オランダ、ベルギー、ルクセンブルク、フランス、スイス、オーストリア、チェコ共和国、ポーランド、デンマーク）、北海とバルト海を挟むとさらに八カ国（イギリス、ノルウェー、スウェーデン、フィンランド、ロシア、エストニア、ラトビア、リトアニア）と隣り合っている。一九三八年にオーストリアを併合した際には、新たに三カ国（イタリア、ユーゴスラビア、ハンガリー）の隣国ができ、一九一八年から一九三九年まではもう一カ国（リトアニア）とも国境を接していた。

なかには一九一八年までふたつの大国（ロシアとハプスブルク帝国）に属していた国もある。つまり、近現代におけるドイツの隣国は合計二〇カ国になる（歴史上の存在を一回のみ数え、国の変遷があった場合もあらためて数に入れないものとする）。この二〇カ国のうち、一九カ国——スイス以外すべて——が、一八六六年から一九四五年のあいだに、ドイツを侵略したり、海から攻撃したり、ドイツ軍が駐留または通過したり（スウェーデン）、ドイツによって侵略されたりしている。二〇カ国のうち五カ国は、かつて、または現在の大国である（フランス、ロシア、ハプスブルク帝国、イギリス、以前のスウェーデン）。

ドイツの問題は、隣国の存在そのものではない。どこの国にもたいていは隣国がある。ただ、多くの場合は国境に地理的な障害があり、それによって守られている。ところがドイツ北部は平坦な北ヨーロッパ平野にあたるため、自然の障壁となるようなものが何もない（口絵6・6）。山脈もなく（スペインとフランスのあいだにはピレネー山脈があり、イタリアはアルプス山脈に縁取られている）、川幅も狭く、歴史を通じてさまざまな軍がやすやすと川を越えてきた（ライン川ですら軍隊にとっては大した障害ではなかった）。私の妻マリーはポーランド系アメリカ人だが、あるときベルリンからワルシャワ行きの飛行機に乗ったときの彼女の言葉を紹介しよう。飛行機の窓からみると、ドイツとポーランドはこれといった境目もなく平原がつづいていた。それをみてマリーは「戦車で戦うにはうってつけの場所ね！」とコメントしたのである。悲劇的な歴史を生き抜くための知恵なのか、ポーランド人はブラックユーモアが得意だ。彼女は平原をみてまっさきに、一九三九年にヒトラーの戦車がポーランドに侵攻したことを連想した。だが同じ風景を歴史に詳しいドイツ人がみれば、ドイツ北部に第二次世界大戦時にはソ連と連合軍が、一二世紀前にはナポレオン軍が、さらにその前にもさまざまな軍隊が、東からも西からも攻め込んできたことを連想しただろう。

ドイツは四方八方から近隣諸国に取り囲まれている。この地理的条件こそ、ドイツの歴史においてもっとも重要な要素だったのではないかと私は思う。もちろん、利点もあっただろう。ドイツが交易、技術、芸術、音楽、文化の交差路となったのは、この地理的条件のおかげである。皮肉屋ならば、第二次世界大戦中にドイツが多くの国々を侵略するうえでも大いに役立ったというかもしれない。

だが、この地理的位置ゆえにドイツが政治的および軍事的に被った不利益は、途方もなく大きい。一七世紀に起きた三〇年戦争は、西欧と中欧の主要国がほぼすべて参加した大規模な宗教戦争および権力闘争で、ドイツの国土がおもな戦場となり、ドイツの人口は最大で五〇％減少、経済も政治も疲弊し、その影響は二世紀後まで尾を引いた。ドイツは西欧で最後（一八七一年）に統一を果たした大国である。統一を成し遂げることができたのは、並み居るヨーロッパの大国の反応を見極めつつ外交手腕を発揮するという、ずばぬけた能力を備えた人物（ビスマルク）がリーダーシップを発揮したからである。統一を果たしたドイツにとって軍事上、最大の悪夢は西の隣国（フランス）と東の隣国（ロシア）両方と同時に戦う二正面戦争だった。この悪夢は現実のものとなり、両世界大戦でドイツは敗北した。第二次世界大戦後は近隣三カ国とアメリカによってドイツは分割され、西ドイツ政府が再統一のために直接できることは何もなかった。他の国々を発端とする好機を待つしかなかったのだ。

この地理的制約によって、悪しき指導者がもたらす悲惨さが、ドイツでは桁違いに大きかった。ドイツ皇帝ヴィルヘルム二世と彼の宰相や大臣たちは、数々の失策や現状認識の乏しさで知られるが、無能な指導者はドイツの専売特許ではない。アメリカ、イギリスをはじめ他の国々にも無能な指導者はいた。だがアメリカとイギリスは海に守られているおかげで、無能な指導者が愚かなことをしても国に惨事をもたらしはしなかった。しかしヴィルヘルムと宰相たちの無能さは、第一次世界大戦でドイツに甚大な被害をもたらした。

ドイツにおいて、優れた政治家の外交政策を貫く哲学は、ビスマルクの簡潔な言葉に集約されている。「神が世界史のどこを歩んでいるか、そしてどこに向かっているかをつねに見極めよ。そして、神の衣のすそに飛びつき、できる限り遠くまで振り落とされぬようにせよ」。一九八九年から九〇年にかけてのヘルムート・コール首相の戦略は、まさにこれに尽きる。一九六九年から七四年にかけてのヴィリー・ブラントの取り組みの後、その時期に、東ドイツとソ連における政治情勢の変化が、ついにドイツ再統一の機会をもたらしたのだ。それはアメリカン・フットボールの試合でいえば「相手の隙をうかがう」戦略である。こうした指針は、隆盛期の大英帝国では考えられなかったし、今日のアメリカでも考えられない（外交政策の方針の話であってフットボールの話ではない）。あくまでもみずからが主導権を握り、みずからの意向を相手に押し付けることが、大英帝国の姿勢であったし、現在のアメリカの姿勢である。

自己憐憫？

自己憐憫と被害者意識（要因2）に関しても、ドイツは本書で取り上げる事例のなかで際立っている。しかも、ドイツの場合は極端なふたつの状況を経験している。第一次世界大戦と第二次世界大戦でドイツが示した反応はまったく対照的だった。

第一次世界大戦が終結する直前の一九一八年一〇月、西部戦線におけるドイツの最後の攻撃は失敗に終わった。連合軍は前進し、アメリカ軍の兵士も新たに多数加わって増強され、ドイツの敗北はもはや時間の問題だった。だがドイツ軍は撤退しながらも秩序を失っておらず、連合軍はまだドイツの国境に達していなかった。休戦協定が慌ただだしく締結されたのは、ドイツ艦隊の反乱とドイツでの武力蜂起が起きたためである。このため戦後ドイツでは、煽動者たち、とりわけアドルフ・ヒトラーは、ドイツ軍は戦闘に敗れたのではなく文民政治家に裏切られて「背後から一突きされた」のだと主張した。勝利した連合軍がヴェルサイユ条約でドイツに課した条件には、悪名高い「戦争責任条項」が含まれた。これで戦争を引き起こした侵略者であるとの烙印を押されたドイツは、恨みをさらにつのらせた。戦後のドイツでは多くの歴史家が、戦前のドイツが政治的に失策を犯したために不利な条件で戦争に臨むことになったと分析しているのだが、一般市民のあいだでは、ドイツは被害者であり、この国の不幸に対する責任は指導者にはない、という見方が広まった。

第一次世界大戦後のドイツにおけるこうした被害者意識に対し、第二次世界大戦後のドイツにおける意識はどのようなものであったのかを比較しよう。一九四五年五月、ドイツ軍はすべての前線で敗北し、ドイツ全土が連合軍によって制圧され、ドイツは無条件降伏した。ドイツ人であろうとなかろうと、ヨーロッパにおける第二次世界大戦がひとえにヒトラーの意図から生じたものであることを否定する者はいなかった。ドイツの人々は、ドイツ政府の政策にもとづいて強制収容所でおこなわれた前例のない蛮行や、ドイツ軍が東部戦線でおこなった残虐行為について徐々に知るようになった。ドイツの一般市民も苦境にあった。とくに、ハンブルクやドレスデンなどのドイツの都市は爆撃で破壊され、迫りくるソ連軍の前に一般市民は逃げまどった。東欧とかつてドイツ東部だった地域では、終戦直後にポーランド、チェコなど東欧諸国の政府により全ドイツ系住民が放逐された。ソ連の進軍と放逐により一二〇〇万人以上のドイツの一般市民が難民となり、そのうち二〇〇万人以上が殺され、約一〇〇万人のドイツ人女性がレイプされたと推定されている。

一般市民がこのような苦しみを味わったことは、戦後のドイツでもある程度は注目された。だがドイツ人が自己憐憫と被害者意識にどっぷり浸かることはなかった。そこが第一次世界大戦後とは異なる。ひとつには、ロシア人やポーランド人やチェコ人がドイツの一般市民に恐怖を与えた理由は、ドイツがそれらの国々に少し前まで恐怖を与えていたことの報いだと認識していたからだ。第二次世界大戦後にこうしてドイツが被害者の役割を捨てて自分たちの恥を認めたことを、あたりまえと考えてはいけない。それは第一次世界大戦後のドイツ、そして第二次世界大戦後の日本（第8章）が被害者意識を抱いたのをみればよくわかる。つらくとも過去と対峙したことは、現在のドイツに良い結果をもたらした。第一次世界大戦後のドイツや今の日本と比べれば、安全も保障され、かつての敵とも良好な関係を築けている。

指導者たちと現実主義

ドイツはさらにふたつの要因について顕著な例を示している。リーダーシップの役割と、公正な自国評価またはその欠如（要因7）であり、このふたつは互いに関連している。ヨーロッパの中央に位置するドイツは、その地理的な条件のため、海に守られているイギリスやアメリカよりもつねに多くの困難や危険にさらされている。そのぶんだけ、リーダーシップの善し悪しがおよぼす影響が如実に現れる。

近現代史において悪しき指導者の筆頭に挙げられるのは、間違いなくヒトラーである。いや、ヒトラーがいなくても、ヴェルサイユ条約、一九二三年のドイツ通貨の暴落、一九二九年にはじまる失業と不況などさまざまな要素が絡み合っていたから、ドイツは条約を反故《ほご》にするために戦争に踏み切っていたにちがいない、という意見もあるだろう。そうであったとしても、ヒトラーのいないドイツが起こす第二次世界大戦は、大きく異なる様相をみせていたのではないか。ヒトラーの異常なほどの邪悪さ、カリスマ性、大胆な外交政策、ユダヤ人を根絶しようという断固たる意思は、同時代にドイツを率いていた他の修正主義者たちにはないものだった。ヒトラーは最初はたしかに軍事的成功をおさめたが、現実を正しく認識することができず、配下の将軍たちの意向を繰り返し無視した末に、ドイツの敗北を招いた。現実を見誤ったことでヒトラーが下した致命的な決定としては、一九四一年一二月、すでにイギリスとソ連と戦っていたにもかかわらずアメリカに対して一方的に宣戦布告したこと、一九四二年から四三年にかけて、スターリングラードで包囲されたドイツ軍の撤退を認めてほしいという将軍たちの懇願を退けたことなどが挙げられる。

ドイツ近現代史において、悪しき指導者の例としてヒトラーにつぐのは皇帝ヴィルヘルム二世である。三〇年間の治世は、彼の退位と第一次世界大戦におけるドイツの敗北で終わりを告げた。ここでもやはり、ヴィルヘルムがいなくても第一次世界大戦は起きた可能性はある。しかし、おそらく異なった戦争となっていただろう。ヴィルヘルムはヒトラーとはタイプが違っていたが、特異な人物という点は共通していた。ヴィルヘルムにはヒトラーほど力はなかったが、それでもドイツの首相の任命や罷免をおこない、大半のドイツ人の忠誠心を獲得し、ドイツの軍隊を指揮した。邪悪な人物ではなくても、感情的に不安定で、非現実的で判断力に乏しく、多くの事柄に対して目に余るほどの無能さを露呈し、ドイツにとって無用で厄介な問題をつぎつぎに創出した。ヴィルヘルムの政策のせいでドイツは不利な状況のもとで第一次世界大戦に参戦し、敗北する羽目になった。失策のひとつは、ビスマルクが締結したロシアとのあいだの条約を更新しなかったことである。そのため、先に述べた地理的制約がもたらす軍事上の悪夢へと突入した。ロシアとフランスと同時に戦う二正面戦争である。

一方、ドイツで優れた指導力を発揮し、現実認識に長けていた指導者といえば、ヴィリー・ブラントだ。彼は東ドイツをはじめ他の東側諸国を承認し、ポーランドやロシアと条約を締結し、オーデル・ナイセ線以東の領土喪失を受け入れて、西ドイツがそれまで二〇年間つづけてきた外交政策を覆した。西ドイツではこの後の首相たちもブラントの政策を継承しているが、重要な結果をもたらしたのはブラントのリーダーシップであったといえるだろう。対立するCDUは、ブラントの政策を、その後数年は批判しつづけた。ブラントはそれまでの首相には欠けていた卓越した現実認識力と政治的な勇気を備えていたからこそ、オーデル・ナイセ線を受け入れることができた。ブラントのワルシャワ・ゲットー訪問があれほど人々の心に訴え、深く印象づけるものとなったのは、彼のカリスマ性があってこそだ。後任の首相たちにはブラントのようなカリスマ性はなかったが、コンラート・アデナウアー、ヘルムート・シュミット、ヘルムート・コールは政治家として優れている。第二次世界大戦以降の歴代の西ドイツ首相がそろって優れた政治感覚を備えていることに、私はアメリカ人として感銘を受けずにはいられない。同じ時期、アメリカは大統領の失政や凡庸さで苦しめられた。

優れたリーダーシップを発揮して重要な成果をもたらしたドイツの指導者をもう一人挙げておきたい。オットー・フォン・ビスマルクである。ビスマルクはプロイセンの首相を務め、後にドイツ帝国の首相として一八七一年にドイツ統一を成し遂げた。統一までには、じつにさまざまな障害があった。プロイセン以外のドイツ内の小さな王国からの抵抗や、隣接する強大なハプスブルク帝国とフランスからの抵抗に対しては、戦争以外の解決策はなかった。国境を接してはいないがロシアおよびイギリスという強国の抵抗にどう対処するのか。また、ドイツの人々をドイツというひとつの国家に本当に統合できるのかというやっかいな問題もあった。ビスマルクは超現実主義者であった。一八四八年にドイツで革命が失敗した理由をよく把握し、ドイツ統一に対する内外の抵抗も意識し、ものごとは段階的に進めるべきこともわきまえていた。彼はまず小さな施策からはじめ、それがうまくいかないと判断してから、より強硬な施策に進んだ。プロイセンは地政学的な理由から、みずから大きな行動に出ることに制約があるとビスマルクは理解しており、自分の政策は好機の到来を待って迅速に行動することにかかっていることもよく心得ていた。ビスマルクと同じ世代のドイツの政治家のなかで、彼に迫る政治手腕を持っていた者はいない。ビスマルクに対する批判としてしばしば挙げられるのは、良い後継者を育てられなかったことと、彼が未解決のまま残した問題が、首相退陣から二四年後に第一次世界大戦を招く結果になったということだ。しかし、ヴィルヘルム二世とヴィルヘルムが任命した閣僚たちの愚行をビスマルクのせいにするのは、少し酷だと私は思う。また、ビスマルクは好戦的だったという批判もあるが、ビスマルクがおこなった三度の戦争を経なければ、ドイツが数多《あまた》の反対を乗り越えて統一を果たすことはとうていできなかっただろう。統一のための三度の戦争のうち、二度の戦争は非常に短期間で終わっている（イタリア統一までには四度の戦争が必要だったが、イタリアが好戦的だと批判されたことはない）。一八七一年にドイツは統一されたものの、国境の外に数百万人のドイツ語話者が取り残された。だが、ビスマルクはきわめて現実的であったので、成し得るだけのことは成し遂げたと理解していた。ドイツがそれ以上拡大することを、他の国々は容認しないだろうとよく承知していたのである。

危機の枠組み

ドイツに関して、他の要因はもう少し手短にまとめることができる。第二次世界大戦後のドイツには、はっきり選択的変化がみられる（要因3）。本書で取り上げた国のなかで、ドイツは政治的国境がもっとも大きく変化した。ナチス時代の過去については徹底的に再評価をおこなった。社会的にもいくつか大きな変化を遂げ、なかでも権威重視の傾向と女性の地位に関する変化は著しい。その一方で、伝統的なドイツ社会の核となってきた価値観の多くはほとんど変わっていない。政府による芸術支援、全国民を対象とした政府による医療制度と退職手当、個人の権利を無制限に認めるよりも共同体としての価値を重視する点などは、かつてのままだ。今なおドイツでは小さな都市にもオペラハウスがあり、ドイツ人の年配の友人たちは退職後も悠々と暮らし、村々は豊かな地方色を保っている（家の屋根はその土地の様式に合わせなければならないという景観条例のおかげである）。アメリカ人である私は、ドイツを再訪するたびにそれをみて、あらためて感動してしまう。

他国からの支援（要因4）に関していえば、近現代史における時期と場所によって、影響は大きく異なる。西ドイツはアメリカのマーシャル・プランによる支援をうまく活用し、一九四八年以降に経済の奇跡を遂げた。反対に、経済支援の逆——戦争賠償金の支払い——は、第二次世界大戦後の東ドイツと第一次世界大戦後のワイマール共和国の弱体化を招いた。

ドイツはナショナル・アイデンティティが強く、荒廃、占領、分割のトラウマを克服するうえで役に立った（要因6）（ドイツ人以外からは、ドイツのナショナル・アイデンティティは強すぎるのではないかという声も出るほどだ）。とくにドイツ人としてのアイデンティティと誇りを支える基盤となるのは、世界的に知られたドイツの音楽、芸術、文化、哲学、科学である。ドイツ語はマルティン・ルターによる聖書のドイツ語訳を機に体系化され、各地で話されているさまざまな方言の違いを乗り越えて、ドイツ人同士を結びつけるものとなった。また、何世紀にもわたる政治的な分断があったにもかかわらず、共有できる歴史の記憶があったために、ひとつの国民であるという意識を保つことができた。

ドイツは過去の失敗と、危機を克服するための最初の試みの失敗から忍耐力を養った（要因9）。また、過去の成功から自信を得た（要因8）。ドイツは二度の世界大戦で敗北を喫した後、復興を遂げている。一八七一年にはあらゆる困難を乗り越えて統一を成し遂げ、一九九〇年にはやはりあらゆる困難を乗り越えて再統一を達成し、戦後には経済の奇跡を実現したが、いずれも忍耐力を試される状況であった。

戦後にドイツが発展した背景には、内的誘因と外的誘因の両方がある。ナチス時代への真剣な取り組み、一九六八年の学生運動の激化は内的誘因によってもたらされた。外的誘因――一九八九年にハンガリーがオーストリアとの国境を開放したこと、ソ連の衰退など――は再統一達成への動きを促した。

国家的危機に特有の問題のひとつ、かつて敵対していた相手との和解に関して、ドイツは優れた事例となる。ブラントがワルシャワ・ゲットーでひざまずいたことに象徴されるように、ドイツはナチス時代の過去の過ちを認めた。そのおかげで、近隣諸国であるポーランドとフランスとの真摯な関係を比較的順調に築くことができた――この点で、日本と韓国・中国との関係との違いは歴然としている（第8章）。国家的危機に特有の別の問題として、根本的な変化は革命によってもたらされるのか、進歩によってもたらされるのか、という問いがある。ドイツは近代以降、革命または抵抗運動を合わせて三回経験し、そのうちの二回は短期的には失敗に終わっている。一八四八年、統一と民主化を求めて革命が起きたが、これは失敗した。一九一八年の蜂起では、ドイツの王たちと皇帝を退位させることには成功した。一九六八年の学生運動はドイツの社会や経済の仕組みや政府の形態を変えようと暴力に訴え、これら三つの目標のうち、ひとつはその後の進歩で実現された——学生たちの抵抗運動がめざしたものの多くは、一九六八年以降に平和的に達成されている。一九八九年から九〇年には劇的な変化を経て再統一を果たしたが、これも平和裏に達成された。

近年のドイツの歴史で興味深いのは、大きな敗北の後、二一年から二三年後に、その敗北に対する激しい反動が起きるというケースが四回起きていることだ。統一をめざしたが失敗に終わった一八四八年の革命から二三年後の一八七一年に、統一が達成された。一九一八年の第一次世界大戦での大敗から二一年後、ドイツは敗北を覆そうと第二次世界大戦に臨むが、結局失敗に終わった。一九四五年に第二次世界大戦で大敗し、一九四五年頃に生まれた学生たちによる抵抗運動が頂点を迎える一九六八年までが二三年間である。さらに一九六八年の学生運動から二二年後の一九九〇年に再統一を果たした。むろん、この四例はそれぞれ大きく異なる。間隔についても、とりわけ一九六八年と一九九〇年のあいだには、外的要因も大きくはたらいている。それでも、こうして間隔が一定していることには重要な意味があると私は思う。二一年から二三年という長さは、ほぼ人間の一世代に相当する。一八四八年、一九一八年、一九六八年の出来事は、当時のドイツの若者にとって決定的に重要な経験となった。二〇年後、国を率いる指導者となった彼らは、かつて試みたことを完遂できる立場になったことを自覚したか（一八七一年、一九九〇年の場合）、あるいは、二〇年前の経験を打ち消そうとした（一九三九年の場合）。一九六八年の学生運動におけるリーダーと参加者は、経験豊かな四〇代や五〇代の政治家などではなく、あくまでも未熟な二〇代の過激派だった。一九六八年を経験したドイツの友人は、実感を込めてこんなふうに話してくれた。「一九六八年がなければ、一九九〇年はなかっただろう」

第7章　オーストラリア——われわれは何者か？

オーストラリア訪問

私が初めてオーストラリアを訪れたのは一九六四年で、その少し前まで、イギリスで四年間暮らしていた。初めてのオーストラリアは、イギリスよりもイギリスらしく感じられた——数十年前の姿のまま、時を止めたイギリスのようだった。オーストラリア最大の都市シドニーの通りを歩くと、角を曲がるたびにイギリスを思わせる街並みが目に飛び込んできた。シドニーにもロンドンと同じように、ハイドパークやキングスクロス駅やオックスフォード通りがある。オーストラリアの人々の祖先は圧倒的に白人が多く、しかも圧倒的にイギリス系白人が多かった。オーストラリアの食事はうんざりするほど伝統的なイギリス料理だった。日曜日は決まってローストビーフで、フィッシュ・アンド・チップスの店が山ほどあり、朝食には、イギリスのマーマイトをオーストラリアが

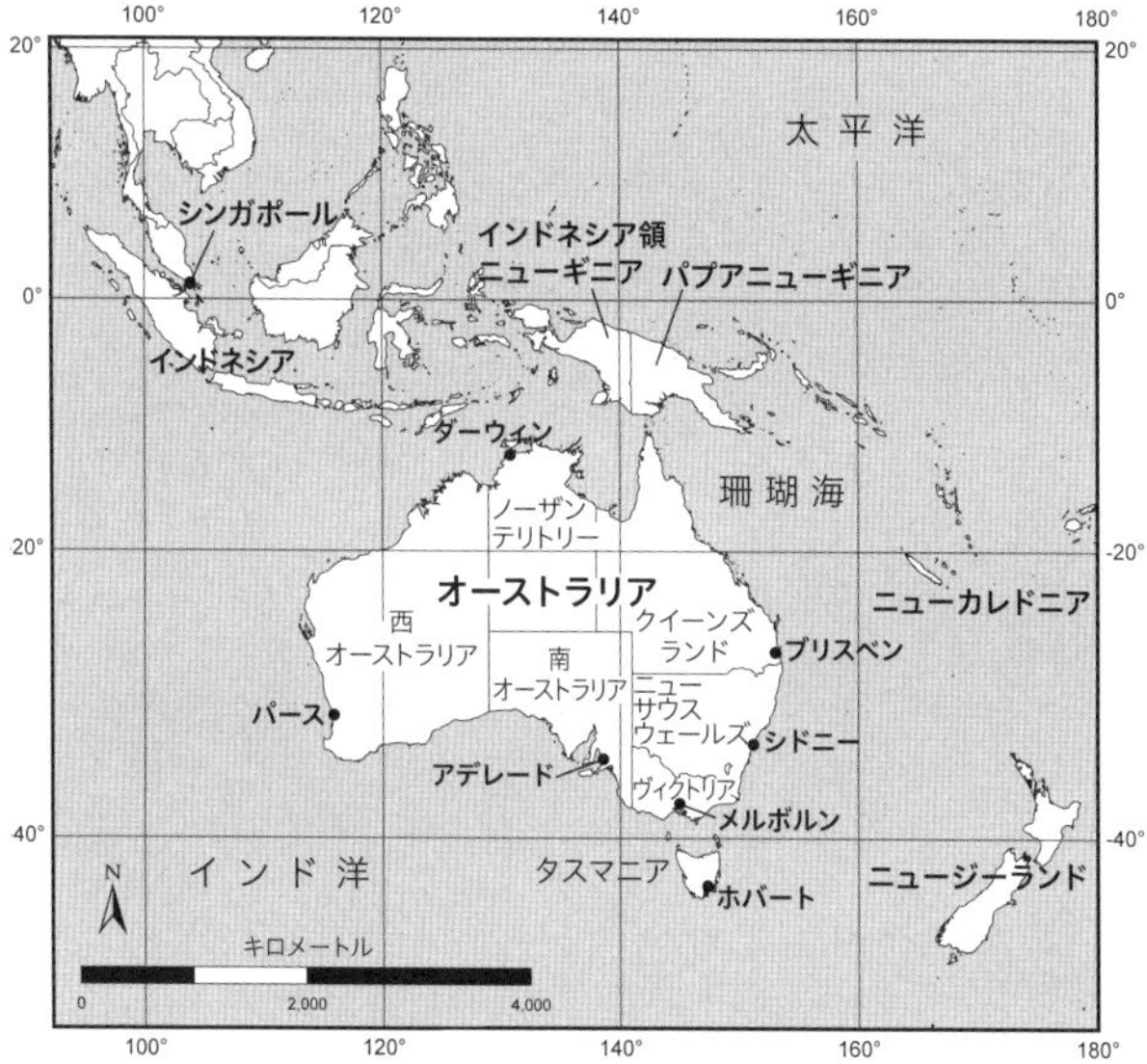

図7　オーストラリアの地図

真似てつくったベジマイトがつきものだった。イギリス風のパブも多く、一部屋が男性専用、もう一部屋は男女共用（レディーズ・ラウンジという）で、営業時間の制限も当時のイギリスのパブと似通っていた。オーストラリアで伝統的なイギリス料理以外のものが食べられるのは、主にイタリア料理かギリシャ料理のレストラン、それに少しばかりの中華料理店くらいだった。

初めて訪れて以来、私は何十回も訪問してオーストラリアの変化を目にしてきた。なかでも二〇〇八年に実感した変化は象徴的だった。息子ジョシュアがブリスベンのクイーンズランド大学で一学期間を過ごすことになり、付き添ったときのことだ。大学のキャンパスを歩いていると、よく知っているオーストラリアではなく、自分が所属しているカリフォルニア大学ロサンゼルス校（ＵＣＬＡ）にいるような錯覚におそわれた。アジア系の学生が大勢いたからだ。オーストラリアはもはやイギリス系白人が中心の国ではなくなっていた。

一九六四年、オーストラリア社会はまだその根底に矛盾を抱えていた。地理的な位置と、国民の人口構成および精神的・文化的な絆とが矛盾していたのである。オーストラリアの人口はイギリス系が中心で、ナショナル・アイデンティティもほとんどイギリスと一体化していた（口絵7・1）。一方で、オーストラリアはイギリスからみると地球をほぼ半周したところにある。北半球ではなく南半球に位置し、イギリスから東に八から一〇のタイムゾーンを越えたところだ。カンガルー、卵を産む哺乳類、ワライカワセミ、オオトカゲ、ユーカリの木、砂漠を有するオーストラリアの大地は、人類が暮らしている大陸のなかで、もっとも特徴的な（そしてもっともイギリス的でない）風景だ（口絵7・2）。地理的には、ヨーロッパよりも中国や日本など東アジアの国々にずっと近く、インドネシアとの距離はイギリスとの距離の五〇分の一だ。それでも、一九六四年にオーストラリアの通りを歩いていると、アジアに近いと感じさせるものは何もなかった。

四四年後に息子ジョシュアをブリスベンに連れて行ったときには、アジア系の人が大勢いて（口絵7・3）、日本料理店、タイ料理店、ベトナム料理店もあり、アジアとの近さが目にみえるようになっていた。アジアからの移民を制限する白豪主義政策はすでに廃止され、イギリス人以外のヨーロッパ系白人の移住意欲を削ぐような数々の非公式の制度もなくなった。とはいえ、今でもオーストラリアの言語は英語であり、イギリス女王を国家元首として戴き、オーストラリアの国旗にはイギリス国旗が組み込まれている。世界でもっとも暮らしやすい場所としてつねに上位に挙げられ、住民の満足度も高く、平均寿命も長く、まことにすばらしい国である。私が本気で移住を考えた国はふたつだけだが、オーストラリアはそのうちのひとつだ。イギリス的であってイギリス的でない。私がオーストラリアを訪れるようになってからの数十年間で、何がこうした選択的変化をもたらしたのだろうか？

ここではオーストラリアの歴史をざっと振り返りながら、本書でこれまで取り上げた五つの国の危機と比べてオーストラリアをどのように位置づければいいのかを考えてみたい。前章で扱ったドイツと同じく、そして第2章から第5章で扱った四つの国々とは異なり、オーストラリアが体験した危機はある特定の日に突発的に起きたものではない（とはいっても、一九四一年から四二年にかけての七一日間に三回起きた軍事攻撃は、きわめて重要な意味を持っている）。オーストラリアの危機はドイツの場合と同様に、第二次世界大戦の経験がきっかけとなって展開している。国家として従来おこなってきた問題解決法は、もはや通用しない。それをドイツとオーストラリアはこの戦争を機に思い知らされた。戦争で壊滅的な打撃を受けたドイツのほうが反応は早く、傍目にも明らかだった。一方、オーストラリアの人々にとって、本書で扱ってきた他のどの国の住民よりも根本的な疑問となったのは、「われわれは何者か？」というナショナル・アイデンティティの問題だった。地球を半周したところにある国にアイデンティティを求め、自分たちは第二のイギリスであると考えてきたが、その自己イメージはもはや時代遅れとなり、変化したオーストラリアの状況に合わなくなっている。第二次世界大戦によってそれがいよいよ明らかになったのである。とはいえ、大多数のオーストラリア人がその自己イメージを捨てるきっかけは戦争だけではなかった。

個人が「私は何者か？」という疑問に新たな答えを出そうとすれば、時間がかかる。

オーストラリアの場合は、国内で何百万人もの人々がいくつもの集団を構成し、ナショナル・アイデンティティについて見解を異にするという状況であり、「われわれは何者か？」という疑問に答えを出すまでには、さらに長い時間が必要だ。したがって、オーストラリア人が今もなおこの問題に取り組んでいることは納得できる。オーストラリアにおける危機解決の動きは、非常にゆるやかに進んできた。あまりにもゆるやかだったため、多くの国民は危機にあるとすら意識していなかっただろう。一方で、オーストラリアは本書で取り上げた七カ国のなかで、一九七二年一二月のわずか一九日間というもっとも短い期間内にもっとも多岐にわたる一連の変化を経験した国なのである。このように進展してきた近代オーストラリアの興味深い物語を、これからみていくことにしよう。

第一船団とアボリジニ

オーストラリアの先住民であるアボリジニの祖先がその地で暮らすようになってから約五万年後、一七八八年一月にヨーロッパからの最初の入植者がイギリスから送り出され、一一隻の船から成る船団でやってきた。イギリス政府が船団を派遣したのは、オーストラリアが入植者にとって魅力的ですばらしい場所だと判断したからではなく、イギリスで囚人が急激に増加して問題となり、本国から離れた場所に流刑地を探したからである。遠隔地という条件を満たすオーストラリアと熱帯の西アフリカが候補に挙がったが、西アフリカは熱帯病にかかる恐れがあり、ヨーロッパ人が健康に暮らせる場所ではないらしいことがわかってきた。一方のオーストラリアには利点がいくつもあるように思われた。まず、西アフリカよりもずっと遠い。ヨーロッパ人にとって健康に悪い土地ではなさそうである（それはほぼ正しいと判明した）。そしてイギリス海軍の船、商人、捕鯨船員、木材や亜麻の業者が太平洋の拠点とするのにも良さそうである。こうしてオーストラリア――厳密には、後にシドニー市となる場所の周辺――が選ばれた。

第一船団に乗っていたのは、七三〇人の囚人、彼らの監視人、行政官、労働者、そして総督を務めるイギリス人の海軍将校だった。その後も船団や船舶がつぎつぎに訪れ、シドニーに、後にはオーストラリア大陸に散らばってできた四カ所の流刑地に、囚人を続々と送り込んだ。まもなく、囚人と監視人以外に自由入植者もイギリスからやってくるようになった。とはいえ、三二年後の一八二〇年になっても、オーストラリアのヨーロッパ系住民のうち八四％が囚人または元囚人であり、イギリスからオーストラリアへの囚人の移送は一八六八年まで引きつづきおこなわれた。開拓地オーストラリアで生き延びて成功するのは困難だったので、囚人を祖先に持つ現代のオーストラリア人はその出自を恥ではなく誇りに思っている――現代のアメリカで、一六二〇年にメイフラワー号で移住してきた人々の子孫が誇りを感じるのと同じだ。

囚人や入植者が自給自足できるようになるには長い時間がかかるだろうと思われた(その予想は正しかった)。そのため第一船団に食糧を積んだ船が加わっていたうえ、イギリスは一八四〇年代まで食糧の輸送をつづけた。逆にオーストラリアからイギリスにかなりの品物を輸出できるようになるまでには数十年かかった。はじめは捕鯨やアザラシ猟で得た物だけだったが、一八三〇年代以降は羊毛が加わり、一八五一年からはゴールドラッシュで手に入れた金《きん》、そして一八八〇年代に冷蔵船が登場して遠く離れたイギリスまでの輸送が可能になると、肉とバターが輸出されるようになった。現在のオーストラリアには人口一人あたり五頭の羊がいて、この有り余るほどの羊が世界の羊毛の三分の一を供給している。だが第二次世界大戦以降のオーストラリア経済の中心となったのは、この大陸が産出する豊かな鉱物資源である。オーストラリアは、アルミニウム、石炭、銅、金、鉄、鉛、マグネシウム、銀、タングステン、チタン、ウランの世界有数の輸出国なのだ。

ここまでは、一七八八年以降のオーストラリアへのヨーロッパ人の入植状況についてざっとみてきたが、それよりもずっと前からオーストラリアで暮らしていたアボリジニの人々はどうなったのだろうか？　アメリカ、カナダ、インド、フィジー、西アフリカなど他のイギリス植民地にも先住民はいた。植民者は地元の首長や君主と平和裏に交渉することもあれば、地元の軍隊や部族の強大な武装勢力に対してイギリス軍を派遣するなど軍事力にものをいわせることもあった。けれどもオーストラリアでは、こうした手法は使えなかった。アボリジニは小さな集団で暮らし、軍や首長や君主を持たなかったからだ。アボリジニは決まった村落に定住せず移動しながら暮らしていた。そのためヨーロッパ人入植者の目には、アボリジニは土地を「所有」していないと映った。

そこで、入植者たちは、交渉も対価を払うこともせずにアボリジニの土地を勝手に自分たちのものにした。アボリジニの軍と戦うことはなかったが、アボリジニの小さな集団とのあいだで襲ったり襲われたりということはあり、その原因のひとつはアボリジニが入植者の羊を殺したためだった。アボリジニは、それらの羊も、自分たちがふだん狩りの対象としているカンガルーなどの野生動物と変わりがないと考えたのだ。これに対する報復として、ヨーロッパ人入植者はアボリジニを殺害した。最後の虐殺（アボリジニが三二人殺された）がおこなわれたのは、ほんの九〇年ほど前の一九二八年である。イギリス人総督は、裁判をおこなってアボリジニを殺したヨーロッパ人を絞首刑にしようとしたが、オーストラリアの世論は人殺したちを熱心に擁護した。結局ロンドンの植民地省は、はるか彼方のオーストラリアにいるイギリスの臣民たちが望むことを――それがアボリジニの殺害であっても――止めるすべはないと悟った。

アボリジニは定住する農耕民ではなく狩猟採集民だったため、オーストラリアの白人は彼らを原始的な民族と考えて見下した。いまだに、教養あるオーストラリア人のあいだにもアボリジニに対するこうした軽蔑の念が根強く残っていることに、私は驚きを禁じ得ない。オーストラリアのある上院議員は、「彼〔アボリジニ〕が人間であるという科学的証拠はまったくない」と言い放った。病気や殺害、土地の喪失によってアボリジニの人口は減少していったため、そのまま絶滅するだろうとオーストラリアの白人たちは考えるようになった。あるオーストラリア聖公会の主教はつぎのように記している。「アボリジニは姿を消しつつある。せいぜいあと一世代か二世代もすれば、オーストラリア最後の黒人〔アボリジニ〕は温かい母なる大地のふところにその顔をうずめるだろう……とすれば、伝道者にできるのは死にゆく人種の枕を整えてやることくらいではないだろうか」

アボリジニは、政府の承認がなければ非アボリジニと結婚できなかった。一九三〇年代には、アボリジニと白人のあいだに生まれた子ども、そして両親がアボリジニの子どもも、アボリジニの家庭から強制的に引き離して（それが彼らのためになるとして）施設や里親のもとで育てるという政策が実施されるようになり、大いに物議を醸してきた。一九九〇年代に入るとオーストラリアの白人がアボリジニに謝罪する動きが起きたが、これに対して強固に反対する声もあった。二〇〇八年にケヴィン・ラッド首相が公式に謝罪したものの、ジョン・ハワード首相は「今の世代のオーストラリア人が自分たちには如何《いかん》ともしがたい過去のおこないや政策について罪や責任を負う必要はない」と異議を唱えた。

つまり、イギリス系オーストラリア人による白豪主義は、海外から移住してこようとする非白人だけに向けられたものではなかった。イギリスからの白人入植者よりも前から暮らしていた非白人のオーストラリア先住民に対しても向けられていたのである。土地に対する彼らの権利を否定し、やがては死に絶えてしまうことを白人入植者たちは望んでいたのだ。

初期の移民たち

オーストラリア植民地ができてから最初の数十年間は、囚人以外の自由入植者はもっぱらイギリス（当時まだイギリスの一部だったアイルランドを含む）からやってきた。非イギリス系移民がある程度まとまってやってきたのは一八三六年以降であり、彼らは南オーストラリアに入植した。この植民地は囚人の流刑地としてではなく土地開発会社の手で創設されたもので、ヨーロッパから移民として期待が持てそうな人々が厳選されて送り込まれた。そうした入植者のなかには、宗教の自由を求めてやってきたルター派のドイツ人がいた。宗教の自由はオーストラリアよりアメリカの建国期によくみられた動機である。彼らのようなドイツからの移民は技能に優れた白人であり、野菜やブドウの栽培を手掛け、すぐにオーストラリアに順応し、軋轢《あつれき》を生むこともほとんどなかった。一八五〇年代には、オーストラリア最初のゴールドラッシュに引き寄せられて（大勢のヨーロッパ人やアメリカ人とともに）何万人もの中国人がやってきた。この大量の中国人の移住はなにかと物議を醸し、彼らを対象にした暴行、略奪、さらには頭皮をはぐなどの暴動が起こった。このときの暴動鎮圧が、イギリス軍がオーストラリアで最後に武力を行使した機会となった。

イギリス以外からの移民の第三の波が訪れたのは一八六〇年代で、クイーンズランドで砂糖プランテーションが拡大したためである。ニューギニア、その他のメラネシアの島々、ポリネシアなど太平洋の島々から、プランテーションの労働者としてやってきた。自発的に来た者もいたが、住んでいた島々から無理やりさらわれてきた人も多く、その際に殺人沙汰になることもよくあった。このような労働者狩りはブラック・バーディングと呼ばれた（島民たちの肌が黒かったためである）。やがてドイツ領ニューギニアとオーストラリア領ニューギニアでも（とくにココナッツの）プランテーションが拡大し、オーストラリアと同じ手段で労働者が太平洋諸島からニューギニアのプランテーションに連れていかれた。ニューギニアでは二〇世紀になってもまだ、このようにして労働力を確保する方法がつづいていた。一九六六年に、私はオーストラリア統治下のニューギニアで、あるオーストラリア人から話を聞く機会があった。労働者を集める仕事をしていたという彼は、自分は希望者だけを労働者としてつのり、契約金も払っていたのだと一生懸命説明した。商売敵のなかには労働者をさらってくるブラック・バーディング（という言葉を彼はまだ使っていた）をいまだにやっている者もいるが、自分はそうした連中とは違う、と誇らしげに語っていた。いずれにせよ、一八六〇年代以降に砂糖プランテーションで働くためにやってきた黒い肌の労働者たちが、自発的に来たにせよさらわれて来たにせよ、オーストラリアの白人の比率が彼らのために下がることはなかった。彼らはあくまでも有期労働者で、期間が終わればオーストラリアから退去させられたからである。

イギリス人以外の移民としては、イギリス領インドから来た人々が少数ながら存在した。こうして、ドイツ人、中国人、太平洋諸島からの有期労働者、インド人がそれなりにいたにもかかわらず、第二次世界大戦が終わるまで、オーストラリアの政策は圧倒的にイギリス系白人中心だった。

自治への動き

オーストラリアとアメリカは同じイギリスの植民地であったが、オーストラリア植民地がイギリスから離れるまでの経緯をアメリカ人が知れば、自国の歴史とのあまりの違いに驚くだろう。アメリカ植民地は独立を果たし、各植民地が連携した。独立を許そうとしないイギリスの軍隊の激しい抵抗に遭いながらも、イギリスとの政治的な絆をすべて断ち切り、七年にわたる独立戦争に勝利した。毎年七月四日には、アメリカ人は独立宣言を記念して独立記念日を祝う。この日はアメリカ人にとって最大の祝日のひとつだ。これに対して、オーストラリアは独立記念日を定めていないし、祝いもしない。なぜなら独立したわけではないからだ。オーストラリア植民地はイギリスから反対されることなく自治を獲得し、イギリスとの絆を完全に断ち切ったこともない。オーストラリアは今でもイギリス連邦の一員としてイギリスとの関係を維持し、今でもイギリスの君主をオーストラリアの国家元首として認めている。イギリスとゆるやかな絆で結ばれるオーストラリアと、断絶したアメリカ。なぜこのような異なる展開となったのだろうか?

理由はいくつかある。ひとつは、イギリスはアメリカ独立戦争で敗北して高い代償を払った経験から教訓を得ていた。白人の植民地に対する政策を変更し、カナダ、ニュージーランド、オーストラリアの各植民地にはあっさりと自治を認めたのである。実際、オーストラリアに対しては要求される前にみずから進んで自治権を与えている。二番目の理由は、イギリスからオーストラリアまでの航海には、イギリスからアメリカ東海岸までの航海よりもはるかに時間がかかったためである。第一船団がオーストラリアに到着するまでに八カ月、その後一九世紀半ば頃になっても航海には半年から丸一年かかった。当然ながら情報伝達は遅くなり、ロンドンのイギリス植民地省はオーストラリアを厳重に統制することができなかった。決定権や法律制定に関することはまず総督に委譲され、それからオーストラリアの人々の手に委譲された。たとえば一八〇九年から一八一九年までの一〇年間、オーストラリアのニューサウスウェールズ植民地のイギリス人総督は、自分が採択する新しい法律についてロンドンに知らせていない。

オーストラリアとアメリカが異なる歴史をたどった三番目の理由は、アメリカ植民地の場合、イギリスの植民地政府は大規模な軍を駐留させてその経費をまかなう必要があったためである。フランス軍がカナダを拠点として北米を掌握しようとしていたため、駐留軍は植民地を守る任務を負っていた。さらに、アメリカ先住民の部族にも立ち向かう必要があった。彼らは武力はそれほどではなくても、首長を中心に団結して人数も多く手ごわい相手であった。これと対照的に、オーストラリア大陸では植民地をめぐってイギリスと争うヨーロッパの国はなく、アボリジニは人数も少なく、彼らは銃を持たず中心となる指導者もいなかった。したがってオーストラリア大陸で大軍を駐留させる必要はなかった。その軍の維持に必要な高額の経費を集める必要もないので、オーストラリアに重税を課して不評を買うこともなかった。アメリカ独立戦争の直接の原因は、イギリスがアメリカ植民地の了解を得ずに重税を課したことだった。オーストラリアに駐留していたイギリス軍の最後の小部隊が一八七〇年に撤退したのは、オーストラリアの要請ではなくイギリス自身の決定だった。もうひとつの要因は、イギリスにとってオーストラリア植民地は、アメリカ植民地のように利益をもたらすものではなく、大いに気にかけるほど重要でもなかったことである。アメリカ植民地のように豊かで税を払う財力があるとは思われていなかった。オーストラリアに比べれば、カナダ、インド、南アフリカ、シンガポールの植民地のほうがイギリスにとってはるかにうまみがあり、重要だった。最後の理由は、オーストラリア大陸におけるイギリスのおもな植民地は、長いあいだそれぞれが独立した存在であり、互いに政治的な連携がほとんどなかったためである。これについてはあらためて詳しく説明しよう。

オーストラリア植民地が自治を獲得するまでの流れはつぎのようなものだった。第一船団の到着から四〇年後の一八二八年、イギリスは、オーストラリア植民地のなかでも最初にできたニューサウスウェールズとタスマニアのふたつに、任命された議員で構成する立法評議会を置いた。一八四二年には、任命制議員に代わり、初めて一部議員が選挙で選ばれた立法評議会がニューサウスウェールズに置かれた。一八五〇年、イギリスはオーストラリア植民地のために憲法を起草したが、その憲法は後に植民地が自由に修正することができた。つまり、植民地は自分たちの政府をかなり自由につくることができたのである。一八五〇年の憲法とそれにつづく修正憲法では、防衛、国家反逆罪、帰化などオーストラリアに関するいくつかの事項の決定権がイギリスに「留保」されたほか、植民地で成立した法を却下する権限も制度上はイギリスに残された。といっても、そのような留保された権利をイギリスが実際に行使することはめったになかった。一九世紀も後半になると、イギリスに留保されているおもな権利はオーストラリアの外交権のみとなった。

イギリスはこうした権利を持ちつづけたほか、一九世紀を通じ、独立国ならオーストラリアが自前でおこなうべき重要な業務を肩代わりしつづけた。そのひとつはイギリス戦艦による軍事防衛で、一九世紀後半に他のヨーロッパ諸国、日本、アメリカが太平洋における勢力をしだいに伸ばしてきたことへの対応であった。もうひとつは、イギリスがオーストラリア植民地に派遣した総督に関するものだ。この総督たちは、強大な権力を誇る宗主国イギリスがオーストラリア植民地の抗議に反して押し付けた忌まわしい暴君ではなかった。それどころか、行き詰まることの多かったオーストラリア植民地の自治政府にとっては欠かせない存在となった。着任したイギリス人総督たちは、植民地議会の上院と下院の対立を解決したり、議会での連立成立に向けて調整をおこなったり、いつ議会を解散して選挙をおこなうかを決定したりと、何かにつけて活躍した。

連邦化

さて、ここまで私は、オーストラリア植民地が現在のオーストラリアという統一国家の直接の前身であるかのように歴史を語ってきた。だが、オーストラリアは六つの別々の植民地——ニューサウスウェールズ、タスマニア、ヴィクトリア、南オーストラリア、西オーストラリア、クイーンズランド——としてはじまり、互いに連携をとることはあまりなかった。後にアメリカ合衆国を形成するアメリカ植民地とは、その点で大きく異なる。連携が限られていた原因は、オーストラリアの地理にある。生産性のあるわずかばかりの土地は大陸のあちこちに点在し、そのあいだを砂漠などの不毛の大地が隔てている。オーストラリア本土にある五つの州都すべてが鉄道で結ばれたのは、一九一七年になってからだ（今でも六番目の州都、タスマニア島のホバートとは鉄道で結ばれていない。タスマニア島はオーストラリア本土から約二四〇キロメートルも離れている）。採用された軌間も一〇六七ミリメートルから一六〇〇ミリメートルまで植民地ごとに異なっていたため、列車はある植民地から別の植民地内まで直通で走ることができなかった。各植民地はそれぞれが独立国家のように互いに保護関税を設け、植民地の境界には税関を置いて輸入税を徴収していた。一八六四年には、ニューサウスウェールズとヴィクトリアの境界で危うく武力衝突が起こるところだった。結果的に、六つの植民地がオーストラリアというひとつの国に統一されたのは一九〇一年、第一船団到着から一一三年も後のことである。

はじめのうち、各植民地は統一にほとんど興味を示さなかった。入植者たちは、自分たちはオーストラリア人であるというよりもまず在外イギリス人であり、そのつぎにヴィクトリア人やクイーンズランド人であると考えていた。連邦化への興味が芽生えたのは一九世紀後半になってからである。日本が軍事力を増し、アメリカ、フランス、ドイツが太平洋での勢力を拡大して太平洋の島々をひとつまたひとつと併合し、太平洋にあるイギリスの植民地にとって脅威となってきたためだ。それでも当初はイギリスの植民地の連合体の範囲をどこまでとするのか、はっきりしていなかった。「オーストロネシア」連邦会議が一八八六年に初めておこなわれたとき、同じイギリスの植民地でもオーストラリアから遠いニュージーランドやフィジーの代表者が参加する一方、現在のオーストラリアを構成する六つの植民地のうち、参加したのは四つのみだった。

オーストラリア連邦憲法の草案は一八九一年に作成されたが、統一されたオーストラリア連邦が誕生したのは一九〇一年一月一日だった。この憲法の前文では「イギリスおよびアイルランド連合王国国王のもと、不可分の連邦国家として結合する」ことを合意したと宣言され、イギリスが任命した連邦総督を置くほか、オーストラリアの最高裁判所の判決はイギリスの枢密院（最高裁判所に相当するイギリスの機関）に上訴できるという条項も含まれていた。アメリカ憲法にそのような条項があることなど想像できるだろうか！　このオーストラリア憲法をみると、オーストラリアの人々がまだイギリス王室に忠誠心を抱いていたことがわかる。すなわち「法の遵守、言論の自由、個人の自由の保障、王立海軍に象徴される当時の超大国による保護の要求、太陽の沈まぬ帝国の一部であるという共通の誇り、さらにはヴィクトリア女王その人に対する愛情までもが、共通の価値観として受け入れられていた」のである（Frank Welsh, *Australia*, p.337）。このときに採択された国旗は現在もオーストラリア国旗として使われているもので、イギリス国旗（ユニオンジャック）に南天の星座である南十字星があしらわれている（口絵7・4）。

締め出し策

オーストラリアでは連邦憲法の制定に向けて多くの争点があったものの、オーストラリアから非白人を締め出すことについての反対意見はなかった。白豪主義を保とうとしていたオーストラリア人の考え方を表す例として、いくつか引用してみよう。まず、一八九六年のメルボルン・エイジ紙の記事から。「われわれが目にしたいと願うオーストラリアの姿は、偉大なる同一性を保持したコーカソイド人の故郷であり、そこにアメリカ合衆国を南北戦争に追い込んだような問題はまったく存在しない……貧民そのものを受け入れてしまったなら、われわれの労働者を極東の貧民労働力から守ろうとしても無駄である」。一九〇一年にオーストラリア連邦が誕生し、最初に制定された法のひとつである移民制限法は、オーストラリアがいつまでも白人の国でいられるよう保証することを目的としており、すべての政党の賛同を得て成立した。この法律では、売春婦、精神を病んだ人、厄介な病気を患っている人、犯罪者（オーストラリアはもともと囚人の流刑地だったにもかかわらず）の移民を禁じていた。同様に黒人やアジア系の移民も認めず、オーストラリアは「ひとつの人種であり、他の人種が混入することなくひとつの人種でありつづける」べきであると述べられていた。オーストラリアのある労働運動指導者は、「こうしたよそ者たちが流入すれば、共同体全体の水準が低下し、社会の法はたちまちのうちに効力を失ってしまうだろう。人種を純粋に保ち国としての特色を築き上げれば、われわれはきわめて進歩的な民となり、末永く繁栄し、イギリス政府の誇りとなるだろう」と述べている。

当時の見解としては、つぎのような発言もあった。「有色人種の異邦人たちに、オーストラリアの人里離れた土地で出くわしたくはない」「（中国人は）オーストラリアが数世紀の時を超えて受け継いだ文明の水準を保つことができないだろう」「美しく着飾って教会に参列したご婦人方は……今掛けている椅子に、大柄で太った〔印刷不可の言葉〕が、横浜あたりから運んできたあらゆる種類の病原菌をまき散らしながら座っていたと想像したら、さぞやうれしがることでしょう」。オーストラリア連邦の初代首相エドモンド・バートンですら、「人種の平等など存在しない。これらの〔非白人の〕人種は白色人種と……同等ではなく劣っている。人間平等の原理は、イギリス人と中国人の平等を想定したものではない……われわれが育成、教育、その他どんな手段を講じようと、平等のレベルになれない人種が存在する」と記している。もう一人の首相、アルフレッド・ディーキンは、「人種の同一性がオーストラリア統一には必要不可欠である」と断言した。

イギリスの植民地大臣はオーストラリア連邦に対し、人種差別が露骨すぎると苦言を呈した。これは当時のイギリスが日本と軍事同盟を結ぶべく交渉中だったため、こうした態度が交渉に支障をきたすという理由もあった。そこで連邦は、人種について言及することなく人種差別的な移民統制をするため、オーストラリアへの移住希望者に書き取り試験を課すことにした。試験の言語は英語とは限らず、ヨーロッパの言語も使われたが、何語を使うかは、移民局の役人の裁量に任されていた。イギリスの植民地ではあるが多様な民族のいる地中海のマルタ島から労働者が船で大勢やってきたとしたら、英語の書き取り試験では合格してしまうかもしれないので、役人たちはオランダ語（オーストラリアでもマルタでも使われていない言語）で書き取り試験を実施し、体よく彼らを追い払った。すでに労働者としてオーストラリアに受け入れられていた非白人については、太平洋諸島の人々、中国人、インド人は国外退去とし、専門的な二種類の職業に携わる少人数の集団（アフガン人のラクダ使いと日本人の真珠貝採取の潜水夫）のみ残留を認めた。

このように移民を制限したいちばんの動機は、当時の人種差別意識であったが、安価な労働力となる移民の流入を防いでオーストラリア人労働者の賃金水準を維持したいというオーストラリア労働党の思惑もはたらいていた。オーストラリアの人々の人種差別意識が特別に強いと非難するつもりはない。世界中に人種差別的な見解が蔓延し、彼らはそれを共有していたにすぎない。彼らは、そうした見解を盛り込んで人種差別的な排他主義にもとづく移民政策を実行する一方で、オーストラリアの人口密度の低さを解消するためにイギリスからの移民を誘致していた。当時のイギリスやヨーロッパ大陸の国々は、そもそも移民の誘致や受け入れをまったくおこなっていなかった。第二次世界大戦後になって、イギリスの西インド諸島植民地からアフリカ系の人々が大勢イギリスに入ってくると、一九五八年にはイギリスのノッティンガムとノッティングヒルで人種暴動が起きた。日本は今でも移民をほとんど受け入れていない。アメリカはオーストラリアとは違い、イギリス国民としてのアイデンティティを拒絶し、ヨーロッパ大陸の各国、メキシコ、東アジアからの移民を大勢受け入れたが、それでも少なからぬ抵抗はあった。

第一次世界大戦

第二次世界大戦が終わると状況は変化しはじめたが、それまでオーストラリア人のアイデンティティの中心にあったのはイギリスの臣民であるという意識だった。だからこそオーストラリアの国益には直接関係のないイギリスの戦争に加わり、イギリス軍と肩を並べて戦うことに意欲を燃やしたのである。最初の例は一八八五年で、スーダンで起きた反乱を鎮圧するために（オーストラリア連邦成立のずっと前に）ニューサウスウェールズ植民地が軍を送り、イギリス軍とともに戦った。オーストラリアからみればスーダンは世界のはるか彼方にあり、何のかかわりもない場所であったはずだ。さらに大きな機会となったのが、一八九九年にイギリスと南アフリカのオランダ人入植者の子孫とのあいだに起きたボーア戦争である。これまたオーストラリアにとって直接の利害関係は、まったくなかった。オーストラリアの兵士たちはボーア戦争で優れた戦いぶりを示し、ヴィクトリア十字勲章（戦場での勇敢なおこないに対して与えられるイギリス最高の勲章）を五つ授与され、イギリスの忠実な臣民であるという評判と栄光を勝ち得た。

その代償としてオーストラリア人兵士が犠牲となったが、命を落としたのは三〇〇人に留まった。

一九一四年八月、第一次世界大戦勃発を受けてイギリスはドイツに宣戦布告した。オーストラリアにもカナダにも相談したわけではない。イギリスが任命したオーストラリア総督から、選挙で選ばれたオーストラリア首相に参戦が伝えられただけだった。オーストラリアの人々はためらうことなくイギリスの参戦を支持し、ボーア戦争やスーダンでの戦争よりも大々的に協力した。オーストラリアのあるジャーナリストは、「われわれは、われわれの〔原文通り！〕国を守らなければならない。われわれが受け継いできたこの神聖な遺産を〔ドイツの〕武力から守り、神聖なままに保たねばならない」と記している。今回の戦争は、オーストラリアにも多少の利害関係はあった。ニューギニア島北東部のドイツ植民地とビスマルク諸島をオーストラリア軍が占領するための口実を与えてくれたのだ。けれども、なんといっても第一次世界大戦へのオーストラリアの貢献といえば、大規模な義勇軍だった。総人口五〇〇万人に満たないオーストラリアで、従軍資格のあるオーストラリア人男性の半数以上が参加し、総勢四〇万人の兵士が集まった。地球を半周した先のイギリスの利益を守るため、フランスと中東での戦いに馳せ参じたのである。三〇万人以上が海外へ派遣され、そのうち三分の二が負傷または死亡した。今でも、オーストラリアではどんな小さな町にもたいていは中心部に戦歿《せんぼつ》者記念碑があり、戦争で亡くなった地元の人々の名前が記されている。

第一次世界大戦中にオーストラリアがかかわった戦いとしてもっともよく知られているのは、ガリポリ半島を領有していたトルコ軍をアンザック（ANZAC＝オーストラリア・ニュージーランド軍団）が攻撃した戦いである（口絵7・5）。アンザック軍は一九一五年四月二五日に上陸したものの、作戦を指揮したイギリス人将校の力不足により多くの死傷者を出した。一九一六年、イギリスはこの作戦は失敗したと判断して撤退した。以来、ガリポリ上陸を記念したアンザック・デー（四月二五日）はオーストラリア国民にとってもっとも重要で感動的な国民の祝日となっている。

このようにアンザック・デーがオーストラリアの国民の祝日として大切にされていることは、オーストラリア人以外の人々には理解しがたい。スーダンと同様にオーストラリアの国益には何の関係もない半島での戦いで、遠いイギリスの無能な指導者のせいで自国の若者たちがむざむざと殺されたのである。それをなぜ国として祝う必要があるのか？　その疑問をそのままぶつけるような無神経なふるまいは、さすがに私もしようとは思わない。なにしろ、オーストラリア人の友人たちは、一世紀前のガリポリ上陸について話すときには今もなお涙ぐんでしまうのだ。私はこう解釈している。ガリポリで無残にも命を落とした若者たちに、オーストラリア人は自分たちの熱い思いを重ねるのだ。母なる国イギリスのためであれば、命すら捧げようとする強い思いを。ガリポリの戦いは、オーストラリアという国家の誕生とみなされるようになった。そこには、国家の誕生には犠牲と流血が必要だという人々の考えが反映されている。ヴィクトリア人やタスマニア人や南オーストラリア人としてではなく、オーストラリア人として母なる国イギリスのために戦ったのであり、ガリポリの大敗はオーストラリア国民としての誇りを象徴していた。また、イギリスの忠実な臣民であることを自他ともに認めていたオーストラリア人にとって、イギリスへの忠誠心の象徴でもあった。

この自己認識があらためて鮮明になったのは、一九二三年、大英帝国に属する諸地域の会議の折りである。会議では、イギリスの自治領は以後、国外における自分たちの代表はイギリスの大使ではなく、自分たちで任命した大使や外交代表者を置くことができるという合意が採択された。カナダ、南アフリカ、アイルランドは即座に自国の外交代表者を任命した。だが、オーストラリアはそうしなかった。イギリスから独立したことを目にみえるかたちで示したいという世論の盛り上がりがない、という理由だった。

とはいえ、オーストラリアはイギリスに対し、立派な母国にただ認めてもらいたいというけなげな思いばかりを抱いていたわけではない。そこには愛憎半ばする要素もある。個人的な例だが、ひとつ紹介しよう。私にはオーストラリアの羊肉加工場で働いていた友人がいる。その工場ではオーストラリア国内で消費するための製品と、冷凍してイギリスに輸出する製品の両方をつくっていたのだが、イギリスに輸出される羊の肝臓の箱の中に、友人と仲間たちはときどき羊の胆嚢《たんのう》をひとつ落とし込んでいた。胆嚢に含まれている胆汁の苦さは半端ではない。オーストラリアがイギリスに抱く憎しみの要素は、もっと深刻なかたちでも現れる。後ほど紹介するが、第二次世界大戦後のオーストラリア首相たちの言葉から、それを知ることができる。

第二次世界大戦

オーストラリアにとって第二次世界大戦は、第一次世界大戦とは意味合いがまったく異なっていた。第二次世界大戦ではオーストラリア本国が攻撃され、地球を半周したところではなく近隣の島々で激しい戦闘がおこなわれたからである。シンガポールにあったイギリスの大きな海軍基地が日本軍に降伏し、それを契機としてオーストラリアの自己認識は大きく変わったとみなされることが多い。

日本は第一次世界大戦後の二〇年間で陸海軍を整備し、中国に対して宣戦布告をせずに戦争をしかけた。これはオーストラリアにとって脅威となった。イギリスはオーストラリア防衛の任務を果たすべく、マレー半島の先端にあるシンガポールの基地を増強したが、その基地はオーストラリアから約六二〇〇キロメートル離れていた。このはるか離れた基地とともにオーストラリアの防衛を担ったのは、さらに遠くの大西洋と地中海に重点的に配備されているイギリス艦隊だった。だがシンガポール戦略の失敗を、単にイギリスの落ち度とすることはできない。肝心のオーストラリアが、自国の防衛に必要な手段を講じることを怠っていたのである。オーストラリアは一九三〇年に徴兵制度を廃止し、空軍も海軍も小規模なものしかなかった。海軍には航空母艦も戦艦もなく、軍艦は軽巡洋艦程度で、オーストラリアとその国際水域を日本の攻撃から守るにはあまりにも弱かった。同時期にイギリス本国は、ドイツというもっと深刻で差し迫った脅威に対処せねばならず、日本への軍事対応は後手に回っていた。

一九三九年九月三日にイギリスがドイツにふたたび宣戦布告したのを受けて、第一次世界大戦勃発時と同じくオーストラリア首相は議会に諮りもせず即座に、「イギリスが宣戦布告した。したがってオーストラリアも〔ドイツとの戦いに〕参戦する」と宣言した。そして第一次世界大戦のときと同様に第二次世界大戦も、当初はオーストラリアとは直接の利害関係のない戦いだった。地球を半周したところで、ポーランド、イギリス、フランスなど西欧諸国がドイツを相手に戦っていた。それでもオーストラリアは第一次世界大戦時と同じように、ヨーロッパ戦域、おもに北アフリカとクレタ島に軍を派遣した。しかし、日本の攻撃を受ける恐れが高まるとともに、オーストラリア政府は本国防衛のために軍の帰還を要請した。それに対しイギリス首相ウィンストン・チャーチルは、シンガポールの基地を拠点としてイギリスとイギリス艦隊がオーストラリアを日本の侵略から守る、オーストラリア海域に現れるかもしれない日本の艦隊からも守ると請け合った。だがこの約束には現実的な根拠が何ひとつなかったことが、後に判明する。

一九四一年一二月七日、日本によるアメリカ、イギリス、オーストラリア、オランダ領東インドへの攻撃が現実にはじまった。日本の宣戦布告からわずか三日後の一二月一〇日、日本の爆撃機が戦艦〈プリンス・オブ・ウェールズ〉(口絵7・6)と巡洋戦艦〈レパルス〉を撃沈した。イギリスがオーストラリア防衛のために極東に配備していた、たった二隻の大型戦艦であった。一九四二年二月一五日、シンガポールで指揮をとっていたイギリスの司令官が日本軍に降伏し、イギリス軍および大英帝国の連合軍一〇万人が戦争捕虜収容所に送られた――イギリス史上最悪の軍事的敗北である(口絵7・7)。降伏した軍のなかに、わずか三週間前の一月二四日に、シンガポールを守るという勝ち目のない任務に就くために到着したばかりのオーストラリア人兵士二〇〇〇人が含まれていたのが痛ましい。オーストラリアを守るイギリスの戦艦を失ったなか、真珠湾のアメリカの海軍基地を攻撃したのと同じ航空母艦四隻がオーストラリアの都市ダーウィンに激しい空襲をしかけたのは、一九四二年二月一九日のことである(口絵7・8)。これを皮切りにオーストラリアは六〇回以上も日本の空襲を受け、さらにシドニー湾は日本の潜水艦の攻撃も受けた。

シンガポール陥落はオーストラリアの人々にとって衝撃であり、軍事的敗北の恐怖も味わったが、それだけではなかった。母なる国イギリスに裏切られたと実感したのだ。日本によるシンガポール侵攻が進むなか、オーストラリア首相ジョン・カーティンはチャーチルに電報を打ち、あれだけシンガポール基地は堅固だといっておきながらイギリスがシンガポールから撤退するのは「弁解の余地なき背信行為」であると告げた。だがシンガポールが陥落したのは、イギリスがヨーロッパ戦域と極東に軍備を広げすぎて兵力が分散してしまったためであり、さらに、防御側だったイギリスと大英帝国の軍は数こそ上回っていたが、戦術では攻撃してきた日本軍のほうが上だったという理由もある。

オーストラリアにも、自国の防衛を怠っていたという落ち度はあった。それでも、イギリスに対する苦い思いは後々まで残った。シンガポール陥落から五〇年後の一九九二年になっても、オーストラリア首相ポール・キーティングはオーストラリア議会に向けての演説で、イギリスを容赦なくこきおろし、憎しみをあらわにした。「学校で……私はオーストラリアに誇りを持ち、オーストラリアを敬愛することを教わった——間違っても、マレー半島の防衛を放棄し、シンガポールの心配もせず、日本の支配から脱するのに必要なわれわれの軍を帰還させることもしない国に、へつらうような真似は教わっていない。これが、貴君たち〔保守派の二党に属していたオーストラリアの議員たち〕が見捨てられることも厭《いと》わずに献身的に尽くした国の姿だ」

オーストラリアが第二次世界大戦から得た教訓は、ふたつの意味合いを持っていた。

何よりもまず、イギリスはオーストラリアを防衛できるだけの力を持っていないことが明らかになった。代わってオーストラリアの防衛を担うことになったのがアメリカである。アメリカの軍隊、船舶、航空機が大量に配備され、アメリカ人のマッカーサー将軍が司令官となってオーストラリアに本部を設置した。マッカーサーは、オーストラリア軍がかかわっていた作戦も含め、すべてをほぼ独断で指揮した。オーストラリアがアメリカと対等な関係であると感じられるものは、いっさいなかった。日本がオーストラリアに上陸する可能性は懸念されていたものの、結局現実にはならなかった。だが上陸が現実になった場合、守ってくれるのがアメリカであってイギリスでないことは明らかだった。日本との戦争は四年近くつづき、戦闘の場はニューギニア島、ニューブリテン島、ソロモン諸島、そしてついにはボルネオ島にまで拡大した。この地でオーストラリア軍は前線における重要な役割を担い、一九四二年、日本軍がオーストラリア領ニューギニアの首都ポートモレスビー占領を試みてココダ道に進軍するのを阻止した。だがそれ以降、マッカーサーはしだいに前線から遠く離れた二次的な作戦にオーストラリア軍を送るようになる。その結果、オーストラリアは第二次世界大戦で直接攻撃されたにもかかわらず、負傷者数は、直接攻撃されなかった第一次世界大戦の半数以下という逆転現象が生じた。

第二次世界大戦でオーストラリアが思い知らされたことは、もうひとつある。両大戦で、オーストラリア軍がはるか彼方のヨーロッパ戦域で戦っているあいだに、自国の近辺にアジアの大きな脅威が迫っていたことだった。そして日本こそ敵であると考えるようになった。というのも、戦時中に約二万二〇〇〇人のオーストラリア兵が日本の捕虜になり、日本の戦争捕虜収容所で言語に絶するほど劣悪な環境に置かれ、三六%が亡くなった。ドイツの戦争捕虜収容所におけるアメリカとイギリスの兵士の死亡率、そしてアメリカとイギリスの戦争捕虜収容所におけるドイツ人兵士の死亡率である一%と比べると、はるかに高い数値である。オーストラリアにとってとくに衝撃だったのが「サンダカン死の行進」で、ボルネオ島のサンダカンで日本の捕虜となった二七〇〇人のオーストラリア軍とイギリス軍の兵士が、ボルネオを横断させられるあいだに飢えと暴行のためつぎつぎに倒れ、わずかに生き残った者も処刑され、最終的には捕虜のほぼ全員が命を落とした。

絆の弱まり

第二次世界大戦の後、イギリスに対してオーストラリアが感じていた絆はしだいに弱まり、「オーストラリア在住の忠実なイギリス人」という自己認識にも変化が生じ、白豪主義政策の撤廃につながった。オーストラリアそのものにとくに興味のない歴史家にとっても、こうしたオーストラリアの変化は、「われわれは何者か」という問いに対する国家としての回答が変わっていく格好の例となる。利害を異にするさまざまなグループで構成された国家においては、こうした変化のスピードは、個人の変化ほど速くはない。オーストラリアでは何十年にもわたってゆるやかに変化が進み、今でもまだつづいている。

第二次世界大戦はオーストラリアの移民政策に直接的な影響を与えた。一九四三年の時点ですでに、オーストラリア首相は、オーストラリアの人口はあまりにも少なく（一九四五年当時で約七〇〇万人）、このままでは人口の多いアジアの国々（日本、インドネシア、中国）の脅威に対抗して、広大なオーストラリア大陸を維持していくことはできないという結論に達した。人口密度の高い日本やジャワ島や中国と比べるとオーストラリアは空いている土地が多く、アジアの侵略者の目には魅力的に映るだろうと首相は考えたが、当のアジア人はそうは思っていなかった。移民を増やそうという考えを後押ししたもうひとつの理由は、西側世界の一員として経済を発展させるには人口が多くなくてはならない、という誤った思い込みだった。

前述のふたつの考えはどちらも的外れである。オーストラリアの人口密度は昔も今も日本やジャワよりもずっと低いが、そこにはしかるべき事情がある。日本もジャワも全土が湿潤で肥沃であり、島々の大半の地域が農業に適していて多くの収穫を得られる。

だがオーストラリアの国土の大部分は不毛の砂漠であり、農業に適した土地はごくわずかだ。西側世界の一員として経済を発展させるためには多くの人口が必要なのかといえば、経済的に繁栄しているデンマーク、フィンランド、イスラエル、シンガポール各国の人口はオーストラリアの四分の一しかない。この事実は、経済の繁栄には量よりも質が大切であることを示している。実際、オーストラリアは現在よりも人口が少ないほうがうまくやっていけるはずだ。人口が少ないほど、脆弱なオーストラリアの大地に人間がおよぼす影響が減り、国民一人あたりに対する自然資源の割合が増える。

しかしながら一九四〇年代のオーストラリアの首相たちは環境活動家でも経済学者でもなかったので、戦後のオーストラリアは移民促進政策を猛然と推し進めた。オーストラリアとしてはイギリスとアイルランドからの移民を望んでいたが、応募者が足りなかった。白豪主義政策をとっていたため、選択肢は限られる。オーストラリアに駐留していたアメリカ軍人の定住を促すという案は、あまり好ましくなかった。アフリカ系アメリカ人の割合が非常に高かったからだ。そこで（イギリスとアイルランドにつぐ）「次善の」候補地として戦後のオーストラリアが移民を勧誘した先が北欧だった。第三の選択肢は南欧である。私が一九六四年に足しげく通ったイタリア料理店やギリシャ料理店はこうしてできたのだ。オーストラリアで移民を支援していた人々は驚くべき発見を公表した。「適切に選んだイタリア人は優れた市民になる」（！）。この路線への第一歩として、オーストラリアに連れてこられたイタリアとドイツの戦争捕虜たちはそのまま残ることを許された。

一九四五年から四九年までオーストラリアの移民大臣を務めたアーサー・コールウェルは、人種差別的な発言をしてはばからなかった。日本や中国やインドネシアの女性と結婚するオーストラリア人男性は愛国心に欠けていると決めつけ、彼らが戦争花嫁や子どもたちをオーストラリアに連れてくることさえ拒絶した。コールウェルはつぎのように記している。「日本人女性も混血児も、オーストラリアへの入国はいっさい認められない。そのような者たちは断じて不要であり、未来永劫望ましくない……人種の混じったオーストラリアなどあってはならない」。イギリス以外の移民の供給先、バルト三国（エストニア、ラトビア、リトアニア）からの人々に対して、コールウェルは好意的だった。ロシアによって併合されたのを機に、目の色も髪の色もイギリス人とよく似ているうえに教養もある白人が多数、移住してくるようになったと述べている。一九四七年、コールウェルは戦後ヨーロッパ各地の難民キャンプを視察して回り、「優れた人材」の供給源になると判断した。バルト三国については、「住民の多くは赤毛で青い目をしている。また、男女ともに生まれながらのプラチナブロンドが多い」と好意的に記している。こうして移民を選択的に誘致した結果、一九四五年から五〇年までのあいだにオーストラリアが受け入れた移民は約七〇万人（一九四五年の人口の一〇％近い人数）に達し、そのうち半数は願いどおりにイギリス人、残りはヨーロッパの他の国の出身だった。一九四九年になるとオーストラリアは譲歩する余裕すら示し、日本人の戦争花嫁の滞在も許可した。

白豪主義の弱まりを招き、ブリスベンで二〇〇八年に私を待ち受けていたようにアジア系移民とアジア料理店が増加した理由は、五つ挙げられる。国防、アジアにおける政治の発展、オーストラリアの貿易の推移、移民そのものの変化、そしてイギリスの政策の変化である。軍事に関していえば、第二次世界大戦でイギリスがもはや太平洋の覇者ではないことが明らかになった。そのため、オーストラリアはアメリカとの軍事的なかかわりを深めざるを得なくなった。これが公に認識されるようになったのは、一九五一年にアメリカ、オーストラリア、ニュージーランドのあいだで太平洋安全保障条約（ANZUS条約）が結ばれたときのことである。イギリスはこの条約に参加しなかった。朝鮮戦争、マラヤとベトナムにおける共産主義の脅威の高まり、オランダ領ニューギニアとマレーシア領ボルネオとポルトガル領ティモールへのインドネシアの軍事介入により、オーストラリアでは安全保障の問題が深刻化しているという危機感が高まった。一九五六年のスエズ危機では、イギリスがエジプトのナセル大統領を倒そうとして失敗し、アメリカの経済的な圧力にやむなく屈したことで、イギリスの軍事力と経済力の弱さが露呈した。オーストラリアにとって衝撃だったのは、一九六七年、イギリスがスエズ運河以東の軍を完全に撤退させる予定であると公表したことだ。これによってオーストラリアの庇護者というイギリスの長年にわたる役割は、正式に終わりを告げた。

アジアの政治的発展については、かつての植民地や保護領や委任統治領が独立し、インドネシア、東ティモール、パプアニューギニア、フィリピン、マレーシア、ベトナム、ラオス、カンボジア、タイなどの国々が誕生した。いずれもオーストラリアに近い。パプアニューギニアはたった数十キロメートル、インドネシアと東ティモールは約三二〇キロメートルしか離れていない。各国は独自の外交政策を打ち立て、もはや元宗主国の外交政策に従属してはいない。同時に経済的にも発展しつつあった。

貿易に関していえば、かつてはイギリスがオーストラリアにとって最大の貿易相手で圧倒的な割合を占め、一九五〇年代に入ってもオーストラリアの輸入の四五%、輸出の三〇%を占めていた。一方でオーストラリアは人種主義と第二次世界大戦にもとづく日本への敵意を克服し、一九五七年には日本と通商協定を結び、一九六〇年には鉄鉱石の日本への輸出を解禁した。こうして日本との貿易は急激に増加していく。一九八〇年代になると、オーストラリアの貿易相手国の第一位はなんと日本（！）で、第二位はアメリカ、イギリスは大きく順位を下げた。一九八二年のオーストラリアの輸出に占める割合は、日本が二八%、アメリカが一一%で、イギリスはわずか四%にすぎない。だが、明らかな矛盾があった。オーストラリアは日本や他のアジアの国々を貿易相手としては歓迎しておきながら、移民として受け入れるにはふさわしくないと考えていたのである。

イギリス重視の白人移民政策が機能しなくなった四番目の要素は、オーストラリアの移民そのものの変化だ。第二次世界大戦後に移住したイタリア人、ギリシャ人、エストニア人、ラトビア人、リトアニア人は、白人ではあったがイギリス人ではなかった。イギリスの忠実な臣民であるという、オーストラリア人が昔から持ちつづけていた自己イメージを共有してはいない。また、一九五〇年代になってもイギリスとオーストラリアで広くみられたアジア人に対する根強い差別意識も、持ち合わせていなかった。

最後に、オーストラリアがイギリスから離れようとしていただけではなく、イギリスもオーストラリアから離れようとしていた。イギリスでもオーストラリアでも国益が変化し、自己イメージはしだいに時代にそぐわないものとなっていった。イギリス政府はオーストラリア政府よりも先にこの残酷な事実に気づいたが、それを受け入れることはどちらの側にも大きな痛みをともなった。イギリスにおける変化がピークに達したのは、私がその地で暮らしていた一九五八年から六二年にかけてのことだった。オーストラリアの人々は伝統的に、自分たちは大英帝国内のイギリス市民であると考えていた。その根拠となったのは、祖先が主にイギリスから移住してきたことと、イギリスから貿易および軍事的な保護を受けていたことだったが、このふたつはどちらも変化しつつあった。

一方、昔からイギリス人のアイデンティティのよりどころは、史上最大の帝国（「太陽の沈まぬ帝国」)、後にはイギリス連邦の宗主国であるという自覚であった。大英帝国そしてイギリス連邦各地は、イギリスの主要な貿易相手であり、兵力の供給源でもあった。オーストラリア、ニュージーランド、インド、カナダの兵士たちが二度の世界大戦でイギリス軍とともに戦い、命を落としたことを思い起こしていただきたい。けれどもイギリスにとって主たる貿易相手は、連邦からヨーロッパに移行しつつあり、同様にオーストラリアの貿易相手もイギリスからアジアとアメリカへと移行しつつあった。イギリスの支配下にあったアフリカとアジアの植民地は独立し、それぞれがナショナル・アイデンティティを発展させ、イギリス連邦内にありながらも独自の外交政策を打ち立てるようになった。そして、人種差別的なアパルトヘイト政策をおこなっていた南アフリカを連邦から脱退させた(イギリスは反対したが)。オーストラリアが、イギリスを取るかアジアとアメリカを取るかの選択を迫られているように感じていた頃、イギリスもやはり、連邦を取るかヨーロッパを取るかの選択を迫られているように感じていた。

一九五五年、イギリスは欧州経済共同体(EEC)設立に向けて進めていた西欧六カ国(フランス、西ドイツ、イタリア、ベルギー、オランダ、ルクセンブルク)との交渉から離脱することを決めた。だが、一九五五年時点でのイギリスの予想に反し、一九五七年に西欧六カ国はイギリス抜きでEEC成立に漕ぎつけた。一九六一年には、イギリス首相ハロルド・マクミランはイギリスの国益の変化を認識していた。イギリスにとって経済的にも政治的にも、ヨーロッパのほうがイギリス連邦より重要になりつつあったのだ。そこでイギリスはEEC加盟を申請した。この加盟申請とその後の成り行きは、シンガポール陥落以上にオーストラリアとイギリスの関係を根底から揺さぶり（シンガポール陥落のほうが劇的で象徴的ではあったが）、いまだにオーストラリア人にとって大きなしこりとなっている。

イギリスのEEC加盟申請は、必然的にイギリスとオーストラリアの国益に避けがたい衝突をもたらすものであった。六カ国はEEC非加盟国からの輸入品に対して共通の関税障壁を設けていたため、イギリスもこれに加わらざるを得ない。関税はオーストラリアの食品や精錬した金属にも適用されることになるが、いずれもおもな輸出先は依然としてイギリスだった。イギリスがオーストラリアから輸入していた食糧は、フランス、オランダ、イタリア、デンマークの食糧に取って代わられることになる。この残酷な事実を、オーストラリアのロバート・メンジーズ首相も、そしてイギリスのマクミラン首相もよく認識していた。マクミランはオーストラリアにも、他の連邦加盟国に対しても、イギリスは連邦の利益を守るためEECと交渉すると約束した。だがマクミランが交渉に成功するかどうかは当時から疑わしく思われ、実際に六カ国はオーストラリアの利益のために大きく譲歩することを拒んだ。

イギリスのEEC加盟申請へのオーストラリアの反応は、かつてのシンガポール陥落のときの反応に通じるものがあった。モラルを踏みにじる行為で不誠実、道徳的怒りを呼び起こすと非難したのだ。さらに、ガリポリをはじめとして、オーストラリアは一世紀にわたって母なる国イギリスに対して数々の犠牲を払い、イギリスから継承した遺産をナショナル・アイデンティティの根底に保ちつづけてきたのに、それに対する大いなる裏切りと受け止められた。つまり、オーストラリアにとって文字通りの衝撃であると同時に、象徴的な衝撃でもあったのだ。オーストラリアにさらに大きな象徴的衝撃をもたらしたのは、一九六二年に制定されたイギリス連邦移民法である。その真の目的は、西インド諸島とパキスタンからの移民を阻止することだったが、人種差別とみられないようにするため、連邦の市民すべて（オーストラリア人を含む）に対して自動的に与えられていたイギリス入国の権利と居住権が廃止された。一九六八年にイギリスで成立した移民法では、すべての外国人（foreigners）（オーストラリア人は今や外国人扱いである！）を対象として、少なくとも祖父母の一人がイギリス生まれという条件を満たさなければイギリスに入国する権利を自動的には与えないこととした。これによって当時のオーストラリア人のかなりの割合が除外された。一九七二年、イギリスは、オーストラリア人は異邦人（aliens）（！）であると宣言した。何たる侮辱だろう！

　要するにオーストラリアの場合は、子どもから、母イギリスに独立を宣言するという成り行きではなかった。母親がみずからの独立を宣言し、連邦すなわち子どもとの絆をゆるめ、縁を切ったのである。

イギリスとヨーロッパ諸国の交渉は遅々として進まず、一進一退を繰り返した。一九六三年、フランスのド・ゴール大統領は、イギリスによる初めてのEEC加盟申請に対し、拒否権を発動した。イギリスが一九六七年に二度目の加盟申請をしたときも、ド・ゴールは拒否した。一九七一年、イギリスはド・ゴールの退陣と死を受けて三度目の加盟申請をおこなった。これはヨーロッパ六カ国により承認され、イギリスの国民投票でも承認された。この頃にはオーストラリアの輸出に占めるイギリスの割合はわずか八%になっていた。さすがにオーストラリアの政治家たちも認識を改めざるを得なかった。イギリスにとって最重要項目はヨーロッパの一員となることであり、オーストラリアはイギリスの国益に反対すべきではないし反対することもできない、そして、オーストラリアとイギリスのこれまでの関係はもはや神話になってしまったのだと悟ったのである。

白豪主義の終焉

オーストラリア人の立場からすれば、自分たちのアイデンティティががらりと変わったのは、一九七二年にゴフ・ウィットラム首相のもとでオーストラリア労働党が二三年ぶりに政権を握ったときなのかもしれない。ウィットラムは就任後、まだ組閣もしないうちに、わずか一九日間で急激な改革に着手した。この選択的変化は、その速さにおいても網羅性においても、近現代史でこれに匹敵する例はほとんどない。この一九日間に導入された変化には、つぎのようなものがある。兵役（徴兵制度）の廃止。ベトナムからのオーストラリア軍の完全撤退。中華人民共和国の承認。国際連盟、後に国際連合から委託されて半世紀以上統治していたパプアニューギニアの独立を宣言。人種差別的基準で選出された海外のスポーツチームの入国禁止（白人のみで構成された南アフリカのチームが想定されていた）。イギリスの叙勲制度（ナイト、オフィサー、聖マイケル・聖ジョージ勲章等）にオーストラリア人を推薦する制度の廃止と、それに代わるオーストラリアの新しい叙勲制度の創設。そして、白豪主義政策を正式に撤廃した。ウィットラムの内閣が成立すると、急激な改革はさらに進んだ。投票権の一八歳への引き下げ。最低賃金の引き上げ。ノーザンテリトリーとオーストラリア首都特別地域への連邦上院議員枠の割当と、両地域独自の立法府設置の承認。産業開発に環境影響評価報告書を義務化。アボリジニに関する予算の増額。男女同一賃金。無責離婚。国民皆保険制度。教育制度の大幅な改革としては、大学の授業料廃止、学校への補助金の増額、高等教育予算の各州からオーストラリア連邦への移行などがある。

一連の改革についてウィットラムは、自分は無の状態から革命を起こしたのではなく、「すでに起きていることを追認しただけ」と的確に表現した。実際、イギリス人としてのアイデンティティは、じりじりと弱まっていたのだ。一九四二年のシンガポール陥落で、まず大きな衝撃を受け、一九五一年の太平洋安全保障条約（ANZUS条約）で認識を持ち、東欧とベトナムにおける共産主義の脅威で、警戒を強めていたのである。それでも、シンガポール陥落からかなり後になってもイギリスに期待し、イギリスの味方をしていた。一九四〇年代後半にマラヤで共産主義者の反乱が起きたときにはイギリス軍の側に立って戦い、一九六〇年代初期にはマレーシア領ボルネオでインドネシア領からの侵入者と戦った。一九五〇年代後半には、イギリスがオーストラリアの人里離れた砂漠で核実験をおこなうことを認めた。これはイギリスがアメリカの傘下に収まることなく世界有数の軍事大国の座を保つためであった。一九五六年のスエズ危機でイギリスがエジプトを攻撃し、世界中から非難を浴びたときも、オーストラリアはイギリスを支持した数少ない国のひとつとなった。在位中のイギリスの君主としてエリザベス女王が初めてオーストラリアを訪問した一九五四年、人々は親英感情をほとばしらせて大歓迎した。全オーストラリア人の七五％以上が通りに繰り出して女王に歓声を送った（口絵7・9）。ところが、イギリスがEECに初めての加盟申請をしてから二年後の一九六三年にエリザベス女王がふたたびオーストラリアを訪れたときには、オーストラリア人は女王にもイギリスにもそれほどの関心を示さなくなっていた。

同じように、オーストラリアにおける白豪主義撤廃の動きは、ウィットラムが正式に宣言する前から段階的に進んでいた。一九四九年に日本人の戦争花嫁を受け入れたのが、その第一段階である。アジアの発展を目的とするコロンボ・プランのもと、オーストラリアは一九五〇年代にアジアからの留学生一万人を受け入れた。移住希望者を対象とした悪評高い書き取り試験は、一九五八年に廃止された。同年に制定された移民法では、「優れた技能や卓越した能力を有するアジア人」の移民が許可された。こういう経緯があったため、一九七二年にウィットラムが白豪主義政策の終了を宣言し、人種差別的な制度をすべて撤廃したときには、一世紀以上もかたくなに支持されてきた政策を終わらせたにしては、意外なほど反発は少なかった。一九七八年から八二年にかけてオーストラリアが受け入れたインドシナ難民の数は、人口比でみれば世界中のどの国よりも多かった。一九八〇年代後半になると、オーストラリア人の半数近くは、外国生まれか、少なくとも親のどちらか一人が外国生まれだった。一九九一年にはすでに、オーストラリアへの移民の五〇％以上をアジア系の人々が占めるようになっていた。二〇一〇年には、外国生まれのオーストラリア人の割合（二五％以上）はイスラエルについで世界第二位である。こうしたアジア系の移民は、実際の数をはるかに上回る影響をもたらしている。シドニーのトップクラスの学校ではアジア系の生徒が七〇％以上を占めるようになった。それを物語るように、二〇〇八年に私がクイーンズランド大学のキャンパスを訪れたときには、大勢のアジア系の大学生たちの姿があった。今ではオーストラリアの医学部の学生の過半数がアジア系または他の非ヨーロッパ系の人々で占められている。

政治や文化でも変化がみられる。一九八六年、オーストラリアは最高裁判所の判決をイギリスの枢密院に上訴する権利を廃止し、これによってイギリスの統治権を示す最後の名残が消え、オーストラリアはついに完全に独立した国家となった。一九九九年、オーストラリアの最高裁判所によって、イギリスは「外国」であると宣言された。文化的な面をみていくと、一九六〇年代のオーストラリアではミートパイとビールに代表されるイギリス料理が中心で、外国料理の店といえばイタリア料理、ギリシャ料理、ごく少数の中華料理店だけだったが、今ではさまざまな国の料理が入ってきてバラエティー豊かになった。オーストラリア・ワインは今や世界でも最高レベルの銘柄を生んでいる（ちなみに私のお薦めは、おいしくてお手頃価格のデザートワインであるデ・ボルトリのノーブルワン、少々値は張るがおいしい赤ワインのペンフォールズのグランジ、そして、おいしくてお手頃な酒精強化ワインであるモーリスのラザグレン・マスカットだ）。一九七三年に竣工したシドニー・オペラハウス（口絵7・10）はオーストラリアのシンボルにして現代建築の傑作のひとつとなっているが、設計したのはデンマークの建築家ヨーン・ウッツォンである。

オーストラリアの場合、「われわれは何者か？」というテーマの議論は、アイデンティティそのものだけでなく、アイデンティティを象徴するあらゆるものにおよんできた。

通貨はイギリスと同じく十進法ではないポンドのままでいくのか、オーストラリアらしくルー（「カンガルー」の略）などの名称にすべきか？（結局、ポンドをやめて十進法を採用し、アメリカと同じ、すなわち国際的に通用する名称であるドルを用いることになった）。オーストラリアの国歌は「ゴッド・セイブ・ザ・クイーン」のままでよいのか？（一九八四年、ついにイギリス国歌ではなく「アドバンス・オーストラリア・フェア」が国歌となった）。オーストラリアの国旗はイギリスのユニオンジャックを含めたままにしておくべきか？（今でもそうである）。一九一五年にイギリスの国益を守るためにガリポリでトルコと戦い英雄的な敗北を遂げたオーストラリア人を記念する日を、オーストラリア最大の国民の祝日とすべきか、それよりも、一九四二年にニューギニアのココダ道でオーストラリアの国益を守るために日本と戦い英雄的な勝利をおさめた記念日を祝うべきか？（今でもガリポリの戦いを記念するアンザック・デーが最大の祝日である）。そして、オーストラリアは引きつづき、曲がりなりにもイギリス女王を国家元首として認めるべきか、それとも共和国になるべきか？（今でもイギリス女王を国家元首としている）。

危機の枠組み

オーストラリアについて、危機と選択的変化の観点からどのように捉えることができるだろうか？

オーストラリアの場合、中心となる問題はナショナル・アイデンティティと基本的価値観（表1・2の要因6、11）であり、今なお議論は継続している。本書で取り上げたどの国と比較しても、オーストラリアにとって「われわれは何者か？」という問題は大きい。たまたまアジアの近くにあるだけで、近隣のアジア諸国をあまり気に留めないイギリス系白人の前哨地なのだろうか？　イギリスの忠実なる臣民で、イギリスに認められることで自信をつけ、イギリスの庇護を求め、自国の外交官を持つ必要性を感じず、母国イギリスへの忠誠を示すためであれば、イギリスにとっては戦略的に重要でもオーストラリアには重要性のない遠隔の地で、多くの命を捧げるのか？　それとも、アジアと隣り合う独立国であるのか？　独自の国益や外交政策や外交官を有し、ヨーロッパよりもアジアとのかかわりを深め、イギリスから受け継いだ文化や伝統は時とともに薄れていくのか？　この議論は第二次世界大戦後に本格的にはじまり、今なおつづいている。大英帝国の誇り高き前哨地としてのアイデンティティについてオーストラリアが熟考する一方で、イギリスもまた、（斜陽の）帝国の誇り高き中心であるというアイデンティティについて熟考し、帝国としてではなくヨーロッパ大陸とかかわりの深い国としての新たなアイデンティティを模索していた。

第二次世界大戦以降のオーストラリアは、公正な自国評価（要因7）というテーマとしだいに強く結びついてくる。世界における自国の立場が変わっていることを自覚するようになったためだ。かつてはもっとも密接に貿易をおこなっていたイギリスが貿易相手としての重要性を失い、かつては宿敵だった日本が今やもっとも重要な貿易相手となっていた。アジアの周縁部に位置するイギリス系白人の前哨地として存在するという戦略は、もはや実行可能ではなくなった。こうした事実を、否応なしに突きつけられたのである。

オーストラリアの変化には、外的要因と内的要因の両方がある。外的要因として挙げられるのは、イギリスの弱体化、海外における大英帝国支配の終焉、日本や中国などのアジア諸国の台頭である。内的要因としては、移民の受け入れによってオーストラリアの人口に占めるイギリス系の比率が減少し、アジア系やイギリス以外のヨーロッパ系が増加したこと、人口構成が変化した国民がそれまでとは異なる政策を選択したことなどが挙げられる。

オーストラリアのケースは、選択的変化と囲いをつくること（要因3）に関して非常にわかりやすい。大きな変化としては、オーストラリア人の自己認識の変化、外交政策についての決定権をイギリスに委ねるのをやめて独自の外交政策を確立したこと、人口と文化の多民族化の進行（地方よりも都市でその傾向が強い）、政治的および経済的にアジアとアメリカに目を向けるようになったことなどがある。その一方で、変わらずに大切に守られているものもある。イギリスとの重要な象徴的な絆を保っていて、国家元首は今もイギリスの女王である。オーストラリア政府は相変わらず議会制民主主義であり、オーストラリアの五ドル札と硬貨には女王の肖像が使われ、国旗にはイギリス国旗が含まれている。オーストラリア社会は依然として平等主義的な価値観と個人主義を重んじる傾向が強い。社会には、いわゆるオーストラリア的な特色が今もはっきりとみられる――スポーツに熱心で、とくにオーストラリアン・フットボール（オーストラリア生まれのスポーツで、他の国ではおこなわれない）、水泳、それにイギリスのスポーツであるクリケットとラグビーが盛んだ。オーストラリアの指導者たちも国民的娯楽を楽しみ、危険も厭わない。ハロルド・ホルト首相は在任中の一九六七年、沖合の潮の流れの強い海域で泳いでいた際に溺れて亡くなった。

選択的変化を数多く成し遂げた国は、長い歳月をかけてひとつずつ変化が実現していく場合がほとんどだ。だが、稀に多くの変化を含む一貫した政策が同時に実施されるケースがあり、オーストラリアもその一例で、一九七二年の一二月一日から一九日までの一九日間に、首相のゴフ・ウィットラムは旋風を巻き起こした。

国家の選択の自由をさまたげる制約（要因12）の問題は、オーストラリアにとって重要であり、時代とともに自由（または自由の欠如）は変化してきた。第二次世界大戦以前は、海がオーストラリアを実際の攻撃から守ってきた。アメリカが二〇〇一年九月一一日、同時多発テロ事件でワールド・トレード・センタービルを攻撃されるまで、独立以来ずっと海によって本土が守られていたのと同じだ。オーストラリアの場合、一九四二年二月一九日に日本がダーウィンを爆撃したのを機に、外部の制約から自由な状態ではなくなったと自覚した。

ただし一九四二年以前から、オーストラリアは友好国の支援（要因4）に依存して、あくまでも西洋的な社会を形成していた。はじめの頃はもっぱらイギリスの支援を受けていた。第一船団の到着後も長いこと食糧を、後には防衛も、イギリスに依存した。第二次世界大戦以降はアメリカの支援を受けた。ダーウィン空襲までは、直接攻撃される危機に直面したことはなかったものの、一九世紀後半からフランス、ドイツ、アメリカ、日本が太平洋の島々に軍備や植民地を拡大していることに懸念を抱いていた。そこでイギリス艦隊の保護を求めたが、依存しすぎたあまり、一九三〇年代には自国の防衛という責任を果たさず（要因2）、軍の弱体化を招いてしまった。

ここ七〇年間のオーストラリアの変化は、突発的な危機に対応するためのものではなく、長年にわたってじりじりと進行していたプロセスが第二次世界大戦以降に加速したものである。それはオーストラリアが抱いていたイギリス人としてのアイデンティティが、神話になっていくプロセスでもあった。オーストラリア人自身は「危機」を経験したという自覚はあまりないかもしれないが、私は、オーストラリアは徐々に進行する危機を経験してきた国と考えるのが妥当だと思う。オーストラリアの選択的変化は、他の国々における突発的な危機への対応と似ているからだ。オーストラリアの最近の変化と似ているのは、同時期にゆっくりと変化が進行したドイツの例（第6章）である。もちろん、ゆるやかな展開のなかにも注目すべき出来事はいくつかあり、戦艦〈プリンス・オブ・ウェールズ〉と〈レパルス〉の撃沈、シンガポール陥落、ダーウィン空襲の三つは七一日のあいだに起きている。それでも、一八五三年七月八日のペリーの日本来航、一九三九年一一月三〇日のフィンランドへのソ連の攻撃、一九七三年九月一一日のチリにおけるピノチェトのクーデターとアジェンデの死、そして一九六五年一〇月一日のインドネシアにおけるクーデター未遂事件とそれにつづく大虐殺などの、激変につながる衝撃はオーストラリアにおいては皆無であった。

オーストラリアはこれからも、基本的価値観の見直しと一連の選択的変化をつづけていくにちがいない。一九九九年、オーストラリアはイギリス女王を国家元首とする制度を廃止して共和制に移行するかどうかを問う国民投票をおこなった。結果は、五五％対四五％で共和制への移行は否決されたが、数十年前にはこのような国民投票など、考えられなかったにちがいない。ましてや四五％が君主制に「反対」することなど思いもよらなかっただろう。イギリス出身のオーストラリア人の割合は急速に減少している。共和制への移行についてあらためて国民投票がおこなわれるのもおそらく時間の問題で、共和制への「賛成」票の割合はもっと高くなるだろう。今後一〇年あるいは二〇年のうちに、アジア系の人々がオーストラリアの人口と議員の一五％以上、オーストラリアの主要大学の学生の五〇％以上を占めるようになると思われる。遅かれ早かれ、アジア系の人が首相に選ばれるだろう（本書執筆の時点で、すでに南オーストラリア州ではベトナム出身の移民が総督に就任している）。こうして変化が進んでいけば、イギリス女王を国家元首とし、紙幣や硬貨に女王の肖像を記し、イギリス国旗にもとづいたオーストラリア国旗を使いつづけることが、不自然に感じられてくるのではないだろうか？

第3部

国家と世界——進行中の危機

第8章　日本を待ち受けるもの

今日の日本

　ここまで六つの国の過去の危機について議論してきた。最初の四カ国においては、今から一六六年前（日本へのペリー来航）から四六年前（チリ・クーデター）までに、間をあけて突発的に危機が起こった。残りの二カ国においては危機はもっとゆっくり起こり、今から五〇年ほど前にピークを迎えた。いずれの危機も完全な解決（あるいは完全な膠着状態）にいたったとはいえないが、各事例とも数十年が経過しており、結果について有益な議論をすることはできる。

　残る四章では、現在進行中と思われる危機を論じていく。これらが大きな危機となるかどうかは未来になってみないとわからないし、どんな結果をもたらすかも不確実である。これらの章では現代の日本、アメリカ、そして世界全体を扱う。

過去の危機に関する議論で明治日本を取り上げたが、現在、危機の可能性のある問題に関する議論も、日本からはじめよう（本章では日本特有の問題についてのみ検討するが、もちろん日本は第11章で議論される世界規模の問題にもさらされている）。私の日本人の友人や親類、そしてたいていの日本人は、日本という国を悩ませているいくつかの問題を認識している。それに加え、私は不安に思うけれども日本人自身は意に介さない、あるいは無視する傾向にある問題がある。しかし、日本に関するあまりにも多くの議論が、極端な日本バッシング、あるいは正反対の無批判な日本礼賛に走っている。そこで、現代日本の諸問題を議論するにあたり、まずは日本の強みを議論したい。他の国々と同じく、日本においてもいくつかの強みがいくつかの問題につながっていることがわかるだろう。強みに関する議論では、日本の経済、人的資本、文化、環境を扱う。

経済

今日の日本は世界第三位の経済大国であり、中国に抜かれたのはつい最近のことである。世界ＧＤＰの約八％を占め、世界最大の経済大国であるアメリカのほぼ半分、やはり生産性の高さで知られるイギリスの二倍以上の経済力がある。一般的に一国のＧＤＰは「国の人口」と「一人あたり平均生産量」の掛け算で算出できる。日本のＧＤＰが高いのは、人口が多い（富裕な民主主義国のなかではアメリカにつぐ二位）、一人あたり平均生産量が多い、というふたつの理由がそろっているからだ。

後に詳述するとおり債務超過が大きな注目を集めているにもかかわらず、日本は世界最大の債権国である。世界第二位の外貨準備高を持ち、中国に並ぶ米国債保有国である。

経済力の背後にある重要な要因のひとつは、イノベーション推進のための研究開発費の高さである。日本の研究開発費の絶対額は日本よりはるかに人口が多い中国、アメリカについで世界第三位である。相対的にみれば、日本の研究開発費の対GDP比率は三・五％でアメリカ（一・八％）の約二倍であり、研究開発費の高さで知られるドイツ（二・九％）、中国（二・〇％）よりまだかなり高い。

世界経済フォーラム（WEF）は毎年、各国の経済生産性に影響する一〇種ほどの数字を統合し、「世界競争力指数」を発表している。この指数では日本は長年世界トップ10入りを維持してきた。西欧諸国やアメリカ以外でトップ10にランクインしている経済圏は、日本、シンガポール、香港のみである。日本が高位にランクインする理由のうちふたつは、日本を訪ねれば専門家でなくてもすぐにわかる。優れたインフラと世界最高の鉄道を含む交通網、そして教育の行き届いた、とりわけ数学と科学に優れた労働力（次節で詳述する）である。他にも、即座には目につかないが、日本とビジネスする外国人にはおなじみの理由がたくさんある。重要度に関係なく順不同に理由を挙げると、労使の協調的関係、競争の激しい地場市場、科学者やエンジニアを輩出するレベルの高い研究機関、大きな国内市場、低い失業率、他のどの国に比べても高い国民一人あたり特許出願件数、著作権および知的所有権の保護、すばやい技術吸収力、上質な消費者とビジネスマン、よく訓練された従業員などである。この消化しきれないほど長いリストについて読者のみなさんをテストするつもりはさらさらない。結論は明らかだ。日本のビジネスが世界市場で高い競争力を持つ理由はたくさんあるのである。

最後に、現在は多大な経済的利益をもたらしているものの、将来はトラブルを招き得る日本経済のある特徴について、忘れず指摘しておこう。日本を上回る規模の経済大国はアメリカと中国だけだが、この二国は多額の軍事費を割いている。アメリカが押し付けた一九四七年施行の現行憲法（現在では多数の日本人がこれを支持している）の第九条のおかげで、日本は軍事費を節約できている。

優位性

経済以外に、日本の強みの第二グループといえるのが「人的資本」、すなわち人口がもたらす強みである。日本の人口は一億二〇〇〇万人を上回り、健康で教育が行き届いている。日本の平均寿命は男性が八一歳、女性が八七歳で世界トップレベルだ。多くのアメリカ人の成功の機会を制限している社会経済的格差は、日本では大きく抑制されている。日本においては、世襲や家系よりも教育が社会的地位を左右する。日本は国民のごく一部に投資するよりもむしろ、国民全体に投資しているのである——少なくとも、男性の国民全体に(女性については後述)。

識字率や学習到達度は世界最高に近い。義務教育でないにもかかわらず、日本の子どものほぼ全員が幼稚園および高等学校に通う。世界中でおこなわれる学習到達度調査では、日本人の生徒は数学的リテラシーが五位、科学的リテラシーは二位で、いずれもヨーロッパ諸国とアメリカを上回る。高校卒業後の進学率は、五〇%近くある。このような強みを相殺するものとして日本人自身がよく述べる批判は、日本の教育はテストで高い点数をとるようプレッシャーをかけすぎるとか、自発性や自立的思考を伸ばす努力が十分でないということだ。その結果、大学受験のプレッシャーから解放されると、学習熱が下がる。

文化的な強み、ナショナル・アイデンティティ、生活の質を簡単に計測する方法はないが、日本の特徴を示す事例証拠はたくさんある。訪日外国人は、東京がアジア一清潔な都市シンガポールに匹敵する世界有数の清潔な都市であることにすぐに気づく。その理由は、日本を維持し次世代に渡すという責任の一端として、日本の子どもたちが清潔であることや掃除することを学ぶからだ(日本の遺跡には、日本が古代にすでに清潔感を重んじていたことを誇らしげに指摘する説明文がときどきある)。また、日本の都市における安全性の高さ、犯罪率の低さにも気づくだろう。日本の受刑者数は六万人以下で二五〇万人に近いアメリカよりはるかに少ない。日本では暴動や略奪も稀だ。民族的に同質でエスニックマイノリティが非常に少ないため、欧米に比べれば、民族間の緊張も低い(以下に述べるようにこれもまた短所をともなう強みの一例である)。

最後に、日本の強みとして、環境がある。温暖な気候、熱帯性農業病害虫がいないこと、夏の生育期に集中する降雨、肥沃な火山性土の組み合わせが、高い農業生産性をもたらす。このことは、国土のわずか一四%に人口と農業が集中する、先進工業国中もっとも高い平均人口密度を支える日本の国力に貢献している(日本の国土の約七割は人口が少なく農業もほとんどおこなわれない森林と山岳である)。こうした肥沃な土から流れ込む栄養素のおかげで、日本の河川や沿岸水域では魚、貝、食用海藻やその他の海産物が豊かである。日本は世界第六位の水産国であり、今では日本の遠洋漁業船団が世界中で漁をしているが、以前は沿岸漁業のみだった。このような環境的な強みのおかげで、農業を導入する少なくとも一万年前には、日本人は物をほとんど持たない移動生活ではなく、狩猟採集民として村落に暮らし土器をつくっていた。過去一五〇年間の人口爆発が起こるまで、日本は食糧を自給自足していた。

国債

ここからは、日本の強みから問題点に目を移そう。日本が抱えるもっとも深刻な問題を問われれば、経済学者たちはおそらく「巨額の国債発行残高」と答えるだろう。それは、日本の年間GDP、つまり一年間に日本で生み出された付加価値の約二・五倍に相当する。つまり、たとえ日本人が自分たちのための生産活動を差し置いて国債を完済すべく収入と労力のすべてを費やしたとしても、二年半かかる。さらに悪いことに、発行残高は年々増えつづけている。比較のために述べると、アメリカの財政保守派は米国債の残高を非常に懸念しているが、それはまだGDPの約一倍でしかない。ギリシャとスペインは経済に諸問題を抱えていることで悪名高いヨーロッパの二国だが、日本の国債発行残高（対GDP比）はギリシャの二倍、スペインの四倍である（本書執筆時点）。日本の発行残高はユーロ圏一七カ国の債務残高合計に等しいが、ユーロ圏の総人口は日本の三倍である。

これほどの負債がありながら、日本の政府がずっと前に崩壊、あるいはデフォルトしなかったのはなぜか？　第一に、日本の国債は外国人ではなく日本の個人、日本企業や年金基金（運用額の大部分は国民年金の積立金）、日本銀行であり、いずれも日本政府に対して強硬な態度をとることはない。対照的に、ギリシャ国債の保有者は外国人であり、ギリシャに対して強硬な態度をとり、財政政策の変更を迫った。日本人が保有する国債はあるが、日本は他国に対しては債権国であり、それらの国は日本に対して債務を負っている。第二に、日本はマイナス金利政策をとっている。最後に、日本人債権者と外国人債権者は現在も日本政府の債務返済能力に強い信頼を寄せており、国債を買いつづけている。実際、国債こそが、日本の個人と企業の貯蓄の主たる投資先である。しかし、日本国債の信用力が下がり、日本政府がデフォルトせざるを得なくなるまで、債務がどこまで膨らむのかはだれにもわからない。

低金利にもかかわらず、債務が大きく高齢者が多いため、歳出の大部分は国債元利払い、社会保障費にあてられている。そのため、教育や研究開発、インフラ整備など、税収増を促す経済の成長エンジンに投資できたはずの歳出が削られている。さらに問題を悪化させるのが、先進諸国に比べて税負担が低く、したがって税収も比較的少ないことだ。結局のところ現役世代の税金が国債利払いに使われ、直接的・間接的に国債を保有する日本の高齢者への実質的な支払いになって、世代間の利害対立をつくりだしており、日本は未来を担保にローンの借入をしていることになる。後述するが日本では若者が減り高齢者が増えているため、ローン残高は膨らみつづけている。

債務削減策として、税率引き上げ、歳出削減、老齢年金の削減などが提案されてきた。

これらをはじめとするさまざまな打開策には、いずれも問題がある。つまり、日本の政府債務は日本で広く認識されており、長年存在しており、年々悪化しつづけており、いまだ解決策への合意を得られていない一大問題なのである。

女性

ほとんどの日本人が認めている他の問題として、女性の役割、少子化、人口減少、高齢化という相関する四つの問題がある。まず女性の役割からみていこう。

日本は表向きは男女平等の国である。アメリカの占領当局が草案を起草し、一九四七年に施行された現行憲法には、男女平等を含む条文（草案はあるアメリカ人女性が書いた）がある。草案にあった条文は日本政府の強硬な反対を押し切って採用された。

現実には、日本の女性は平等を阻む数多くの社会的障壁に直面している。以下に述べる障壁は、もちろん日本以外の国々にも存在している。しかし、日本におけるこれらの障壁——さらに、保健、教育、労働、政治における男女格差——は、韓国を除く他の富裕な先進国のどこよりも手強い。これは、富裕な先進国ではあるものの、日本では最近まで女性の役割が非常に従属的で既成概念にしばられていたからだと私は考える。たとえば、伝統的な価値観では、日本女性は男より三歩下がって歩くものとされていた。手短に述べるため、女性が抱える社会的障壁を普遍化して説明するが、もちろん地方や年齢によって状況は異なる。たとえば、東京よりも地方のほうが、若年層より年配者のほうが、障壁は強くはたらいている。

夫婦間の性別役割分担を日本ではしばしば「内助の功」と表現する。夫は家庭外で二人分の労働を負担するために子どもと過ごす時間を犠牲にし、妻は家庭内に留まってキャリアを達成する可能性を犠牲にするという、非効率的な労働分担が蔓延している。雇用主は、従業員（大半が男性）は遅くまでオフィスに残り、残業後は同僚と飲みに行くのがふつうだと思っている。そのため日本の夫は、たとえ本人が望んでいても、家庭内の責任を妻と分担することができない。他の富裕な先進国に比べ、日本の夫の家事労働負担は少ない。たとえば、週あたりの家事労働時間ではアメリカの夫の三分の二である。日本では、共働き夫婦の夫も、専業主婦の妻を持つ夫より家事を多く負担してはいない。一方、子ども、夫、夫や自分の高齢の両親の世話を担うのはおもに妻である。そして残った時間で家計を管理する。今日では、日本の妻たちの多くが、こうした責任を背負わされるのは自分たちの代で終わりにすると断言する。

日本の職場では女性の関与は少なく、賃金も低い。責任のレベルが上がるほど女性の割合は下がる。大学生の四九％、新入社員の四五％を女性が占めているのに、大学教員ポストにおける女性の比率はわずか一四％（アメリカ、イギリス、ドイツ、フランスでは三三〜四四％）、中間および上級管理職では二％、役員では一％であり、ＣＥＯでは一％にも満たない。他の主要先進国に対してこれほど後れをとっているのは（またしても）韓国を除けば日本のみである。政界でも女性は少数であり、これまで女性首相はいない。正社員における男女の賃金格差は富裕な先進国三五カ国のなかで三番目に大きい（日本より格差が大きいのは韓国とエストニアのみ）。日本では同レベルの職における女性の平均賃金は男性の七三％に留まるのに対し、富裕な先進国の平均は八五％、ニュージーランドでは九五％に達する。女性が働くうえで障害となっているのは、労働時間の長さや、終業後も社員同士の交流を期待されること、そして働く母親がそうした交流を期待されるならだれが子どもの世話をするのか（夫も同じ状況で子どもの世話ができない、あるいは、したがらないなら）、という問題である。

子育ては日本の働く母親にとって大きな問題である。法制度的には、産前六週間以内、産後八週間以内の休業が保証されており、勤務先によっては男性でも配偶者出産休暇がとれるケースがある。一九九二年施行の法律により、育児休業は一年とることができる。だが実際には、ほぼすべての父親および大半の母親は、法律が保障する休業をとらない。代わりに仕事を持つ女性の五〇％弱は第一子の出産を機に仕事を辞め、永遠にとはいわないまでも、何年にもわたり仕事に戻らない。雇用主が子どもを持つ女性に対して退職に仕向ける圧力をかけることは建前では違法とされているが、日本の母親たちは実際に圧力を受けている。アメリカと違い個人で保育を請け負う移民女性が存在せず、北欧諸国と異なり公立私立を問わず保育所が十分にないため、働く母親たちが利用できる保育サービスはまったく足りていない。日本では、母親は外で働かずに家庭に留まって小さな子どもの世話をすべきであると考える人たちも多い。

その結果、日本の女性は職場でもジレンマを抱えている。一方では多くの女性が働きたいし、また子どもを持ち、子どもとともに過ごしたいと思っている。他方では、日本の企業は従業員教育に多大な投資をおこない、終身雇用を前提とし、見返りに従業員が長時間働きながら定年までいつづけてくれることを期待している。女性は産休をとるかもしれないし、長時間労働をしたがらないかもしれないし、出産後は仕事に戻らないかもしれないから、という理由で企業は女性の雇用や教育に消極的である。こうして、日本の女性は日本企業からフルタイムの高度な仕事をオファーされにくいし、されても受けない傾向がある。

日本の現首相である安倍晋三は保守派であり、以前は女性問題に関心をみせていなかった。しかし最近は路線を変更し、母親が仕事に戻りやすくする方法を見出したいと明言している。といっても、安倍首相に突然女性の生き方への関心が芽生えたわけではなく、後述する人口減にともなう労働人口減が原因だろうと多くの人が思っている。日本人全体、そして日本の新規大卒者の半数は女性である。したがって、女性が不完全雇用状態にあるのは、人的資本を半分に減らしているのと一緒である。安倍首相は法定の育休期間を三歳までに延長すること、公立保育所を増やすこと、女性の雇用に対する助成金を企業に出すことを提案している。しかし、大卒で海外経験のある私の友人たちも含め、日本人女性の多くが安倍首相の提案に異議を唱えている。またしても、日本の女性の役割を家庭に縛り付けておこうという政府の新たな陰謀にすぎないのではないかと疑っているのだ。

新生児

つぎに、関連する日本の人口問題として、低い出生率とそれがさらに低下している傾向がある。日本人はこの問題の深刻さに気づいているが、解決策がわからずにいる。

少子化は先進国に蔓延している問題だ。しかし、日本の出生率は世界最低に近い。人口一〇〇〇人あたりの年間出生数はアメリカが一三人、世界平均が一九人、アフリカには四〇人を超える国もあるが、日本は七人である。

出生数をめぐる状況を示す別の方法に、合計特殊出生率がある。これは、一人の女性が出産可能とされる一五歳から四九歳までに産む子どもの数の平均である。世界全体の合計特殊出生率は二・五人だが、経済力の高い先進諸国では一・三から二・〇人のあいだでばらつきがある（アメリカは一・九人）。日本は二〇〇五年にわずか一・二六人を記録し、先進諸国中最低だった。韓国とポーランドも低い。しかし、人口を安定的に維持するためには、一人の女性が平均で二人を少し上回る数の子どもを産まなければならない（人口置換水準と呼ばれる）。いくつかの先進国と日本では合計特殊出生率が人口置換水準を下回っている。他の先進諸国ではこれは問題にならない。なぜなら出生率が低くても、移民流入により人口が維持される、あるいは増えさえするからだ。しかし移民の流入がほぼない日本では、後に議論するように人口が実際に減りつづけている。

日本の出生率低下の理由のひとつは初婚年齢の上昇であり、現在では男女とも三〇歳に近い。これは女性にとって出産可能な年月が減っていることを意味する。出生率低下のさらに大きな理由は婚姻率（人口一〇〇〇人あたりの年間婚姻件数）の急激な低下である。他の先進諸国の多くにおいては、婚姻率が下がっても婚外子が多いから、日本のような壊滅的な出生率低下を招いてはいないという指摘もあるだろう。出生数に占める婚外子率はアメリカで四〇％、フランスで五〇％、アイスランドでは六六％である。しかし、婚外子率がわずか二％と無視できるほど小さい日本では、この緩和作用は存在しない。

なぜ日本人はますます結婚せず、子どもを持たなくなっているのか？　この疑問を日本人に問うと、いくつかの理由が返ってくる。ひとつは経済的問題だ。独身で両親と同居するほうが、実家を出て結婚してアパートを借り、子育てをするよりお金がかからないし快適だ。とくに女性にとっては、結婚や出産をすれば、仕事をみつけたり働きつづけたりするのが難しくなるため、経済破綻を招き得る。もうひとつの理由は独身でいることによる自由である。とくに女性には家庭、夫、子育て、自分や夫の親の介護に対する責任を負わされたくないという思いがある。さらに別の理由として、多くの現代日本人が男女とも同じくらいの割合で、人生の充実に結婚は「不要」と考えている。

こうした議論がある一方で、未婚男女の七〇%は今も結婚を望んでいる。ではなぜ彼らは、ふさわしい伴侶をみつけられないのか？　かつては、本人が努力しなくても結婚できる伝統があった。というのも、日本では結婚は、仲人《なこうど》と呼ばれる仲介者が若い未婚者のために伴侶の候補者を紹介するお見合いを設定し、お膳立てされるものだったからだ。一九五〇年代まで、これが日本の結婚において主流だった。その後仲人が減り、西洋的な恋愛結婚の概念が広がり、今では見合い結婚の割合はわずか五%まで下がっている。しかし、現代の日本の若者の多くは仕事が忙しすぎるうえ、デートの経験が少なすぎるか、恋愛に不器用だ。

とくに、この数十年に起こった見合い結婚の衰退は、メールや携帯電話による非対面型コミュニケーションの増加にともなう社交スキルの低下と同時並行で起こった。私は日本人の友人から聞いたある痛々しい例を思い出す。友人がレストランで外食したとき、隣のテーブルに身なりのいいカップルがいたが、会話もなく気まずい雰囲気で向かい合っていた。友人はふと、男女それぞれが膝の上で交互に携帯を操作しているのに気づいた。二人は直接話すのが苦手すぎるため、テキストチャットをしていたのだ。恋愛関係を発展させる良い方法とはいえないだろう！　もちろんアメリカの若者たちもデジタルコミュニケーション中毒になっているが、彼らは（日本人とは違って）デートを楽しむという文化的伝統を受け継いでいる。

高齢者

日本で進行中の少子化や婚姻率の低下は、国内でも広く認識されている二大問題、すなわち人口減少と高齢化の直接的な原因だ。

日本の出生率は長年にわたり人口置換水準より低かったため、日本の人口がいずれ増加から減少に転じるのは目にみえていた。しかし、恐れていた事態の到来が国勢調査の数字で確認されると衝撃が走った。国勢調査は五年ごとにおこなわれるが、二〇一〇年には一億二八〇五万七三五二人だった人口が、二〇一五年には一億二七〇九万人へと一〇〇万人弱も減少していたことが明らかになったのだ。人口推移の現在の傾向や年齢分布から、日本の人口は二〇六〇年までには約四〇〇〇万人減少して八〇〇〇万人になるだろうと予測されている。

人口減少や地方から都市部への人口移動の影響はすでに顕在化している。日本では毎年五〇〇校が閉校になっている。過疎化により、村や小さな町を離れる人が増えている。経済成長を支える原動力たる人口が増えなければ、人の減った日本は貧しくなり、世界での影響力が小さくなる恐れがある。一九四八年には世界で五番目に人口の多い国だったが、二〇〇七年にはナイジェリアとバングラデシュより下の一〇位に落ち、現在の見立てでは数十年以内にコンゴやエチオピアより下になる。コンゴより人口が少ない国はコンゴより国力が弱く重要性が低いという暗黙の前提に立てば、これは屈辱的だろう。

そこで二〇一五年に安倍政権は、合計特殊出生率を一・四から一・八に引き上げることで少なくとも人口一億人を維持するという目標を発表した。しかし出生数を左右するのは、安倍首相ではなく日本の若者の選択だ。彼らが、子どもが多いほうが国としては裕福になると考えているかどうかは別として、彼ら自身がもっと子どもをつくろうとしない理由については、すでに述べた。

人口減少は日本にとって「問題」なのか？　日本より人口がはるかに少ない国はたくさんあるし、それでいて富裕で世界的に重要な役割を果たしている国も、オーストラリア、フィンランド、イスラエル、オランダ、シンガポール、スウェーデン、スイス、台湾などたくさんある。これらの国々はもちろん世界的な軍事大国ではないが、平和憲法があり平和主義が浸透している日本も同様である。人口が減れば、日本は困窮するのではなく非常に裕福になるだろうと私は思う。なぜなら、必要とされる国内外の資源が減るからだ。資源の逼迫は近代日本史における呪縛のひとつであったし、今もそうだ。また、日本人自身も日本は資源に乏しい国だと考えている。したがって、日本の人口減少は問題ではなく大きな強みのひとつとなるはずだと私はみている。

人口減少を憂慮する日本人も、高齢化のほうがもっと大きな問題であることに同意する。日本はすでに世界トップレベルの長寿国（アメリカの七七歳、アフリカ諸国の四〇～四五歳に対して日本の平均寿命は八四歳）であり、高齢化率も最高だ。すでに二〇一〇年時点で人口の二三％が六五歳以上であり、六％が八〇歳以上である。二〇五〇年までにはそれぞれ四〇％と一六％に近づくとされている（アフリカのマリの場合、それぞれ三％と〇・一％である）。その頃には八〇歳以上の人口が一四歳以下の人口を上回り、六五歳以上は一四歳以下の三倍を上回るだろう。

念のため、八〇歳以上の高齢者に対して個人的な反感はない（私は現在八二歳なのだから、もしあったら自己嫌悪だ）。しかし「良いものも過ぎれば禍《わざわい》」であり、それは高齢者にもあてはまる。高齢者の数が増えると、高齢者は若者より病気にかかりやすいため医療費が増える。高齢者はとくに心臓病や認知症などの慢性、不治、難治性、あるいは治療が高額な病気にかかりやすい。六五歳以上の比率が上がると退職者の比率が上がり、労働者の比率は下がる。つまり、減りつづける若者が増えつづける高齢退職者を支えることになる。家庭内で経済的支援や介護をおこなって直接支える場合もあれば、若い労働者の税金でまかなう国民年金や高齢者医療制度を通して間接的に支える場合もある。退職者に対する労働者の割合は劇的に低下しており、一九六五年には退職者一人に対して労働者が九人だったが二〇一四年には二・四人であり、二〇五〇年には一・三人になる見込みである。

しかし、少子化、高齢化が進み、社会保障費が増えている国は日本だけではない。同じ問題は先進諸国全体で起こっており、日本ではそれが極端なレベルになっているだけだ。私たちアメリカ人も、将来、社会保障費の財源不足となる不安を抱えている。西欧諸国でも出生率は人口置換水準を下回っており、日本よりも出生率が低い国がふたつある。しかしアメリカでもヨーロッパでもこうした問題を日本ほど懸念していない。欧米では、人口減少と逆ピラミッド型の人口構成の進行が同時発生していないためだ。なぜだろうか？　彼らはどのようにして罠を逃れたのだろうか？

その答えは、日本が他に抱えている三つの大問題のうちの第一の問題、しかも日本では問題として広く捉えられていない問題に関連している。それは、移民の不在である。

移民

日本は世界でも民族的な同質性が高く、富裕で、人口の多い国であることを誇りにしている。移民を歓迎せず、外国人が移住を望んでも移住するのは難しいし、移住できた人が日本で永住権や国籍を得るのはさらに難しい。全人口に占める移民およびその子どもたちの割合は、オーストラリアが二八%、カナダが二一%、スウェーデンが一六%、アメリカが一四%だが、日本はわずか一・九%である。難民が庇護を求めた場合、スウェーデンは九二%、ドイツは七〇%、カナダは四八%を受け入れるが、日本が受け入れるのはわずか〇・二%である（たとえば日本が二〇一三年と二〇一四年に難民認定したのはそれぞれわずか六人と一一人である）。外国人労働者の割合はアメリカが一五%、ドイツが九%だが、日本はわずか二%弱である。日本は高度な技術職（たとえば造船業や二〇二〇年東京オリンピックの建設業の労働者）で一～三年の就労ビザを取得していれば、外国人労働者を一時滞在者として受け入れる。しかし彼らが永住権や国籍を取得するのは困難だ。

近代において日本で大規模な移民を受け入れたのは、第二次世界大戦前と大戦中に日本が植民地としていた朝鮮から受け入れた数百万人の朝鮮人のみである。しかし、これらの朝鮮人の多くは、事実上の奴隷労働のために強制連行された移民である。たとえば、広島に落とされた最初の原子爆弾の犠牲者のうち約一〇%は、そこで働いていた朝鮮人労働者であったことはあまり知られていない。

近年、移民受け入れ拡大を求めた大臣が数人いる。たとえば、地方創生担当大臣だった石破茂は「かつて日本人は、南米に、あるいは北米に多くの人々が移民し、困難な状況のなかで、日本人の誇りを持ちながら、そこの国民に溶け込み、役割を果たしてきた。日本人が外国に行ってやってきたのに、外国人が日本に来るのはだめだというのは、おかしいと思う」と述べた。たとえばペルーでは日系大統領がいたし、アメリカでも日系の上院議員、下院議員、大学総長がいる。しかし日本政府は今のところ移民反対の政策を考え直してはいない。

政府の態度は、多くの世論調査において国民が示した移民に対する否定的な意見を反映している。世論調査が示す日本人の意見は、他の富裕国では極論扱いされるものに偏っている。日本人の六三%は外国人居住者を増やすことに反対であり、七二%は移民が犯罪率を増加させるという見解に同意する。アメリカやカナダ、オーストラリアでは国民の五七~七五%が移民は社会を良くすると考えているのに対し、日本人の八〇%は移民が新しい考え方をもたらし社会を改善するという見解を否定している。逆に、アメリカ、フランス、スウェーデン、イギリスでは国民の一五%が移民問題を国の最重要課題と考えているのに対し、日本ではごくわずか（〇・五％）である。

誤解がないようにしたいのだが、私は移民に対する日本人の抵抗は「間違っている」とか変えるべきだといっているのではない。どの国であれ移民は問題をはらむが、同時に利益ももたらす。それぞれの国が移民政策を決めるにあたり、利益と困難を秤にかける。国民のほぼ全員が近代以降の移民の子孫という多民族国家アメリカの国民には、価値を見出すべき民族的同質性が存在しないのに対し、孤立していた期間が長くて移民を受け入れたことがなく、民族的同質性の高い日本が自国の民族的同質性を高く評価するのは驚きではない。むしろ、日本のジレンマとは、他国が移民によって緩和してきたことが広く知られているいくつもの問題に苦しみながら、移民に頼らずにそれを解決する方法をみつけられずにいる、ということだ。

これらのうち最大の問題は、すでに議論した関連する諸問題である。つまり、少子化と高齢化、その結果として、年とともに健康が悪化する、増えつづける年金生活者の年金と医療費を、減りつづける健康で若い納税者が負担するということだ。アメリカ、カナダ、オーストラリア、西欧諸国でも少子化や高齢化が進んでいるが、これらの国々は若い移民労働者を大量に受け入れることでその影響を最小化している。日本の場合、働いていない母親たちをもっと雇用することで労働力不足を解消するという策がとれない。なぜなら、アメリカの働く母親たちの多くは移民女性を保育サービス提供者として個人で雇っているが、その方法は日本にはほぼ存在しないからだ。アメリカでは大量の移民の男女が高齢者の介護者や病院の看護師やスタッフとしてサービスを提供しているが、日本にはこれも存在しない（これを書いている今、私はある日本人の親類が末期の病の末に亡くなるという悲しみから回復しつつあるところだが、この親類の場合も、入院中の食事介助や洗濯は家族がおこなうものとされていた）。

日本人の発明による特許の多さから判断すれば日本はイノベーションが盛んだが、研究開発費の大きさから期待されるほどには画期的なイノベーションが生まれていない点を、日本人は懸念している。それは、日本人科学者のノーベル賞受賞者数が相対的にみて少ない点にも表れている。アメリカのノーベル賞受賞者の多くは移民第一世代かその子孫である。しかし日本人科学者には移民やその子孫はほとんどいないし、日本全体でもそうだ。外国に移民するにせよ高度なイノベーションに取り組むにせよ、進んでリスクをとり、非常に新しいことに挑戦する点が共通するので、移民とノーベル賞に関連性があるのは驚くべきことではない。

短期的には、これらの問題を移民によって解決しようという気持ちは日本には今のところない。長期的には、日本がこれらの問題に苦しみつづけるのか、それとも移民政策を変更して解決する道を選ぶのか、あるいは移民以外の知られざる解決策を見出すのかはわからない。もし日本が移民を再評価すると決めるなら、カナダの政策が良い手本となるだろう。カナダでは移民申請者を評価する際、自国にとって潜在的価値があるかどうかという基準を重視している。

中国と韓国

日本が移民についで長年無視してきた問題は、日本の戦時中のおこないが今日の中国および韓国との関係に与えている影響だ。第二次世界大戦前と大戦中に、日本はアジア諸国、とりわけ中国と朝鮮半島に対して非道なおこないをした。一九四一年一二月七日にアメリカとイギリスに宣戦布告をおこなうはるか以前の一九三七年から、日本は中国に対して宣戦布告なき全面戦争を展開していた。この戦争で日本軍は数百万人の中国人を、しばしば残虐なやりかたで殺害した。たとえば日本人兵士に「度胸をつける」といって縛り付けた中国人捕虜を銃剣で刺殺させ、一九三七年一二月から一九三八年一月にかけては南京で数十万人の民間人を虐殺し、一九四二年四月には日本本土への初空襲であるドーリットル空襲の報復として浙贛《せっかん》作戦をおこない多数の民間人を殺害した。今日、日本ではこれらの虐殺を否定する言説が広まっているが、当時の状況は中国人のみならず中国にいた外国人や日本人兵士自身が撮影した写真にしっかりと記録されている。日本は一九一〇年に韓国を併合し、三五年間の占領統治下では、学校で朝鮮語ではなく日本語の使用を義務化し、軍用売春宿（慰安所）において朝鮮や他国の女性多数を性奴隷にし、軍用施設において多数の朝鮮人男性に対し事実上の奴隷労働を強要した。

その結果、今日の中国および韓国には反日感情が蔓延している。中国人や韓国人からみれば、日本人は戦時中の残虐行為について適切に認識することも謝罪することも遺憾の意を表明することもしていない。中国の人口は日本の一一倍、韓国と北朝鮮を合わせた人口は日本の半分を超える。中国と北朝鮮は核兵器を保有している。中国、北朝鮮、韓国はいずれも装備の行き届いた大規模な軍隊を保有しているが、日本の自衛隊はアメリカが押し付けた現行憲法と今日の日本に広がった平和主義のおかげで小規模だ。北朝鮮はときおり日本に向けてミサイルを発射して、日本到達能力を明示する。しかも、日本は中国や韓国とのあいだで複数の小さな無人島をめぐる領土紛争を抱えている。島そのものに価値はないが、その海域に漁業資源、天然ガス、金属資源があるために重要性の高い島々だ。これらの事実を重ね合わせると、長期的には日本にとって大きな危険を招きかねないと私には思える。

第二次世界大戦に対する日本の姿勢をアジアがどうみているかを示すものとして、リー・クアンユーの評価を紹介する。リーは数十年にわたりシンガポールの首相を務め、日本、中国、韓国とその指導者たちをよく知る、鋭い人間観察眼を持った人物だ。「ドイツ人と異なり、日本人は自分たちのシステムのなかにある毒を浄化することも取り除くこともしていない。彼らは過去の過ちについて自国の若者に教えていない。橋本龍太郎首相は第二次世界大戦終結五二周年（一九九七年）に際して『心からのお詫び』を、同年九月の北京訪問時には『深い反省の気持ち』を表明した。しかし、中国や韓国の国民が日本の指導者に望むような謝罪はおこなわなかった。過去を認め、謝罪し、前に進むことを日本人がこれほど嫌がる理由が、私には理解できない。どういうわけか日本人は謝りたがらないのである。謝罪するとは、過ちを犯したことを認めることだ。後悔や遺憾の意を示すのは、現時点での主観的な感情を表明しているにすぎない。日本人は南京大虐殺が起こったことを否定した。韓国人、フィリピン人、オランダ人などの女性たちが、拉致あるいは強制によって前線の兵士たちのための『慰安婦』（性奴隷の婉曲表現）にさせられたことを否定した。満州において中国人、韓国人、モンゴル人、ロシア人などの捕虜を生きたまま残酷な人体実験に使ったことを否定した。いずれの事例についても、日本人自身の記録から反論の余地のない証拠が出てきてようやく、彼らは不承不承ながら事実を認めた。今日の日本人の態度は将来の行動を暗示している。もし彼らが過去を恥じるなら、それを繰り返す可能性は低くなるだろう」

毎年、ＵＣＬＡの私の学部生向けのクラスには日本からの学生が含まれており、日本の学校で教えられていることや、カリフォルニアに来て体験したことを教えてくれる。日本の学校の日本史の授業では、第二次世界大戦についてほとんど時間を割かない（「数千年の日本の歴史のうちのほんの数年にすぎないから」）といい、侵略者としての日本についてはほとんど、あるいはまったく触れないし、何百万人もの外国人や数百万人の日本の兵士と民間人の死についての責任よりも、むしろ被害者としての日本（原爆によって十数万人が殺されたこと）を強調し、日本が戦争をはじめるように仕向けたとしてアメリカを非難するという（公平を期して述べておくと、韓国、中国、アメリカの教科書も、第二次世界大戦について自国に都合よく紹介している）。私の日本人の学生たちは、ロサンゼルスのアジア人学生連盟に参加し、韓国人や中国人の学生と出会い、戦時中の日本人の行動を知り、それが今も他国の学生たちの反日感情を醸成していることを知ると、ショックを受ける。

同時に、私の日本人の学生の数人は、そして多くの日本人が、日本の政治家がこれまでに述べた数々の謝罪の言葉を挙げ、「日本はすでに十分に謝ったのではないか？」という疑問を述べる。短い答えは「ノー」だ。なぜならそれらの謝罪には真実味がなく、日本の責任を最小化、あるいは否定する言葉が混ぜられているからだ。もう少し長く答えるならこうなる。自国の最近の歴史がもたらしたものへの対応について、日本とドイツの対照的な手法を比較すること、そしてドイツの手法がかつての敵国をおおむね納得させているのに対して、日本の手法は主要な犠牲者である中国と韓国を納得させそこねているのはなぜだろうかと問うことだ。第6章で、ドイツの指導者たちが示してきた反省と責任や、ドイツでは子どもたちが学校で自国の過去に正面から向き合うよう教えられることなど、ドイツのさまざまな対応を紹介した。日本がドイツと同様の対応をすれば、中国人や韓国人は真摯さに納得するかもしれない。たとえば、日本の首相が南京を訪れ、中国人が見守るなかでひざまずき、戦時中の日本軍による虐殺行為への許しを請うてはどうだろうか。日本中にある博物館や記念碑や元捕虜収容所に、戦時中の日本軍の残虐行為を示す写真や詳しい説明を展示してはどうだろうか。日本の児童が国内および南京、サンダカン、バターンなど海外のこうした場所を修学旅行や遠足で定期的に訪れるようにしてはどうだろうか。あるいは、戦争の犠牲者としての日本よりも、戦時中に日本の残虐行為の犠牲となった非日本人を描くことにもっと力を入れてはどうだろうか。こういった活動は今の日本には存在しないし、思い浮かべることすらできないが、ドイツでは同様の活動が広く実行されている。こうした活動が実行されるまで、中国人や韓国人は日本流の謝罪を信じることはなく、日本を憎みつづけるだろう。そして、中国と韓国が徹底した軍備を進めているのに日本は十分な自衛力がないという状態がつづく限り、日本の目前には大いなる危険が迫ったままである。

自然資源管理

すべての人間の存続は、樹木、魚、表土、清浄な水、清浄な空気などの再生可能な自然資源にかかっている。これらの資源のすべてに管理の問題が生じており、科学者たちはすでにさまざまな知見を積み重ねている。世界の森林や漁場が推奨される最善の方法で管理されれば、山の幸と海の幸を、現在の世界の全人口のニーズを満たすに十分な量で収穫することは可能かもしれない。しかし悲しいことに、実際にはいまだに破壊的で持続可能ではない収穫がおこなわれている。世界の森林のほとんどが縮小しつつあり、漁場・漁獲高も減少したり、すでに崩壊したりしている。しかし、すべての自然資源を自給自足できている国はない。どの国も少なくとも数種類の資源は輸入している。したがって、多くの国において、政府機関や国際環境組織（たとえば世界自然保護基金やコンサベーション・インターナショナル）の支部、地域の環境組織がこうした問題を解決すべく奮闘している。

これらは日本にとってはとくに喫緊の問題だ。一八五三年まで日本は鎖国し、輸入の規模は無視できるほど小さく、自然資源を自給自足していた。自国の森林資源に頼るほかないため、また一六〇〇年代には森林減少の危機を迎えていたので、森林を管理するために、日本はドイツやスイスとは別の、独自の科学的植林法を発展させてきた。しかし、一八五三年以降に人口が爆発的に増え、生活水準や消費率が上がり、大量の人口が狭い面積に詰め込まれ、近代工業経済に欠かせない原材料の需要が発生したため、日本は世界最大の自然資源輸入国となった。再生不能自然資源のうち、石油、天然ガス、ニッケル、アルミニウム、硝酸、カリウム、リンの必要量のほぼすべて、そして鉄、石炭、銅の必要量のほとんどを日本は輸入しなければならなかった。再生可能自然資源では、海産物、木材、合板、熱帯雨林産の硬材、紙、パルプ材などについて世界一位から三位の輸入国である。

日本が輸入に頼らなければならない必須資源を挙げれば長いリストになる。こうした資源のすべてが世界中で枯渇すれば、日本は真っ先にその影響を被る国になるだろう。また、日本は食糧輸入依存度の高い大国でもある。今日、日本は主要国のなかでも、農業輸出に対する農業輸入の比率が二〇倍ともっとも高い国である。つぎに高い韓国は六倍だが、アメリカ、ブラジル、インド、オーストラリアなど、他のほとんどの主要国は食糧輸出国だ。

このように、日本は資源に乏しい国とみなすに十分な理由がある。となれば、日本は最大にしてずば抜けた量の資源を輸入する先進国なのだから、自己利益の追求から、世界に先駆けて持続可能な資源活用国をめざすはずだと期待する向きもあるだろう。とりわけ、日本が依存している漁業資源や森林資源については、持続可能な活用に向けてリードするのが合理的な政策となるはずだ、と。

奇妙なことに、現実は逆である。世界自然保護基金アメリカ支部とコンサベーション・インターナショナルのディレクターの一人として、私はこのふたつの組織がかかわる各国の資源管理政策について多くの情報を耳にしている。とくに日本の政策についても、日本人の友人や同僚から多くの情報を耳にしている。どうやら日本は海外の持続的な資源政策に対して、支持はもっとも小さく、反対はもっとも大きい先進国であるようだ。不法に、あるいは持続可能でない方法で収穫された林産品の輸入量は、国民一人あたりにせよ輸入林産品全体に占める割合にせよ、アメリカやEU諸国よりはるかに多い。遠洋漁業や捕鯨に関するまっとうな規制についても日本は反対勢力の先頭に立っている。例をふたつ挙げよう。

最初の例は、大西洋および地中海産のクロマグロに関するものだ。クロマグロは日本で刺身や鮨に使われており、とくに高価だ。最近、日本では大きなクロマグロ一匹が一〇〇万ドルを超える驚愕の価格で取引された。クロマグロは乱獲により急減しており、持続可能な漁獲方法と漁獲割当への合意により対策をおこなう動きが起きている。信じられないことに、大西洋と地中海のクロマグロをワシントン条約の対象種リストに載せる提案が二〇一〇年におこなわれたとき、日本は提案の主唱者ではなかった。それどころか、この提案が見送られたとき、日本はそれを外交的勝利とみなしていたのである。

ふたつめの例は、今日の日本が世界最大かつ強硬な捕鯨推進国であることだ。捕鯨の割当数は国際捕鯨委員会（ＩＷＣ）が決めている。日本は毎年、調査捕鯨という名目で合法的に割当数を大きく超えて捕鯨をおこなっているが、調査捕鯨で死んだクジラについてはほとんどあるいはまったく研究論文を出すことなく肉として販売している。しかも、日本人一般の鯨肉への需要は低く、しかも減少しつつあり、鯨肉は人間用というよりむしろドッグフードや肥料に無駄使いされている。捕鯨の維持は日本にとって経済的損失だ。なぜなら日本の捕鯨産業は数種類の方法で政府から大きな補助金を得ているからだ。すなわち、捕鯨船への直接的な補助金、捕鯨船を護衛する船への追加の補助金、そして、捕鯨をしないがＩＷＣに加盟している小国に賛成票を投じてもらうための賄賂である「対外援助」と呼ばれる隠されたコストが存在している。

なぜ日本はこのような立場をとるのだろうか？　日本人の友人たちが述べる三つの説明は以下のとおりだ。第一に、日本人は自然と調和して暮らしているという自己イメージを大切にしており、伝統的に国内の林業や漁業については持続的に管理してきたが、現在搾取している海外の森林や漁業資源についてはその限りではない。第二に、日本人の国民的自尊心は国際的圧力に屈することを嫌う。とくにグリーンピースやシー・シェパードの反捕鯨活動やクロマグロ規制への国際的圧力に屈したとみられたくないのだ。日本は捕鯨推進というより「反・反捕鯨」だといえるかもしれない。最後に、日本には国内資源に限りがあるという強い意識があるために、過去一四〇年にわたって、国家安全保障の中心、対外政策の基礎として、世界の自然資源を無制限に利用する権利を主張してきた。世界に資源が豊富に存在し、需要を上回る供給があった過去にはそうした主張もあり得たが、資源が減少しつつある今日ではもはや実行可能な政策ではない。

日本人ではないが日本を愛する私のような人間にとっては、海外資源の持続可能な利用に反対する日本の態度は悲しく、自己破滅的にみえる。過去にも日本は海外資源を手に入れるために自己破滅的な行動に走り、中国、アメリカ、イギリス、オーストラリア、ニュージーランド、オランダと同時に戦争をすることになった。敗北は避けられるはずがなかった。今回もまた、敗北は避けられない――軍事力によってではなく、海外の再生可能・再生不能な自然資源の枯渇によって。もし私が日本を憎み、戦争以外の方法で破滅させたいと思う国の邪悪な独裁者だったなら、今日本がみずからおこなっているとおりのことをするだろう。つまり、日本が依存している海外資源を破壊するのである。

危機の枠組み

最後に、一二の予測要因に照らして、日本の未来に横たわるものを考えてみよう。シンプルな学術的演習としては、日本が現在の諸問題をうまく解決できそうかどうかを、一二の要因で予測すればいい。より有益な考察として、日本人が解決策を考えるため、また自分でつくりだしているいくつかの障害のいくつかを切り抜けるために、これらの予測要因を理解し活用する方法を提案しよう。

楽観的になれるひとつの理由は、日本は過去にも危機を解消した経験がある点だ（表1・2の要因8）。近代に入って二度、日本は価値観の見直しと選択的変化により、国家としてみごとな成功物語を実現した。もっとも劇的な変化は一八六八年にはじまる明治維新とともに訪れた。一八五三年のペリー来航により強制的に開国させられた日本は、他の多くの非ヨーロッパ諸国のように西洋列強に吸収されてしまうのではという不安を抱いた。日本は突貫でつくった選択的変化計画によってこれをみずから切り抜けた。鎖国政策、武家政治、武士階級、封建制度を廃止した。憲法、内閣、国軍、工業化、ヨーロッパ式の銀行制度、新たな学校制度、洋装、西洋料理、西洋音楽を大々的に採り入れた。同時に天皇制、言語、書記体系、文化の多くは維持した。日本はこのようにして独立を維持しただけでなく、富と覇権において西洋と肩を並べる初の非西洋国家となったのだ。第二次世界大戦後には、ふたたび日本はさらなる劇的な選択的変化を実践した。軍国主義や天皇の神聖性を放棄し、民主主義と新憲法を採用し、輸出による経済再生と発展を実現した。

日本について楽観的になれるもうひとつの大きな理由が、失敗や敗北から回復する忍耐力と能力が過去に実証されている点だ（要因9）。先の項で日本への批判を引用したシンガポールの元首相リー・クアンユーも、以下のように認めている。「日本占領時代の私の経験と、恐怖を覚えていた日本人の特質にもかかわらず、今の私は日本人を尊敬し、称賛する。彼らの団結力、規律、知性、勤勉さ、国のために進んで犠牲となる精神がすばらしく生産的な力を生み出している。資源の乏しさを自覚している日本人は、達成不可能なことを達成するためにさらに努力しつづけるだろう。あの文化的価値があれば、彼らはどんな大災害があっても、唯一生き残るだろう。日本は折りに触れて地震や台風、津波など予測不能な自然の力による打撃を受ける。被害を受け、立ち上がり、再建する……大地震に襲われた一年半後の一九九六年に神戸を訪れたとき、日常生活が取り戻されていることに私は驚いた。あの大災害に冷静に対処し、新たな日常をすでに取り戻していたのである」

私のチェックリストのなかで日本に有利にはたらく要因は他にもある。海を挟んだ中国や韓国との近接性に相殺されはするものの、他国と国境を接しない列島であることから得る選択の自由（要因12）、ナショナル・アイデンティティ、誇り、一貫性の強さ（要因6）、中国と韓国以外の数多くの貿易相手国から友好的な支援、あるいは少なくとも中立的な対応を受け取っていること（要因4）、そして、日本の主要な問題のいくつかを解決するための手本となる他国の存在（要因5、以下に述べる）である（もし日本に他国を手本とするつもりがあるなら、だが）。さらに大きな強みとして、本章の冒頭で述べたように、日本には経済、人的資本、文化、環境がある。

これらの強みを相殺するのは、私のチェックリストにある三つの要因だ。これらに触れるのは悲観主義を助長したいのではなく、現在の問題をうまく解決したいなら変えるべき態度に着目してほしいからだ。ひとつめの障害は、環境の変化によって今の時代には合わなくなった伝統的価値観である（要因11）。日本は減少しつつある世界の資源を持続可能な方法で入手するための国際協調を主導するのではなく、まるで資源がありあまっているかのように無制限に確保するための努力を継続している。もうひとつの障害は第二次世界大戦の捉えかたである。戦時中の日本の行動について、責任を受け入れるどころかむしろ自己憐憫や自国の被害者性ばかりに集中している（要因2）。人生と同じく国の政治においても、責任を否定している限り問題の解決に進むことはできない。対中・対韓関係を改善したいなら、日本は責任を認めたドイツの例にならう必要があるだろう。

最後の障害は、いくつかの重要分野において、公正で現実的な自国認識が欠如していると思われる点だ（要因7）。先ほど述べた資源輸入や第二次世界大戦の捉えかたもその例である。別の例としては、人口減少を防ぐことが何よりも重要だと誤解している点だ。現在一億二七〇〇万人の人口が二〇〇〇万人に減ればたしかに問題は起こるだろうが、八〇〇〇万人に減っても、何の不利ももたらさないどころか大きな利点が生まれると思う。日本の近代史における呪縛であった資源輸入への渇望が減るからだ。日本が大国なのは本章の冒頭で述べた質的な強みがあるからであって、現在の人口がたまたまドイツの八一〇〇万人ではなくメキシコの一億二七〇〇万人と同じだからではない。

もうひとつ、移民についても自国認識を改める必要がある。移民は高齢退職者に対する若い労働者の比率の減少、保育サービスの選択肢の少なさ、高齢者向け介護者の不足といった、とりわけ日本が深刻と捉えている諸問題の解決策として多くの国が採用している方法だ。日本の選択肢のひとつは、非常に成功しているカナダの移民プログラム、あるいはアメリカや南米に赴いた日系移民の経験を参考にすることだ。もうひとつの方法は、移民にノーといいつづけ、他の方法、たとえば労働力から女性を排除している周知の障害を取り除いて日本人の労働力を増強し、保育サービス従事者、看護師、介護士について、一時滞在労働者ビザ発給の大幅増加を実施することだ。こうしたさまざまな解決策はよく知られているし、それぞれに長所と短所がある。必要なのは、困難を克服して解決策へのコンセンサスをとり、今日の思考停止状態を脱することである。

つぎの一〇年において、これらの問題は日本にどのような結果をもたらすだろうか？現実的にみて、日本が現在直面している問題は、一八五三年の唐突な鎖国政策の廃止や、一九四五年八月の敗戦による打撃に比べれば大したものではない。これらのトラウマから日本がみごとに回復したことを思えば、今日、もう一度日本が時代に合わなくなった価値観を捨て、意味のあるものだけを維持し、新しい時代状況に合わせて新しい価値観を採り入れること、つまり基本的価値観を選択的に再評価することは可能だという希望を私は持っている。

第9章　アメリカを待ち受けるもの
——強みと最大の問題

今日のアメリカ

本書を執筆している現在、アメリカは、一八五三年七月八日のペリー来航ではじまった日本の危機に匹敵する危機を迎えているわけではない。しかし、アメリカがいくつかの重大な問題に直面していることについては、ほとんどのアメリカ人が同意するだろう。アメリカの現在の状況は、戦後ドイツやオーストラリアの危機のようにゆっくりと進行する危機であるという見方にも、多くの人が同意するだろう。アメリカの問題には、社会と政治に関する国内問題と、外交に関する問題の両方がある。

たとえば、外交関係の問題について、アメリカにつぐ第二の経済大国となった中国の台頭をアメリカ人の多くが脅威と捉え、懸念している。中国の人口はアメリカの四倍だ。中国の経済成長率はアメリカだけでなく他の経済大国の成長率をも上回りつづけている。

兵士数は世界一、軍事費は（アメリカについで）世界第二位で、半世紀前から核兵器を保有している。先端技術のいくつかの分野（再生可能エネルギー発電、高速鉄道）ではすでにアメリカをしのいでいる。中国の独裁政府は、二大政党制および抑制と均衡《チェック・アンド・バランス》のシステムにより揺れ動くアメリカの民主主義よりも、物事をすばやく実行できる。経済的にも軍事的にも中国がアメリカを追い越すのは時間の問題だと、多くのアメリカ人は捉えている。二一世紀はアジアの世紀、とくに中国の世紀になるだろうという主張がますます頻繁に聞こえてくる。

これらの懸念は簡単に片付けられるものではないと私も思う。一方で、私の生きてきた時代を振り返れば、アメリカはどの一〇年をとっても、未曾有の難題を突きつけられていると考える理由があった。たとえば、一九四〇年代には日本やナチスドイツとの第二次世界大戦があり、一九五〇年代は冷戦、一九六〇年代はキューバ危機とベトナム戦争がアメリカ社会を引き裂いた。しかし、どの一〇年も当時はかつてない不安要因を抱えていると思えたのだから判断は慎重にすべきと思いつつも、やはり私はこういわざるを得ないのだ――二〇一〇年代という今の時代こそ、真に、かつてない不安要因を抱えた時代である、と。

したがって、前章で日本の未来に待ち受けるものを論じた後で、本章と次章を使ってアメリカの未来に待ち受けるものを検討するのは適切だろう。問題点ばかりに偏って着

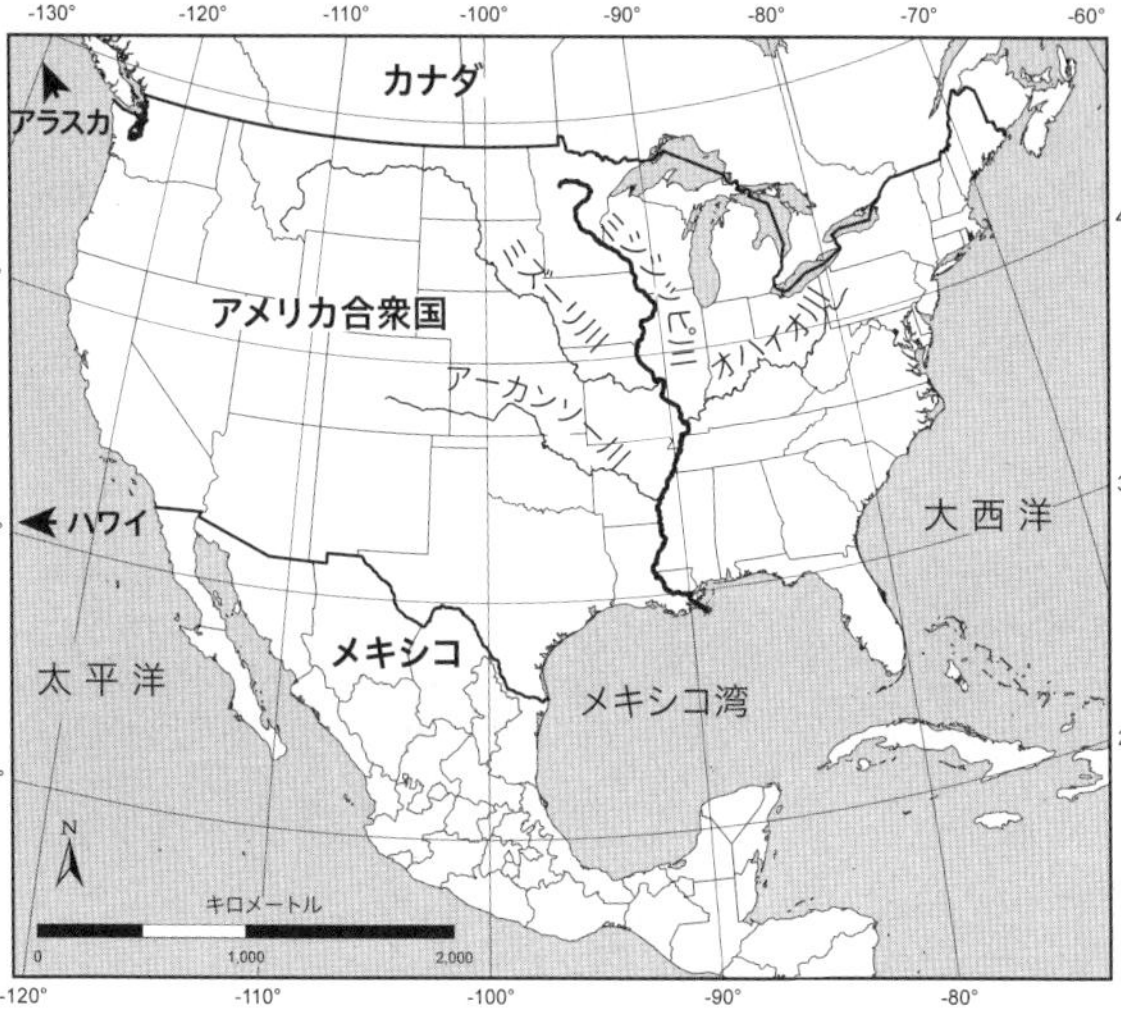

図8　アメリカ合衆国の地図

目しないようにするつもりだ。むしろ、アメリカの長期的かつ基本的な強みとは何かをまず問うつもりだ。時代は中国とともにあり、アメリカにとっては逆風であるというアメリカ人の恐れがどれほど真実であるのかを見極めるため、それぞれの強みに関して、中国についても手短に検討する。もちろん中国以外の国々——とくに北朝鮮、ロシア、アフガニスタン——もアメリカに問題を突きつけている。しかし、本書の目的からみれば、アメリカにとってより限定的な問題をもたらしているこれらの国々よりも、中国とアメリカを比較するほうが有益である。つづいて、現在のアメリカにとっての根本的問題——二〇二〇年大統領選への懸念という目の前の問題ではなく、これからの一〇年において大きな問題となるいくつかの点——をみていく。本章とつぎの第10章ではアメリカ特有の問題を議論し、第11章でアメリカも含めて世界に影響する、より広範な問題についても触れる。最後に、一二の要因によって根本的問題の解決策や解決への障害を示唆できるかどうかをみていく。

富

アメリカの強みを評価するために、まずアメリカが過去数十年にわたり世界一の強国で世界一の経済大国でありつづけているという事実からはじめよう（ただし中国の経済規模はアメリカに迫っており、すでにいくつかの経済指標でアメリカを上回っている)。強大なアメリカ経済の基礎を理解するために、前章で日本経済の規模を理解するために述べた事実を思い出そう。一国のGDPは「国の人口」と「一人あたり平均生産量」の掛け算だ。アメリカ以外の上位の国々はどちらか一方が低いが、アメリカはふたつとも世界最大レベルである。

現在約三億三〇〇〇万人のアメリカの人口は、中国、インドにつぐ世界第三位だ。しかし、中国やインドをはじめ人口上位二〇カ国のうち一六カ国は、国民一人あたり平均生産量や国民一人あたり所得がアメリカのわずか三〇~四〇%しかない(人口上位二〇カ国で富裕国なのは、日本、ドイツ、フランスの三カ国だけだが、人口はアメリカの二一~三九%しかない)。アメリカの人口が多いのは広大で肥沃な土地があるからだ。アメリカより広い国はロシアとカナダしかないし、この二国は大部分が北極圏にあるため、人の居住はまばらで農業には適していない。

今、アメリカの人口の多さが経済の強さの一因だと述べたが、これは前章で日本の人口の多さは日本にとって長所どころか短所にさえなり得ると述べたことと矛盾すると思えるかもしれない。しかし、アメリカは資源が豊富で、食糧とほとんどの原材料を自給自足しており、面積が広く、人口密度は日本の一〇分の一以下である。一方で日本は資源に乏しく、食糧と原材料の多くを輸入に頼り、面積はアメリカの二〇分の一以下で、人口過密である。つまり、アメリカにとって膨大な人口を支えるのは日本よりはるかに簡単なのだ。

アメリカの世界一のGDPや富に貢献するもうひとつの要因は、以下に述べる地理的、政治的、社会的利点がもたらす、一人あたり平均生産量および富の多さである。それを測る方法は国民一人あたりGDPや国民一人あたり所得などさまざまであり、購買力平価（その国で、一ドルで買える財やサービス）の違いにより修正されるものもされないものもある。こうした測定方法のいずれにおいても、アメリカは他の人口が多い経済大国を大きく引き離している。アメリカよりも国民一人あたりGDPおよび所得が高いのは、人口が少ない国（クウェート、カタール、シンガポール、スイス、アラブ首長国連邦など人口二〇〇万〜九〇〇万の国）または人口が非常に少ない国（ブルネイ、リヒテンシュタイン、ルクセンブルク、サンマリノなど人口三万〜五〇万の国）のいずれかだ。こうした国々の富は主に石油や金融によるものである。受益者の数が少ないため、国民一人あたりGDPや所得が高くなるが、国としての経済生産量の総量（すなわち国民一人あたり平均生産量に人口を掛けたもの）では下位になる。

また、世界一の経済大国であるという事実は、アメリカが世界一強大な軍隊を持つことを可能にしている。兵士数は中国のほうがずっと多いが、長年アメリカは軍事技術と長距離展開可能な軍艦に投資してきた（口絵9・1）。たとえば、アメリカは世界中に配備できる原子力空母一〇隻を有している。結果として、今日のアメリカは、認めると認めざるとにかかわらず、事実として世界情勢に介入できるし、実際に介入している世界で唯一の軍事大国である。

地理

アメリカが豊かな経済力と強大な軍事力を有しているのは偶然ではない。すでに述べた広大な面積と膨大な人口という強みに加え、地理、政治、経済、社会においても強みがある。ここから先、私がアメリカの強みをやみくもに褒めちぎるのではないかと思われているなら、あらかじめ警告しておくが、ここからはアメリカが直面している問題について、はるかに多くのページを割くことになる。

地理に関して、アメリカは幸運にもすばらしい土地に恵まれている。アラスカとハワイを除く四八州はすべて、世界でもっとも農業生産性が高く、公衆衛生の観点からもっとも安全性の高い温帯地方にある。中国も国土の大部分が温帯に属しているが、南部は亜熱帯で、一部熱帯もある。さらに重要なのは、中国には世界でもっとも広大にして標高が高く農業に適さない高原が存在し、山脈地帯（世界最高の六座のうち五座を含む）は登山観光業と、氷河が河川の水源となること以外に人間にとっての経済的価値はない。

一般的に温帯の土壌は熱帯の土壌よりも肥沃である。理由のひとつは、氷河期に高緯度地方の氷河が地表を前後に移動した結果、岩を削って新鮮な土壌を生み出したり表面に露出させたりしたためだ。これは北米だけでなくユーラシア北部でも起こったため、ユーラシアの土壌も肥沃である。しかし、世界の大陸のなかでもユニークな、アメリカに特有の地理的特徴ゆえに、北米においてはとくに氷河作用の効果が大きかった。この特徴を理解するために、まずは世界地図を眺め、各大陸の形状を一言で表現してみてほしい。南米とアフリカは真ん中あたりがもっとも太く、南極に向かって細くなり、ユーラシアやオーストラリアは高緯度地方と低緯度地方が太くなっている。しかし北米は他とは違って逆三角形になっており、北極に向かってもっとも太く低緯度になるほど細くなる。

この形状が北米の土壌の決め手となった。氷河期、あるいは更新世といわれる時代、北極で形成された氷河が数十回にわたって南進し、ユーラシアと北米へ広がった。北米は逆三角形なので、高緯度地方の広大な部分で形成された大量の氷河が細い部分へ集中的に流れ込み、低緯度に向かうほど氷河は重さを増していった。ユーラシアは逆三角形ではなかったため、高緯度地方で形成された氷河は、ほぼ同じ幅で低緯度地方に移動していった。南米やアフリカ、オーストラリアでは、南極に接する先端がいずれも非常に細いため、北進するほどの氷床は生まれなかった。したがって、高緯度地方に生じた氷河の移動による肥沃な新しい土壌は北米でもっとも効果的に形成され、ユーラシアはそれほどでもなく、南半球にある他の三つの大陸ではごくわずか、あるいはほとんど存在しなかった。その結果、グレート・プレーンズには深くまで肥沃な土壌が生まれ、ヨーロッパから移住してきた農民は驚き、喜び、それが現在、世界最大にしてもっとも生産性が高く、果てしなく広がる農業地帯になっている（口絵9・2）。北米大陸が逆三角形なことと、繰り返し起こった氷河作用と、北米大陸のほぼ全体で降る適量の雨という三点がそろったことが、アメリカの農業生産性が高く、世界最大の食糧輸出国になった理由である。対照的に、中国の土壌は浸食によって大きなダメージを受けたため、アメリカほど肥沃ではなく、平均人口密度はアメリカの四倍であるため、中国は食糧の純輸入国である。

アメリカが有するもうひとつの大きな地理的優位性は、沿岸部と内陸部の両方に水路があることだ。水路は大きな節約につながる。なぜなら、海運は道路や鉄道による陸上運送よりも一〇～三〇倍も安価だからだ。アメリカ東部（大西洋）、西部（太平洋）、南西部（メキシコ湾）には長い海岸があり、大西洋とメキシコ湾の沿岸部は多数の防波島に守られている。したがって、このふたつの沿岸部では、船舶はこれらの島に部分的に守られた沿岸内水路を航行する。アメリカの三つの沿岸部には、ロングアイランド湾、チェサピーク湾、ガルヴェストン湾、サンフランシスコ湾、ピュジェット湾など大水深の港のある大きな内湾がある（口絵9・3）。結果として、アメリカは多数の守りに優れた自然港に恵まれており、その数は東海岸だけでメキシコとの国境以南にある自然港の総計を上回る。加えて、アメリカは太平洋と大西洋の両方に面している唯一の大国である。

内陸水運については、東海岸には航行可能な短い河川がたくさんある。しかしもっとも重要なのは、グレート・プレーンズのすばらしい農業地帯を含む国土の半分以上を流域とする巨大なミシシッピ水系とその広大な支流（ミズーリ川など）である（一五九ページの地図を参照）。かつてこれらの河川に存在していた航行上の障壁は、運河や水門の建設により土木的に取り除かれ、船舶はメキシコ湾沿岸部からアメリカ中部の内陸部まで約一九二〇キロメートルを航行できるようになった（口絵9・4）。ミシシッピ川の源流は、世界最大の湖水群、五大湖ともつながり、他に類をみない大量の湖上運送がおこなわれている。ミシシッピ川と五大湖を合わせると、内陸水路としては世界最大のネットワークである。ミシシッピ・五大湖水系に沿岸内水路を加えると、アメリカが有する航行可能な内陸水路は世界中の内陸水路の合計を上回る。ちなみに、メキシコには航行可能な大河はなく、アフリカ大陸全体においても海まで航行できる大河はひとつしかない（ナイル川）。中国の海岸線はもっと短く（東側にしかない）、良港ではなく、航行可能な河川でアクセスできる領域ははるかに小さいし、五大湖に匹敵する大きな湖水系はない。こうした水路は安価な水運によってアメリカ各地を結びつけ、アメリカと世界を結びつけているのである。

アメリカの沿岸部にまつわるもうひとつの優位性は、侵略に対する防衛力である。アメリカの沿岸部は貨物輸送にとって理想的だと称賛した直後に、軍隊を輸送するには理想的ではないと述べれば矛盾していると思われるかもしれない。だが、沿岸部で船から積荷を下ろすことが車による陸路輸送よりもコストが低いのは、陸で配送を待ち受けている相手がいるからだ。もし陸でこちらを射撃しようと待ち受ける敵がいる場合、海路輸送は高くつくし安全ではない。海からの上陸は、戦闘においてもつねにもっとも危険な行為である。一九四二年八月、フランス沿岸部のディエップの戦いでカナダ軍が五八％もの犠牲者を、一九四三年一一月にタラワの戦いでアメリカ軍の上陸部隊が三〇％もの犠牲者を出したことを思い出せばいい。太平洋沿岸部への敵の接近をコントロールできるハワイとアラスカを併合したことで、アメリカの攻撃に対する防護力は増強された。海岸線ではなく陸続きで国境を接しているのはメキシコとカナダだが、両国とも人口と軍事力があまりに小さく、アメリカを脅かすにいたらない（一九世紀初頭にはそれぞれを相手に戦争をおこなったが）。

したがって、事実上アメリカには侵略の危険性がない。アメリカ史上、アメリカ侵略を試みた独立国家はない。一八四六〜四八年の米墨戦争より後に、本土が戦争に巻き込まれたことはないし、あの戦争はアメリカがはじめたものだった。本土への攻撃ですら、一八一二年の米英戦争におけるイギリス軍によるワシントン焼き討ち、一九一六年にニューメキシコ州コロンバスで起きたパンチョ・ビリャによる襲撃、第二次世界大戦中の日本軍の潜水艦によるサンタバーバラへの砲撃、やはり第二次世界大戦中に民間人六人が犠牲になった日本の風船爆弾による攻撃ぐらいのもので、ごく少ない。対照的に、他の大国はみな二〇世紀に限っても、侵略されたり（日本、中国、フランス、ドイツ、インド）、占領されたり（日本、イタリア、韓国、ドイツ）、侵略されそうになったり（イギリス）した。とりわけ中国は、一九三七年から四五年にかけて海から大規模な攻撃を受け、大部分が日本の占領下に置かれただけでなく、一九世紀にも海からイギリス、フランス、日本による攻撃を受け、近年は国境沿いでロシア、インド、ベトナムと紛争があり、過去には頻繁に中央アジア諸国からの攻撃を受け、そのうち二国（モンゴルと満州）は中国全土を征服したことがある。

民主主義の優位性

アメリカの地理的優位性は前述のとおりである。さてここからは、政治的優位性について検討しよう。まず、アメリカは誕生以来二三〇年にわたり間断なく民主主義国家でありつづけているという事実がある。対照的に、中国は誕生以来二二四〇年にわたり間断なく非民主主義的独裁国家でありつづけている。

本当のところ、民主主義の優位性、あるいは少なくともその潜在的優位性とは何だろうか（「潜在的」と強調するのは、後にみるようにアメリカ政府は民主主義から逸脱し、潜在的優位性のいくつかを失いつつあるからだ）。現在、ますます民主主義に幻滅しやすい状況になっており、良い政策を迅速に決定し、実行できる能力があるという理由で、アメリカ人が中国の独裁政治を羨ましく思うこともある。独裁政治より民主主義のほうが決断や実行に時間がかかるのは間違いない。なぜなら民主主義の本質とは抑制と均衡《チェック・アンド・バランス》、そして賛成多数による（したがって時間のかかる）意思決定だからだ。たとえば、中国は一年で無鉛ガソリンの採用を決定したが、アメリカでは議論や訴訟で一〇年を費した。アメリカ人が羨ましく思うのは、中国が高速鉄道網や都市部の地下鉄システム、長距離エネルギー輸送システムの構築を迅速にやってのけたことだ。また、民主主義に対する懐疑派は、とてつもなく危険な指導者が民主選挙を通じて権力を握った例はいくつもあると指摘する。

民主主義のこうした短所は事実だ。しかし、独裁政治には、はるかに悪質でしばしば致命的な短所がある。独裁政治は羨ましいほどの迅速さで政策を実施できるにしても、過去五四〇〇年間に世界に登場した中央集権政府はいずれも、良い政策だけを実施する方法を見出せていない。中国が迅速に実行してきた恐ろしく自己破壊的な政策と、それらが民主主義の先進大国ではあり得ない悲惨な結果をもたらしたことを思い出してみればいい。たとえば、一九五八年から六二年にかけて中国は大躍進政策により大飢饉を引き起こし、数千万人の国民の命を奪い、教育システムの停止により教師たちを農村へ送って農作業に従事させ、後に世界最悪となる大気汚染を生み出した。もし中国の大都市の半分のレベルの大気汚染がアメリカで起こったら、アメリカ人は不平をいって、つぎの選挙で政権を交代させるだろう。また、一九三〇年代の日本とドイツにおいて多数決を排除した独裁政府が実行した、もっと自己破壊的な政策を思い起こそう。このふたつの国の独裁政府は戦争を開始し、数百万人もの自国民を殺したのだ（さらに二〇〇〇万人の他国民の命も奪った）。だからこそ、だれかが民主主義についてお決まりの不平を述べたとき、ウィンストン・チャーチルは、こう皮肉を返したのだ――民主主義はたしかに最悪の政治形態といえる。ただし、これまでに試みられてきた、民主主義以外のすべての政治形態を除けば。

民主主義には多数の利点がある。民主主義においては、国民はどんな意見でも、たとえその意見が現政権にとって当初は受け入れがたいものであっても、提案し議論することができる。議論と抗議はやがて最善の政策を明らかにする可能性があるが、独裁体制下ではけっして意見が議論されることがないだろうし、その意見の良い部分が受け入れられることもないだろう。近年のアメリカ史は民主主義のすばらしい例だ。なぜなら、アメリカ政府が固執した対ベトナム政策がうまくいかないことがわかると国民の抗議運動が非常に激しくなり、最終的に政府はベトナム戦争を終結させるという決断にいたったからだ（口絵9・5）。対照的に、一九四一年、すでにイギリスと戦争中であるにもかかわらず、ソ連を侵略し、つづいてアメリカに宣戦布告するというヒトラーの馬鹿げた決断について、ドイツ人には議論する機会が与えられなかった。

民主主義に備わっているもうひとつの基本的な利点は、自分の意見が聞き届けられ、議論されることを国民が知っているということだ。たとえ今すぐに意見が採用されなくても、未来の選挙にはチャンスがあることを国民は知っている。民主主義がなければ国民は不満を抱えこみ、自分たちに残された手段は暴力しかないという結論にいたるしかなく、政府の転覆を試みようとさえする可能性がある。平和的に意見を表明する方法があるとわかっていれば、国民が暴動を起こすリスクは低減される。皮肉屋だが政治について鋭い見識を持つ友人は、「民主主義で重要なのは、民主主義らしい*みかけ*である」と私に言った。つまり、友人の意味するところは、たとえ（現在のアメリカがまさにそうであるように）民主主義がみえにくいかたちで挫折させられつつあるとしても、民主主義が存在しているようにみえていれば、国民が暴力的手段に走るのを阻止するのに十分だろうということだ。

民主主義に備わっているさらにもうひとつの利点は、運用に際して妥協が必要不可欠であるという点だ。妥協は権力の座にある者の暴政を抑制する。妥協がなければ権力者は反対意見を無視してしまうかもしれない。また逆に、不満を抱えた少数派が政府を麻痺させないことに同意するのも妥協である。

そして、さらにもうひとつ、民主主義には基本的な利点がある。普通選挙が実施される近代民主主義においては、有権者全員が投票できるという点だ。そのため、政権には全国民の利益を図るインセンティブがあり、それゆえに国民は独裁的エリートの小集団に機会を独占させておかず、生産的になる機会を得る。

一般的に民主主義体制に備わっているこれらの利点に加え、アメリカはその特異な民主主義体制、すなわち連邦制度に由来するさらなる利点を持っている。連邦制では、政府の重要な機能は特権的な中央政府ではなく民主的な地方政治に委ねられている。アメリカの連邦制度は五〇州で構成されるため、実際のところ、共通する問題について五〇州が異なる解決策を実験的に試して、もっともうまくいく解決策を見出すことも可能だ。たとえば、アメリカの州のなかには、自殺幇助を認めている州(オレゴン州)もあれば禁止している州(アラバマ州)もあるし、州税はカリフォルニア州でもっとも高くモンタナ州がもっとも低い。他の例として、私はアメリカ北東部にあるマサチューセッツ州で育ったが、初めて知り合ったカリフォルニア州出身の人物が「一時停止後であれば赤信号でも交差点で右折できるという法律を全米で最初に採用したのはカリフォルニア州だ」と教えてくれた。アメリカでは道路交通法は国ではなく州の専権事項である。一九六〇年代のマサチューセッツ州の住民や、カリフォルニア州以外のすべての州の住民にとって、この右折ルールはとてつもなく危険に思えたし、そんなことをしようと思うのはいかれたカリフォルニア州の住民ぐらいのものだろうと思っていた。しかし、カリフォルニアが実験台になり、安全が証明されると、他の州もカリフォルニアにならい、ついには全州がこの法律を採用した（口絵9・6）。

赤信号での右折をめぐる許可や禁止には、アメリカの連邦制度の利点を納得させるほどの重要性がないという反論もあるかもしれない。最近おこなわれたより重要度の高い実験は、公教育制度の維持よりも州税の減税のほうが住民にとって重要だとしたカンザス州のサム・ブラウンバック知事の主張である。他の州はこの実験の成り行きを興味深く見守っていた。二〇一七年にカンザス州が示した結果によれば、ブラウンバック知事と同じ党に所属する議員たちでさえ減税は良い考えではないと納得し、再増税に賛成票を投じたのだった。しかし、ひとつの州が独自に政策を試し、他の四九州がその成り行きから学べるのは、アメリカの連邦制度のおかげである。

これらはアメリカが享受している民主主義の大きな利点の一部であり、中国はそれを享受していない。こうした利点の欠如こそ、一人あたり所得で中国がアメリカに追いつけない最大の理由だというのが私の意見である。もちろん、アメリカが民主主義、中国が非民主主義でありつづければの話だが。あらためて強調しておきたいのだが、民主主義が大きく損なわれた場合、名目上は民主主義国家でも民主主義の利点を失う（詳しくは後述）。また、すべての国にとって必ずしも民主主義が最高の選択肢ではないことも私は認識している。識字能力のある有権者、広く受け入れられているナショナル・アイデンティティの存在という前提のない国々では、民主主義を普及させることが困難だ。

民主主義体制以外のアメリカの政治的利点についても手短に触れておこう。アメリカは建国以来一貫して軍に対する文民統制を維持してきた。中国と中南米の多くの国が文民統制を実践していないし、一九三〇年代から一九四五年までの日本も文民統制とはかけはなれた悲惨な状態だった。世界的にみてアメリカではあからさまな汚職が比較的少ないが、デンマーク、シンガポールなど二〇カ国以上の国よりも汚職がある。汚職は国にとってもビジネスにとっても有害だ。国やビジネス全体にとって有害かもしれない決定でも、汚職政治家やビジネスマンにとって有利なように決定されてしまうからだ。汚職がビジネスに有害なのは、有効なはずの契約があてにならなくなってしまうからでもある。これは、あからさまな汚職が横行する中国が抱える大きな欠点である。しかし、アメリカにはあからさまでない汚職はたくさん存在している。なぜならウォール街や他の富裕層の組織および個人が、ロビー活動や選挙資金の献金を通してアメリカ政府の政策や行動に影響を与えているからだ。アメリカではこうした献金は合法だが、違法な汚職と同じ結果をもたらす。つまり、公益には反するが、献金者、そしてときには議員や官僚自身にも利益をもたらす政策や行動を議員や官僚が採用してしまうからだ。

その他の優位性

これから述べるふたつの優位性のうち、ひとつはもっともなじみのあるもので、アメリカ人の多くにとってはここまで私が議論してきた地理的・政治的な優位性よりも先に思い浮かぶだろう。それは、社会的流動性の高さである（少なくとも最近までは――これについては次章で詳しく述べる）。貧困家庭に生まれたり、貧しい境遇に陥ったりしても裕福になれる可能性があるというのが、アメリカ的立身出世の理想であり現実である（あるいはそうであった）。これこそ、アメリカ人がハードワークを厭わない大きなインセンティブになってきたし、だからこそアメリカは国内の潜在人的資本の多くを十分に活用してきたのである。

若くても起業して成功できるという意味で、アメリカは卓越している（アマゾン、アップル、フェイスブック、グーグル、マイクロソフト、そして目立たないけれど利益を上げている新しい企業の数々を思い浮かべてほしい）。

アメリカは、連邦、州、地方自治体政府だけでなく、私企業も教育やインフラ、人的資本、研究開発に投資をおこなってきた長い歴史がある（こうした分野への投資について、中国は最近ようやく追いついてきたところだ）。結果として、発表された論文数やノーベル賞の受賞数という基準からみて、アメリカは主要な科学分野すべてで世界をリードしている。科学研究でトップ一〇に入る研究大学と研究機関の半分はアメリカにある。半世紀近くにわたり、アメリカは発明、技術、製造業のイノベーションで大きな競争力を維持してきた。たとえば、イーライ・ホイットニーによるマスケット銃用互換性部品の大量生産、ヘンリー・フォードによるライン生産方式、ライト兄弟による動力飛行機、トーマス・エジソンによるアルカリ電池、白熱電球、映画用装置や蓄音機（口絵9・7）、アレクサンダー・グレアム・ベルによる電話、そして最近ではベル研究所によるトランジスタ、人類の月面着陸、携帯電話、インターネット、eメールなどで実証されている。

アメリカの優位性として最後に述べるのは、今日、アメリカ人の多くが優位性であるとはまったく考えていないもの、すなわち移民である（口絵9・8）。たしかに、移民がもたらす諸問題は、現在アメリカ人の心の重荷になっている。しかし現実として、今日の全アメリカ国民の一人ひとりが移民または移民の子孫である。大多数は過去四〇〇年間に移住してきた人の子孫である（私の祖父は一八九〇年、祖母は一九〇四年にやってきた)。ネイティブ・アメリカンですら一万三〇〇〇年前以降にこの地にやってきた移民の子孫である。

人口のなかに移民がいることの基本的な優位性を理解するには、どこの国でもいいのでその国の人口をふたつのグループに分けてみるといい。ひとつは国民のうちで若く健康で大胆でリスクを恐れず、勤勉で野心がありイノベーティブな人々、もうひとつはそれ以外の人々である。前者のグループを他国に移住させ、後者は元の国に留め置く。選択的に移住させたグループは、他国への移民を決断し、そこで成功する人々に近い。こうしてみれば、アメリカ人ノーベル賞受賞者の三分の一が外国生まれ、半分が移民あるいは移民の子どもであることは意外ではない。なぜなら、ノーベル賞を受賞するほどの研究には、移民と同じ大胆さ、リスクの許容、勤勉さ、野心、イノベーティブであることが必要だからだ。移民やその子孫はアメリカのアート、音楽、料理、スポーツにおいても顕著に多くの貢献を果たしている。

政治の二極化

本章でここまで述べてきたことを要約すれば、アメリカはとてつもない優位性を享受しているということになる。しかし、国家というものは、たとえばアルゼンチンのように自国の優位性を無駄使いしてしまうこともある。今日のアメリカにも優位性の無駄使いを示すさまざまな兆候が現れている。なかでも危険な兆候は、アメリカが歴史的に有してきた優位性のひとつである民主政治の崩壊を引き起こしかねない四つの相関する問題である。本章のここから最後までは、四つの問題のうち最初にしてもっとも深刻なものに的を絞って説明する。やはり深刻な「その他の」三つについては、次章で議論する。「その他の」とひとくくりにしたのは、最初の大問題に比べると小さくみえるからにすぎない。

アメリカの民主政治を現在脅かしている基本的な問題のうち、最初の問題、そして私のみるところもっとも不吉な問題とは、アメリカにおいて政治的妥協が加速的に衰退していることだ。すでに説明したように、政治的妥協は独裁体制に比べて民主主義体制が優れている基本的な優位性のひとつである。なぜなら政治的妥協は、多数派による独裁とその逆の不満を抱えた少数派による麻痺状態の両方を防止・低減するからだ。アメリカ憲法は、抑制と均衡のシステムによって妥協への圧力を創出することをめざした。たとえばアメリカ大統領は政府の政策を主導するが、政府予算は連邦議会がコントロールし、大統領の提案に対応する下院の議題を設定するのは下院議長である。よく起こることだが、下院内の意見が割れ、一会派がその意向を通すほどの票数を握れていないときには、政府が行動を起こす前に妥協しなければならない。

当然ながらアメリカの歴史を振り返れば、激しい政治闘争は頻繁に起こったし、ときに多数派による独裁も少数派による政治の麻痺もあった。しかし、南北戦争（一八六一〜六五年）を招いた妥協の廃棄という顕著な一例を除けば、たいていの場合は妥協にいたっている。近年の例では、一九八一年から八六年にかけての共和党のロナルド・レーガン大統領と民主党のトーマス・〝ティップ〟・オニールの関係がそうだ（口絵9・9）。双方とも百戦錬磨の政治家であり、強烈な個性があり、政治哲学においても政策にかかわるほぼすべての問題についても対立していた。それでも二人は互いに敬意を払い、憲法にもとづく互いの権威を認め、ルールに従って役割を果たしていた。オニールはレーガンの経済政策を嫌っていたが、大統領が政策課題を提案する憲法上の権利を認め、下院での採決日程を設定し、それを守った。レーガンとオニールのもとでは連邦議会が機能していた。日程は守られ、予算は承認され、政府閉鎖が起こることはなかったし、議事妨害《フィリバスター》の脅しもめったになかった。レーガンとオニールとそれぞれの陣営は重要な法案の多くにおいて意見が対立していたが、それでも減税や連邦税法、移民政策、社会保障改革、非軍事費の削減、軍事費の増強などについて双方が歩み寄ることに成功した。レーガンが提案する連邦裁判所判事の人選は民主党の意に沿わなかったが、それでもレーガンは九名の連邦最高裁判事のうちの二名を含めて連邦裁判所判事の過半数を任命することができた。

しかし、一九九〇年代半ば、とりわけ二〇〇五年以降、アメリカにおける政治的妥協が衰退している。二大政党間だけでなく、各政党内の強硬派と穏健派のあいだでも妥協が衰退しつづけている。共和党内ではとくにそうで、より過激なティーパーティー派は、民主党に譲歩した共和党の穏健派議員の再選に予備選挙で反対した。その結果、二〇一四年から一六年にかけて、連邦議会を通過した法案数は近年のなかでもっとも少なく、予算の承認は遅れ、政府閉鎖が起きたり、その間際になったりした。

妥協の衰退の例として、フィリバスターや大統領指名人事の承認阻止を思い浮かべてみよう。フィリバスターは上院規則のもとで上院議員に認められている戦術であり（憲法には明記されていない）、この法律により上院議員の少数派（たった一人でもかまわない）が妥協あるいは動議の撤回を求めるためにノンストップで反対演説をつづける（あるいはそうすると脅す、いわゆる「架空の議事妨害」をする）ことができる（フィリバスターの最長記録は一九六七年におこなわれた演説で、二四時間以上つづいた。口絵9・10）。上院規則では、フィリバスターは上院議員の過半数ではなく圧倒的多数（一〇〇人のうち六〇人以上）の投票によって「討議終結《クローチャー》」とすることができる。実際、フィリバスターは、票数において妥協を強いられる少数派に許された手段であり、クローチャーは圧倒的多数が妥協を拒否するために許された手段である。

フィリバスターは議会麻痺を、クローチャーは独裁を招きかねず、濫用される可能性は十分にあるが、このシステムはアメリカの歴史を通じておおむねうまく機能してきた。少数派も圧倒的多数派も濫用される可能性を認識しており、フィリバスターがおこなわれるのは稀であり、クローチャーがおこなわれるのはさらに稀だった。初代から第四三代までの大統領政権下、立憲政治がはじまって二二〇年のあいだに、大統領指名人事にフィリバスターによる反対がおこなわれたのは合計で六八名のみである。しかし二〇〇八年に民主党のオバマ大統領が選出されたとき、共和党の指導者たちは彼の指名人事はすべて阻止すると宣言した。オバマによる七九名の指名人事がフィリバスターによって妨害され、その数はわずか四年間でそれ以前の二二〇年間の合計を上回った。民主党は最高裁判事以外の大統領指名人事の承認に圧倒的多数の賛成を必要としないとする対抗手段をとった。これにより人事は承認されたが、不満を持つ少数派が手にすることができる安全弁的方策が少なくなった。

フィリバスターは、大統領指名人事の承認を阻む、もっとも過激だがもっとも使われることの少ない手段にすぎない。第二次オバマ政権（二〇一二～一六年）において、共和党が支配する上院が認めた大統領指名による判事任命は、一九五〇年代初頭以来もっとも少なく、控訴審判事（控訴審は最高裁のすぐ下に位置する）の数も一八〇〇年代以来もっとも少なかった。任命阻止のためもっとも頻繁にとられた手段は、指名人事を検討する上院委員会の日程を決めないというものだった。つぎに多かったのが、関連の上院委員会が賛成した指名人事を承認するための上院本会議での採決日程を決めないというものだった。たとえば、ある大使の指名については、二年間以上も本会議採決がおこなわれないうちに本人が亡くなってしまい、着任が不可能になった。私の友人の一人はアメリカ海洋大気庁の次官職に指名されたが、一年以上経っても承認されなかったため指名を辞退した。

その理由

過去二〇年間で政治的妥協の衰退がエスカレートしたのはなぜだろうか？　これは有害であるだけでなく、自己増強していく。なぜなら、妥協を拒否するイデオロギー信奉者以外の人々から、選ばれた代表として政治家になる意欲を削いでしまうからだ。上院議員を長年務め、広く敬意を集めていた私の友人二人は、出馬すれば再選確実とみられていたが、議会の政治情勢に嫌気がさして引退を決意した。議員経験者や議会の仕組みに詳しい人にこうした傾向の原因を訊ねてみると、以下の三つの説明を挙げてくれた。

ひとつめの説明として、選挙活動費用が天文学的数字に膨らみ、資金提供者が昔よりも重要性を増しているという。高い地位をめざす候補者のなかには、小口寄付をかき集めて選挙活動を切り抜けた人もいるが、多くの、いやほとんどの候補者は少数の大口資金提供者に頼らざるを得ない。大口資金提供者が寄付をおこなうのは、当然ながら特定の目的が明白にあるからであり、その目的を支持する候補者に資金を提供する。彼らは妥協する中道派の候補者には資金を提供しない。幻滅した友人の長老議員は、政界引退後にくれた手紙のなかでつぎのように綴っている。「私たちが直面している諸問題のなかで、アメリカの政治システムと個人間の富の偏在こそ、群を抜いてもっとも有害であると私は考えています。政治家も政治の成果もいまだかつてない規模で買収されています……政治資金の争奪戦は時間と金と熱意を消耗します……政治日程が金のために歪められ、政治をめぐる対話が劣化し、政治家たちは選挙区と議会を飛行機で始終行き来しているため、お互いを知ることがありません」

私の友人が挙げた最後の部分がふたつめの説明である。国内航空業の成長により今ではワシントンと全米各州とのあいだを頻繁に、すばやく移動できるようになった。かつての議員たちは平日はワシントンの議会で仕事をし、週末になっても地元に帰れば月曜日までに戻って来られないためワシントンに留まっていた。家族はワシントンに暮らし、子どもたちはワシントンの学校に通った。週末には、議員たちの配偶者や子どもたちは互いに交流し、議員たちは互いの配偶者や子どもたちと知り合い、議員たち自身も単なる政敵や味方としてだけでなく、互いに友情を育んだ。今日では、選挙活動費用が高騰した結果、資金集めのために地元を訪問する圧力がはたらいており、国内航空業の成長がそれを可能にしている。議員の多くは家族を地元に残し、子どもたちも地元の学校に通っている。子どもたちが他の議員の子どもと遊ぶことはないし、議員同士も相手の配偶者や子どもを知らず、互いに政治家としてのつきあいしかない。現在、五三五人の議員のうち八〇人はワシントンにアパートや家すらなく、平日はオフィスのベッドで眠り、週末になると飛行機で地元の州に帰っている。

政治的妥協が衰退した理由として私が耳にしている三つめの説明は、「ゲリマンダー」と呼ばれる行為と関連している。ゲリマンダーとは、ある州における政党支持率よりもその党の議員が多く選出されるように、その党に有利に選挙区の区割りを変更することである。これはアメリカの政治において新しい手法ではない。実際、これは一八一二年に、マサチューセッツ州知事だったエルブリッジ・ゲリーが自党の議員を増やす目的で州内の選挙区の区割りを変えたことに由来する。その結果、選挙区が奇妙な形になり、そのひとつがサラマンダー（火のなかに棲む伝説上のトカゲ）に似ていたことから「ゲリマンダー」という言葉が生まれた（口絵9・11）。

今日では、一〇年ごとにおこなわれる国勢調査にもとづいて各州の下院議員数の割当がおこなわれ、州議会は州内の下院選挙区の区割りを変更できる。とくに共和党が支配する州議会は、民主党支持者を民主党が圧倒的に優勢な少数の選挙区（たいていは都市部）に集中させ、残りの民主党支持者は共和党優勢の多数の選挙区（農村部が多い）

に拡散させるように区割りを変更している。最近、アメリカ連邦最高裁判所は、共和党が支配するノースカロライナ州議会による区割りを、地理的にはまったく合理性がなく、民主党議員を排除し共和党議員の数を膨らませるべく明らかに「外科手術並みのきわめて高い精度で」引き直した区割りであるとして却下した。

ゲリマンダーが政治的妥協に影響を与えるのは、各選挙区の大半の投票者がどちらの政党、どの政策を支持するかをあらかじめ明らかにしてしまうからだ。したがって候補者たちは、両党の支持者に訴える中道派の立場をとると、落選する可能性が高くなる。そして、ゲリマンダーで歪められた選挙区で勝つ見込みが高いほうの政党にだけ訴求する極端な立場をとるべきだとわきまえてしまう。しかし、たしかにゲリマンダーは現在の政治の二極化にある程度寄与していると思われるが、それだけではすべてを説明できない理由がいくつかある。ゲリマンダーは上院議会における二極化を説明できない（下院は州議会が選挙区の区割りをするが、上院はそうではない。しかし、今では上院議員たちも下院議員たちと同様に政治的妥協を拒んでいる）。ゲリマンダーでは区割り変更がなかった選挙区での二極化を説明できない。また、区割り変更があった選挙区でさえ、多くの場合、区割り変更前から二極化が進行していた。

しかし、アメリカ政治の二極化をもたらした三つの理由——資金集め、国内航空業の発展、ゲリマンダー——のすべては、アメリカの政治家というごく少数のアメリカ人における二極化を説明するにすぎない。実際の問題ははるかに広範だ。つまり、アメリカ人全体が二極化し、政治的妥協を受け付けなくなっているのである。二〇一六年の大統領選の結果を示した地図を思い出してみよう。赤が共和党、青が民主党を選んだ州を示したものだ。東西沿岸部と大都市圏は圧倒的に民主党が、内陸部や田舎は圧倒的に共和党が強い。いずれの政党も、イデオロギー的にますます均質になり、極端になっている。共和党はますます保守主義傾向を強め、民主党はますますリベラル傾向を強め、いずれの政党においても中道派は減少している。調査によれば、一方の党の党員の多くは他方の党への寛容性を失っており、他方の党をアメリカの幸福に対する真の脅威とみなし、他方の党の支持者と結婚して親しい親戚となることを望まず、自分たちと同じ政治観を持つ人々が暮らす地域に住みたがる。もし本書を読んでいるあなたがアメリカ人なら、このアメリカの分裂を自分で確かめてみてほしい——あなたが個人的に知っている人、友人であると考える人のなかで、二〇一六年の大統領選であなたと違う党の候補に投票したといっていた人は何人いただろうか？

このように、答えるべき問題とは、アメリカの政治家たちが地元の選挙民とはかかわりなく政治的妥協を拒むようになったのはなぜか、ということだけではない。アメリカの有権者自身が寛容性をますますなくし、政治的妥協を受け入れなくなっているのはなぜかを理解する必要もある。政治家たちは、単に投票者の望みに従っているだけである。

アメリカ社会全体の政治的二極化を説明するのにしばしば挙げられるのが「情報のニッチ化」だ。私が一〇代だった頃、ケーブルテレビはなかった。故郷のボストンにテレビ番組なるものが初めて登場したのは一九四八年だ。以来何十年にもわたり、私たちアメリカ人は三大ネットワーク、三大週刊誌、新聞から情報を得ていた。アメリカ人の多くが同じ情報源を用いており、それらはいずれも保守またはリベラルな政治観を明確に持っていたわけではないし、情報がひどく偏ることもなかった。現在では、ケーブルテレビ、ニュースサイト、フェイスブックの台頭と、全国向け週刊誌の衰退につれて、アメリカ人は自分の政治観に沿った情報ソースを選んでいる。ケーブルテレビの請求書をみると、選べるチャンネルは四七七もある。自分の傾向が保守かリベラルかにしたがってFOXまたはMSNBCを選べるだけでなく、アフリカ、東海岸の大学スポーツ、料理、犯罪、フランス、ホッケー、宝石、ユダヤ人の生活、ロシア、テニス、天気などじつに狭いテーマを扱うチャンネルも選べる。そのため他のテーマや不愉快な世界観に惑わされることなく、自分の現在の関心事や世界観をひたすら持ちつづけるという選択も可能になる。結果として自分自身のニッチな政治観に閉じこもり、自分好みの「事実」だけに耳を傾け、これまでもずっと贔屓《ひいき》にしてきた政党に投票しつづけ、他党の支持者の動機を知ることもなく、そしてもちろん、自分が選んだ代表者には、自分とは相容れない意見を持つ候補者に対してどんな政治的妥協もしてほしくないと願うことになる。

現在ではアメリカ人のほとんどがフェイスブックやツイッターなどのSNSを使っている。たまたま一人は共和党員、もう一人は民主党員という、お互いを知らない私の友人二人が、それぞれにとってフェイスブックのアカウントが主たる情報フィルターの役割を果たしていると教えてくれた。民主党員（若い男性）がニュース記事を投稿してコメントすると、友達も投稿する。彼がその人を友達としている理由のひとつは、自分と意見が同じだからだ。もしだれかが共和党に近い視点の記事を投稿すると、彼はその人を「友達から削除」する。友達リストから削除されたなかには彼のおじとおばもおり、彼らが共和党的な考えを持っているからという理由で、実生活でも会うのをやめてしまった。彼は一日中iPhoneでフェイスブックをチェックし、自分の政治観と一致するオンラインメディアをみつけて読んでいるが、新聞購読やテレビ視聴はしない。もう一人の共和党員の友人も同じような説明をしてくれたが、違いは、彼女が友達から削除するのが民主党寄りの考えを投稿する人である点だ。結果として、二人はいずれも、すでに自分が選択したニッチな見解の範疇にあるニュースやコメントしか読んでいないのである。

その他の二極化

しかし、今日のアメリカにおける政治的二極化に関する問題を、政治家の意見の二極化から有権者全体の意見の二極化まで広げても、まだ問題の範囲としては狭すぎる。政治に関することだけだからだ。しかし、この現象はさらに広がっている。二極化、不寛容、暴力的な言動が、政治以外のアメリカの社会のさまざまな分野で増大している。四〇歳より上のアメリカ人読者は、アメリカ人のふるまいの変化を振り返ってみてほしい。エレベーターにおける行動（エレベーターに乗るために待つ人は、以前よりも降りる人を待たなくなっている）もそうだし、運転中の礼儀正しさの減少（他の車に道を譲らなくなっている）、ハイキングの山道や街の通りでのフレンドリーな態度の減少（四〇歳未満のアメリカ人は四〇歳以上のアメリカ人に比べて知らない人にあいさつをしない）もそうだ。そして何より、多くの場面、とりわけ電子コミュニケーションにおいて、あらゆる種類の暴力的な物言いが増えている。

一九五五年以来私が身を置いてきたアメリカの学術界においてすら、こうした傾向を私は体感している。アメリカの学術論争は六〇年前よりもずっと悪意に満ちている。学者として歩みだした頃からすでに、私は学術論争に巻き込まれていたし、今もそうだ。

しかし以前は、科学的な見解を異にする科学者たちとも、個人としては敵ではなく友人づきあいしていた。たとえば、イギリスでおこなわれた生理学学会後の休暇で、人当たりのいい穏やかなアメリカ人生理学者と、シトー会の修道院の遺跡めぐりをしたことを思い出す。彼とは学会で、上皮細胞における水分子の輸送メカニズムをめぐって意見が鋭く対立していたにもかかわらずだ。あんなことは今日では難しいだろう。今では私は、意見が対立する学者から繰り返し訴えられたり、訴訟の脅しを受けたり、ひどい中傷を受けたりしている。私を講演に招く主催者は、怒り狂った批評家連中から私を守るためにボディーガードを雇わざるを得ないほどである。ある学者は私の著書のひとつについて書評を書き、「黙れ！《シャット・アップ》」という言葉で締めくくった。アメリカの学会の日常は、アメリカの政治家たち、投票者たち、エレベーターに乗る人たち、車を運転する人たち、そして歩行者たちと同じく、アメリカ一般の日常を映す鏡である。

アメリカの日常のあらゆる領域が、広く議論されている同じ現象に直面している。すなわち「社会関係資本《ソーシャル・キャピタル》」と呼ばれるものの減少だ。政治学者のロバート・パットナムが著書『孤独なボウリング』で定義したように、ソーシャル・キャピタルとは個人間の関係にかかわるもの、すなわち、そこから生まれる社会関係のネットワークと互恵関係の基準、信頼性を指す。その意味で、ソーシャル・キャピタルは「市民道徳」と呼ばれるものと深くかかわっている。それは、ブッククラブ、ボウリングクラブ、ブリッジクラブ、教会の信徒グループ、コミュニティ組織、そしてPTAから職能団体、ロータリークラブ、タウンミーティング、組合、在郷軍人会などにいたるまで、さまざまな種類の集団のメンバーとして、積極的に参加することから醸成される、信頼、友情、集団への帰属、助け合いの意識である。こうした集団活動への参加はさまざまな相互関係を育む。それは他の人々のために、他の人々とともに何かをすること、他の人々を信頼し、他の人々が自分のために動いてくれることを頼りにできる関係である。しかし、このように人と直接向かい合う集団に参加するアメリカ人が減る一方で、他の人に会うことも耳を傾けることもしないオンライングループに参加する人が増えている。

パットナムやその他多くの人々がアメリカにおけるソーシャル・キャピタル減少の説明のひとつとして挙げるのが、顔を合わせないコミュニケーションの台頭と、直接的コミュニケーションの減少である。電話の登場は一八九〇年だが、アメリカに普及したのは一九五七年頃だ。ラジオの普及は一九二三年から三七年にかけて、テレビの普及は一九四八年から五五年にかけてである。最大の変化は、より最近に普及したインターネット、携帯電話、ショート・メッセージがもたらした。ラジオやテレビは情報や娯楽のために使われる。電話やこうした最近の電子メディアは、それらに加えてコミュニケーションにも使われる。しかし、文字発明以前の人類の情報交換やコミュニケーションは、会話やだれか（講演者、ミュージシャン、役者）のパフォーマンスを直接見たり聴いたりしたりすることなど、すべてが対面でおこなわれていた。一九〇〇年以降に登場した映画は人と人が顔を合わせる娯楽ではなかったが、映画を観るために少なくとも人々は連れ立って外出し、社交グループに参加したし、友達と一緒に楽しむことも多く、生の講演者やミュージシャン、役者の演技を楽しむことの延長線上にあった。

今日では、アメリカ人の娯楽の多く――スマホ、iPod、テレビゲーム――は、社交というより孤独に楽しむものだ。個人が選択的に手にする政治情報のニッチ化と同じく、個人が選ぶ娯楽もニッチ化している。今もアメリカ人にとってもっとも一般的な娯楽であるテレビは、人々を家に留め置き、他の家族と一緒にみていたとしてもそれはかたちだけだ。テレビの視聴時間は家庭内の会話の三倍から四倍におよび、全視聴時間の少なくとも三分の一は一人きりでの視聴である（それもテレビではなくむしろインターネットで視聴されている）。

結果として、長時間テレビを視聴する人はそうでない人よりも他人を信用しなくなり、自発的な組織に参加しなくなる。こうした行動をテレビ視聴のせいだというと反対意見もあるかもしれない。どちらが原因でどちらが結果なのかわからないし、あるいはこのふたつの現象は相関関係があるだけで因果関係はないのではないか？　カナダで自然に起こった状況が思いがけずその答えを明らかにしてくれた。カナダのとある谷によく似た町が三つあったのだが、そのひとつだけがたまたまテレビ電波の届かない地域にあった。その町にテレビ電波が届くようになると、以前よりもクラブや会合への参加が減少し、すでにテレビ視聴が可能だった他のふたつの町と変わらないレベルにまで落ちた。このことは、テレビ視聴が活動参加の減少の原因になっていることを如実に示していた。以前からの活動不参加者がテレビ視聴をはじめたわけではなかったのである。

私がフィールドワークをおこなったニューギニアの僻地では、新しいコミュニケーション技術が到来していなかったため、あらゆるコミュニケーションが——かつてのアメリカと同じように——当時も直接的に、細心の注意を払っておこなわれていた。伝統的な生活を送るニューギニア人は、起きている時間のほとんどにおいて会話をしている。つねに注意力散漫で会話自体が少ないアメリカ人に比べると、ニューギニア人は、目の前の相手に集中せず手元の携帯電話を見たりメールやショート・メッセージを送ったりして会話を中断するということがない。あるアメリカ人宣教師の息子はニューギニアの村で子ども時代を送り、高校生になってアメリカに戻ったのだが、ニューギニアとアメリカの子どもの遊び方の違いの大きさにショックを受けたと述べている。ニューギニアでは子どもたちは村のなかを一日中歩き回り、お互いの家を行き来している。アメリカでは「子どもたちはそれぞれの家に帰り、ドアを閉め、一人でテレビをみている」のだった。

アメリカ人の平均的な携帯電話ユーザーは平均四分おきに電話をチェックし、一日あたり六時間は携帯電話またはコンピュータのスクリーンを眺め、一日あたり一〇時間以上（つまり起きている時間のほとんど）は電子機器を使用している。その結果、アメリカ人の多くはもはや、相手の表情や体の動きを見、声を聞いて、その人を理解するという経験をしなくなっている。その代わり、主にスクリーン上のデジタルなメッセージを通してお互いを知る。携帯電話ごしに声を聞くのもときおりしかない。人間は、姿が見えて声が聞こえる六〇センチメートル先の生身の相手に対しては、失礼にふるまわないよう抑制が強くはたらく傾向がある。しかし、スクリーン上の言葉のやりとりしかない人に対しては、こうした抑制を失う。スクリーン上の言葉に対しては、面と向かっている生身の人間に対してよりも、失礼な態度をとるのがはるかにたやすい。このように、アメリカ人は距離がある人間に対して乱暴にふるまうことに慣れてしまい、生身の人間に対して乱暴にふるまうというつぎの段階に進むのもたやすくなってしまったのである。

しかし、アメリカにおいて政治的妥協や丁寧な行動が失われたことについてこのような説明をすると、明らかな異議申し立てに直面する。顔を突き合わせないコミュニケーションの爆発的増加はアメリカだけでなく世界全体、とりわけ富裕国ではどこでも起こっているではないか、と。少なくともイタリア人や日本人はアメリカ人と同じくらい携帯電話を使用している。これらの富裕国ではアメリカに比べて政治的妥協が衰退したり社交における失礼な態度が増えたりしていないのはなぜなのか。

考えられる説明はふたつある。ひとつは二〇世紀において電子的コミュニケーションや他の技術的イノベーションの多くがまずアメリカで確立され、これらの技術やその影響はアメリカから富裕国へ広がっていったということだ。そうであれば、政治的妥協の衰退はアメリカからはじまったにすぎず、いずれ電話やテレビが普及したように他の地域へ広がっていくだろう。実際、イギリスの友人によれば、個人のふるまいの乱暴さは私が同地に暮らしていた六〇年前よりひどくなっているというし、オーストラリア人の友人によれば、オーストラリアの政治においても政治的妥協の衰退は進んでいるという。この説明が正しければ、他の富裕国においてもアメリカが到達しているレベルの政治的行き詰まりが起こるのは時間の問題だろう。

もうひとつの説明としては、いくつかの理由により、アメリカは昔も今も、近代技術がもたらした人間疎外の歯止めとなるソーシャル・キャピタルが他の社会より少ないということだ。アメリカの面積は、カナダとオーストラリアを除くどの富裕国よりも一五倍以上も広い。逆にアメリカの人口密度は富裕国の多くの一〇分の一しかなく、アメリカより低いのはカナダ、オーストラリア、アイスランドのみである。ヨーロッパ諸国や日本が共同体を重視してきたのに対し、アメリカはつねに個人主義を重視してきた。アメリカよりも個人主義的傾向が強いのはオーストラリアだけだ。アメリカ人は転居回数が多く、平均して五年に一度は引っ越しをしている。アメリカの国内移動は日本やヨーロッパ諸国のそれよりもはるかに長距離で、アメリカにおける引っ越しは日本やヨーロッパにおけるそれよりも、友人たちとの別離を意味する。結果として、アメリカ人の社交的なつながりはより一時的なものとなり、生涯にわたる友人が近隣にいることは稀で、友人が頻繁に入れ替わることになる。

しかし、アメリカの広大さや国内の移動距離は変えようがない。またアメリカ人が携帯電話を手放したり引っ越しの回数を減らしたりする可能性は少ない。したがって、アメリカにおける政治的妥協の衰退とアメリカ社会のソーシャル・キャピタルの少なさという要因が関連しているという説明が正しければ、他の富裕国よりもアメリカにおいてますます政治的妥協が衰退する危険性は依然として高い。だからといってアメリカでは政治的行き詰まりがひたすら進むのを手をこまぬいて見ているしかないわけではない。アメリカの政治的指導者と有権者は、この行き詰まりを止めるため、他の国よりももっと意識的に取り組む必要があるということである。

本書ではすでに、政治的妥協の衰退が進んだ結果、一勢力が反対勢力を根絶するという目標を明確に掲げて軍事独裁をおこなったふたつの国――チリとインドネシア――を取り上げた。そのような成り行きはアメリカ人の多くには今のところ非現実的に思えるだろう。私がチリに住んでいた一九六七年には、チリ人の友人たちもそう思っていたし、起こり得る事態を見通して恐れていた人も皆無だった。しかし、チリではそれが一九七三年に現実化した。

「アメリカはチリとは違う！」と反論するアメリカ人もいるだろう。アメリカとチリはもちろん違う。その違いのなかには、チリがはまったような残虐な軍事独裁に陥る可能性を小さくするものもあるが、その可能性を大きくしてしまうものもある。悪い事態を生む可能性を小さくしている要因として、アメリカのほうが民主主義的伝統が強いこと、アメリカには平等主義という歴史的理想があること、アメリカにはチリのような世襲による大地主の支配層がないこと、アメリカ史においては一度も軍が独自に政治行動を起こした例がないことが挙げられる（チリ軍は一九七三年以前にも二度、短期間政治に介入していた）。一方で、アメリカのほうが悪い事態を生みやすい要因としては、銃の個人所有がはるかに多いこと、過去も現在も個人による暴力行使が多いこと、そして集団（アフリカ系アメリカ人、ネイティブ・アメリカン、移民など）に対する暴力行使の歴史があることが挙げられる。アメリカが軍事独裁へ向かうなら、その道筋はチリが一九七三年にたどったのとは異なるだろうという点には同意する。軍の独自行動によってアメリカが乗っ取られる可能性はごく小さいだろう。それよりもむしろ、アメリカ政府、あるいは州政府を手中に収めた政党が有権者登録をどんどん操作し、裁判所判事に同調者を送り込み、こうした裁判所を使って選挙結果に介入し、「法的処置」を発動し、警察や国家警備隊、陸軍予備軍や陸軍そのものを使って政治的反対勢力の抑圧をおこなうという未来が予見される。

だからこそ私は、政治的二極化こそが、アメリカ社会が今日直面しているもっとも危険な問題だと考えている。アメリカの政治指導者たちが執着している中国との競争やメキシコの問題よりもはるかに危険な問題だ。中国やメキシコがアメリカを破壊することはできない。アメリカを破壊できるのはアメリカ人自身だけである。この問題については、アメリカが直面している他の根本的問題と、憂鬱なシナリオを阻止するためにアメリカ人が選択すべき変化の促進要因と阻害要因を検討した後で、もう一度立ち返る予定である。

第10章 アメリカを待ち受けるもの——その他の三つの問題

その他の問題

前章のはじまりでは今日のアメリカに関する良い知らせを述べた。アメリカが世界一の富と権力を有する国になったのは偶然の賜物ではなく、多くの優位性——人口動態、地理、政治、歴史、経済、社会の——がそろった結果である。前章の残りにおいては悪い知らせを述べた（アメリカをも脅かしている世界規模の諸問題は別として）。アメリカがとくに直面している問題のなかでもっとも深刻だと私がみなしている、政治的妥協の衰退という進行中の問題についてである。

本章では、投票をめぐる問題をはじめとして、その他の大問題について論じる。これらの問題を「その他の問題」という軽く聞こえる言葉にまとめたのは、政治的妥協の衰退ほどには、アメリカの民主主義体制を損なう差し迫った危険がないからである。しかし、これらもやはり深刻である。さらに詳しく知りたい読者は、ハワード・フリードマンの*The Measure of a Nation*を興味深く読まれることだろう。この本には以下に述べる多くの因子に関するアメリカと他の主要な民主主義国を比較した数十のグラフが掲載されている。もちろん、アメリカの諸問題に関する私のリストもすべてを網羅しているわけではない。私が考察していない問題として、人種問題や女性の役割がある。いずれも五〇年前に比べれば改善されたとはいえ、アメリカの障害でありつづけている。考察の対象として私が選んだ四つの問題——ひとつは前章で扱い、他の三つは本章で扱う——は、今日のアメリカの民主主義と経済力にとってもっとも深刻な脅威となっている。

選挙

選挙はいかなる民主主義にとっても必要不可欠である。憲法や法律において民主制を掲げながら国民が投票しない、あるいはできない国は、民主主義国と呼ぶに値しない。この基準に照らせば、アメリカは民主主義国と呼ぶには生半可な存在だ。アメリカ人有権者の半分近くが、選挙で選ばれるアメリカのもっとも重要な公職、すなわち大統領選に投票しない。最近四回の大統領選では、毎回約一億人の有権者が投票していない。それより低い公職の選挙に投票しない有権者の割合はもっと高い。たとえば、私が暮らすロサンゼルスはアメリカの大都市のひとつであり、いちばん重要な公職は市長である。にもかかわらず、最近のロサンゼルス市長選では、ロサンゼルスの有権者の八〇%が投票しなかった。

選挙の投票率を示す方法はいくつかある。ひとつは投票年齢に達した「住民」のうち投票した人の割合を示す方法だ。ふたつめは、「有権者」のうち投票した人の割合を示すもので、これは少し高くなる(アメリカでは投票年齢に達した住民のうち有権者は九二%に留まる。投票資格がない八%は主に市民権のない住人、受刑者、有罪判決を受けて釈放された元重犯罪人である)。三つめの方法は「有権者登録をした人」のうち投票をおこなった人の割合を示すもので、さらに少し高くなる。投票資格がありながら有権者登録していない人は少なくない。その理由については後述する。

これら三つの計算方法は同じ結論を導き出す。富裕な民主主義国(いわゆるOECD諸国)のなかで、アメリカの投票率は最下位なのである。参考に他の民主主義国における登録済有権者の平均投票率をみると、法律によって投票義務があるオーストラリアでは九三%である。ベルギーは八九%で、ヨーロッパや東アジアの民主主義国の多くは五八~八〇%である。インドネシアでは一九九九年に民主選挙が再開され、投票率は八六%と九〇%のあいだを変動している。一九四八年以降のイタリアの投票率も変動し、最高で九三%となっている。

比較して、アメリカで大統領選がおこなわれた年の国政選挙の平均投票率は六〇%、中間選挙のおこなわれた年の平均投票率は四〇%だった。アメリカ史上最高の投票率を記録したのは二〇〇八年の大統領選だが、それでも六二%にすぎず、イタリアやインドネシアにおける近年の最低投票率さえはるかに下回っている。登録済のアメリカ人有権者に投票しない理由を訊ねると、よく返ってくる答えは、政府を信頼していないからとか、投票する価値を信じていないからとか、政治に関心がないから、というものだ。

しかし、アメリカ人有権者の多くが投票しない理由は他にある。有権者登録されていないために投票できないのだ。これはアメリカの民主主義制度に特有の事情であるため説明が必要だ。多くの民主主義国では、有権者登録のために行動する必要すらない。運転免許証や納税記録、住民登録などのデータベースから政府が有権者名簿を自動的に作成するからだ。たとえばドイツでは、投票日が近づくと、一八歳以上のドイツ国民は政府から通知書を自動的に受け取る。

アメリカでは事情はもっと複雑だ。一八歳になり、受刑者でも有罪判決を受けた元重犯罪人でもないというだけでは、有権者になれない。有権者登録をしなくてはいけないからだ。投票年齢に達した国民全員が有権者登録することを妨げるという事情に関して、アメリカには長い歴史がある。登録を阻まれてきた集団で最大のものはアメリカ人女性で、一九一九年まで投票できなかった。他に有名なのはアフリカ系アメリカ人だが、さらに他の少数派や移民集団も、人頭税や識字試験、「祖父条項」（祖父に投票権がなかった場合有権者登録ができないという条項）といった障害により登録を阻まれてきた。祖父条項などの障害は、アフリカ系アメリカ人の有権者登録を阻むことが目的であるとだれもが理解していた。

こうした障害ははるか昔のもので今はもう存在しないと思うかもしれない。だが、二〇〇〇年、フロリダ州では投票資格のある一〇万人が登録済有権者名簿から除外され、しかもその大多数は民主党員だった。この除外は、二〇〇〇年の大統領選においてフロリダ州の票をアル・ゴアからジョージ・ブッシュへと傾けるというとてつもない効果があった。つづいていわゆるパンチカード式の投票用紙の不具合による数百票の無効票が大きく報道され、これが選挙結果を左右したという誤った認識が広がったが、名簿からの除外のほうがはるかに大きな影響力があったのである。アメリカの有権者登録制度の根本的な欠点とは、フロリダにおいても他の多くの州においても、登録済有権者名簿と選挙手続きが、国レベルの無党派な手続きではなく州や地域レベルの党派的手続きによって支配されていることにある。党派的な選挙担当職員は、しばしば対立政党に投票する可能性がある市民の投票を困難にしようとするからだ。

近代アメリカ史においてアメリカの有権者登録制度の対象を最大化したのは、一九六五年制定のアメリカ投票権法である。同法は登録における「識字試験」を禁止し、司法管轄区域において選挙登録を阻害するものがないか連邦政府が事前点検をおこなうことを定めている。その結果、南部諸州のアフリカ系アメリカ人の有権者登録は三一％から七三％に跳ね上がり、公職に当選したアフリカ系アメリカ人の数も五〇〇人未満から一万人以上に激増した。連邦議会は二〇〇六年に同法をほぼ全会一致で改定した。しかし二〇一三年、アメリカ連邦最高裁判所は、一九六五年に連邦議会が定めた司法管轄区域の公式範囲について、アフリカ系アメリカ人の有権者登録が進み、不要になったとの理由から破棄した。その結果、州議会がつぎつぎにさまざまなかたちで登録を阻む新たな障害の採用へと走る動きが起こった。二〇〇四年まで、有権者登録や投票に際して、政府発行の写真付き身分証明書の提示を義務づける州は五〇州中ひとつもなかった。二〇〇八年にはこうした義務を設けた州がふたつあった。しかし、最高裁の決定が下されるとすぐに一四州が写真付き身分証明書（通常は運転免許証かパスポート）の提示やその他の制限を採用した。現在では多くの州がそうした制限を実施または検討中である。

かつての祖父条項がアフリカ系アメリカ人を対象としていると明記せずに彼らの投票権を奪っていたように、現代の制限方法も同様の設計により成功をおさめている。要求される写真付き身分証明書を保有している潜在的投票者の割合は、アフリカ系アメリカ人やヒスパニックよりも白人のほうが高いし（年齢集団によってはその差は三倍になる）、貧困層より富裕層のほうが高い。その理由は投票権と直接関係のないありふれたもので、たとえば貧困層やアフリカ系アメリカ人は一般的に、交通違反の罰金を支払っていないため運転免許証を持っていない可能性がより高い。アラバマ州はアフリカ系アメリカ人が多く住む郡の車両管理局（運転免許証を発行する部局）を閉鎖したが、州民からの激しい抗議の声を受けて再開した――ただし月に一日に限ってである。テキサス州においては三分の一の郡にしか車両管理局を置いておらず、有権者が写真付き身分証明書の提示義務を満たすために運転免許証を入手する場合には、約四〇〇キロメートルも遠出しなければならない。

有権者登録や投票を阻む障害は州によって他にもたくさんある。投票日当日の登録を受け付けたり、投票所に来なくても郵便で投票できるようにしていたり、夕刻や週末も登録事務所を開けていたりする「投票者に優しい」州もある。有権者登録を投票日前の短期間に制限していたり、昼間や平日しか登録事務所を開けていない「有権者に優しくない」州もある。しかし貧困層（アメリカ最大のマイノリティ集団であるヒスパニックを含む）の人々には、登録や投票のために仕事を休んだり大行列に並んで待ったりする余裕はない。

こうした差別的障害のせいで、年収一五万ドル以上のアメリカ人の投票率は八〇％を上回っているのに対し、年収二万ドル未満のアメリカ人の投票率は五〇％を下回っている。したがって、これらの障害はアメリカ大統領選だけでなく連邦議会、州議会、毎年おこなわれる地方議会の接戦の結果にも影響を与えている。

アメリカの有権者が選挙に参加する際のこうした制限は、有権者の自発的な選択の結果であれ、彼らの意思に反して押し付けられたものであれ、私が前章で議論したアメリカの民主主義の基本的な強みの裏返しである。基本的な強みとは、どのような提案であれ、国民が議論し、評価し、選択する機会があること、自分たちの声が相手に届いており、表現のための平和的な方法があると国民が理解していること、国民の暴力のリスクが減少していること、政治的妥協のインセンティブがあること、国民のエリート層だけでなく、(結局のところ国民全員が投票するのだから)国民全体に投資するインセンティブが政府にはたらいていることである。アメリカ人が投票しないことを選択したり、投票の際の情報が偏っていたり、あるいはまったく投票できなくなるという事態が存在する限り、私たちは民主主義の強みを失っていくのである。

しばしば批判される特徴に触れずして近代アメリカの民主主義を議論し尽くすことは不可能だ。すなわち選挙活動費用の爆発的増加、とくに安価な印刷メディア広告から大々的なテレビ広告へのシフトにともなう増加である。昨今では選挙資金の大部分は富裕層が提供している。選挙活動期間も爆発的に長くなり、実際のところつぎの選挙までずっと活動はつづく。結果としてアメリカの政治家は時間のほとんど(引退した上院議員の友人によれば時間の八〇%)を、政治活動よりも資金集めや選挙活動に注ぎ込まざるを得ない。高学歴の国民は公職に立候補する気をなくしてしまう。そして、選挙活動の内容はまずは三〇秒間のキャッチフレーズに、さらにツイッターのつぶやきへと短くなってしまった。一八五八年にイリノイ州の上院議員選でエイブラハム・リンカーンとスティーブン・ダグラスがおこなった名高い論争において、それぞれの主張が六時間におよんだのとは対照的だ。もちろん、イリノイ州の有権者が実際に聴いたのはその一部だが、内容は新聞によって拡散された。現在の絶え間なくつづく選挙活動とそれにともなう出費に関して、アメリカに匹敵する国はない。イギリスでは選挙活動が法律によって選挙前の数週間に限られており、選挙活動に使える金額も法律によって制限されているのとは対照的だ。

格差と停滞

つぎの基本的な問題は不平等だ。アメリカの平等あるいは不平等についてアメリカ人がどう考えているかについて考察し、また、平等性を測る方法や、他のおもな民主主義国と比較した格差や社会的流動性のランキングでアメリカがどういう地位にいるかについても考察しよう。そして、もし格差が大きいなら――だから何だというのか？　つまり、多くのアメリカ人が本当に貧しく、これからも貧しいままでいる運命にあるとしたら、それはもちろん彼ら個人にとってはとても悲しいことだろうが、だから何だというのか？　それは、アメリカの富裕層、そしてアメリカ全体にとっても悪いことなのだろうか？

アメリカにおける平等や不平等について問われた場合、アメリカ人は、一七七六年のアメリカ独立宣言の第二文、「われわれは、以下の事実を自明のことと信じる。すなわち、すべての人間は生まれながらにして平等であり……」を引き合いに出して平等こそアメリカ的価値観の核のひとつであると答える可能性が高い。しかし、独立宣言はすべての男性（そして今では、女性たちも）が実際に平等であるとか平等な収入を得るに値するとは述べていない点に注意していただきたい。独立宣言のつづきは、「すべての人間は、不可侵の権利を与えられている」と述べているにすぎないのだ。しかし、そんな控えめな主張でさえ、一七七六年の世界的基準に照らせば大事《おおごと》だった。当時のヨーロッパ諸国では貴族と農民と聖職者の法的権利は異なっており、裁判になれば異なる裁判所で扱われていたからだ。つまり、少なくとも理論上は、独立宣言はまさにアメリカ的価値観の核として法的平等を明記したわけだ。ではアメリカの経済的不平等の現実とはどのようなものなのか？

ある国における経済格差はいくつかの異なる方法で測定することができる。問題は何を比較するのかだ。再分配前所得だろうか？　あるいは税額控除や社会保障費、フードスタンプといった付加給付を加えた再分配後所得だろうか？　それとも富や総資産だろうか？　これらの量についても、それぞれにさまざまな算出方法がある。たとえばいわゆるジニ係数を使うとか、国内の最富裕層一％と最貧困層一％の所得を比較するとか、合計所得金額に占める最富裕層一％の所得の割合を算出するとか、国の人口に占める億万長者の割合を算出する、などである。

民主主義諸国を、赤道ギニアのように一人（大統領）が国民所得と富を独占している独裁国と比較しても意味がないので、比較の対象を主要な民主主義国に絞ろう。主要な民主主義国のあいだでどの国がもっとも平等なのかという計算結果については、平等をどう測るかによって違いが生じる。しかし、どの国でもっとも格差が大きいかについては、何をどのように比較しても同じ結果が出る。もっとも格差の大きい主要民主主義国はアメリカだ。これが長年にわたる真実であり、アメリカの格差は今も拡大しつづけている。

拡大するアメリカの経済格差を示す数字のなかには、しばしば引用され、今では広く知られているものもある。たとえば、アメリカの最富裕層一％が稼ぐ再分配前所得の割合は、一九七〇年代には一〇％を下回っていたが今日では二五％を超えている。富裕層のあいだでも格差は拡大していて、最富裕層一％の所得は最富裕層五％の所得よりはるかに増えており、最富裕層〇・一％の所得は最富裕層一％の所得より増加している。現在、アメリカでもっとも裕福な三人（現在はジェフ・ベゾス、ビル・ゲイツ、ウォーレン・バフェット）の純資産の合計は、アメリカの最貧困層一億三〇〇〇万人の純資産の合計に相当する。アメリカの人口に占める億万長者の割合は、次点の国々（カナダとドイツ）の二倍であり、他の主要な民主主義諸国の七倍である。一九八〇年代にすでにアメリカのCEOの平均年収は、同じ会社の平均的労働者の四〇倍になっていたが、現在では数百倍になっている。逆に、アメリカの富裕層の経済状態は他の主要な民主主義諸国の富裕層より豊かだが、アメリカの貧困層の経済状態は他の主要な民主主義諸国の貧困層より悪い。

アメリカ人の富裕層と貧困層の非対称性の進行は、アメリカ政府の政策とアメリカ人の社会通念が結合した結果である。政府の政策に関していえば、アメリカの「再分配」──すなわち、富裕層から貧困層へ所得を移転する政策──は他の主要な民主主義諸国よりも少ない。たとえば、所得税率、低所得者へのバウチャーや補助金による社会的移転や社会支出は、他の主要な民主主義諸国に比べて比較的少ない。その理由のひとつは「貧しい人が貧しいのは自己責任であって、彼らももっと懸命に働けば金持ちになるだろうし、低所得者に対する政府の支援（フードスタンプなど）は濫用されやすく、貧しい人を不公平な手段で豊かにする（いわゆる「福祉の女王《ウェルフェア・クィーン》」をつくる）という考え方が、アメリカでは他の国よりも広く信じられていることにある。もうひとつの理由としては、すでに議論した有権者登録や投票の制限と、選挙活動資金の高騰がある。これらの問題の結果、富裕層は貧困層より有権者登録、投票がしやすく、また政治家たちに楽に影響を与えられるため、政治権力は富裕層に傾いている。

ここまで述べてきた経済格差の問題と密接に関連しているのが、社会的流動性、すなわち個々のアメリカ人が経済格差を乗り越えて貧しい境遇から金持ちになれる可能性という問題だ。他国に比べてアメリカは個人の能力によって報酬が決まる能力主義である、とアメリカ人は考えている。これはアメリカでよく使う「無一文から大金持ちへ《ラグズ・トゥ・リッチズ》」という言い回しに象徴されている。ボロを着てアメリカに到着した貧しい移民でも能力があり懸命に働けば金持ちになれるとアメリカ人は信じている。アメリカ的精神の中心にあるこの考えは真実なのか？

さまざまな国における社会的流動性を検討するために社会科学者たちがとったひとつの方法は、成人の所得（あるいは世代ごとの所得順位）とその親たちの所得の相関係数を比較するという方法だ。相関係数が一・〇であるとき、親の所得と成人した子どもの所得は正の相関がある。つまり、高所得層は高所得層の親の子どもであり、低所得層は低所得層の親の子どもであり、低所得層の家庭の子どもが高所得層になるチャンスはゼロで、社会的流動性もゼロである。それとは正反対に、もし相関係数がゼロならば、低所得層の子どもも高所得層の子どもと同様に高所得層になる可能性が十分にあり、社会的流動性は高い。

この研究の結論によれば、アメリカは他の主要な民主主義諸国に比べて所得の世代間相関は高く、社会的流動性は低かった。たとえば、同世代の最貧困層二〇％に属する父親の子どもの四二％は自分の世代においても最貧困層二〇％のままであり、最富裕層二〇％へと「無一文から大金持ちへ」を達成するのは八％にすぎない。北欧では、アメリカで四二％のところが二六％、八％のところが一三％である。

悲しいことに、この問題はますます悪化している。アメリカではこの数十年間に経済格差が拡大し、社会的流動性は縮小している。アメリカ政府はあらゆるレベルにおいて富裕層の影響をますます強く受けるようになっており、結果として政府は富裕層を優遇する法律（有権者登録法や税制など）を成立させ、そのため富裕層にとって好ましい候補者がつぎの選挙でも勝ちやすくなり、結果としてアメリカ政府はますます富裕層の影響を受けるようになり、結果として……という具合だ。悪い冗談に聞こえるかもしれないが、これが最近のアメリカ史の真実である。

端的にいって、アメリカ人が信じる「無一文から大金持ちへ」の実現は神話である。アメリカは、他の主要な民主主義諸国よりも「無一文から大金持ちへ」の実現可能性が低い国だ。理由として考えられるのは、アメリカの富裕な親は貧しい親よりも良い教育を受けており、子どもにも多額の教育投資をし、子どもに役立つ職業上の関係をより多く利用できることだ。たとえば、アメリカの富裕層の子どもが大学を卒業する可能性は貧困層の子どもよりも一〇倍も高い。リチャード・リーヴスとイザベル・ソーヒルがある論説で書いたように、「親は注意深く選べ！」ということだ。

それが何だ？

さて、格差をめぐる議論の最初に提示した問題に戻ろう。経済格差が倫理的大問題であり、たまたま貧しく生まれた人にとっては不幸なことであるとして、それが何だろう？　それがアメリカ全体にとって経済や安定を揺るがす問題なのだろうか？　貧困層に囲まれて暮らすことは富裕層に何か害をもたらすのだろうか？

害をもたらすのかという利己的な質問を提示したことに自分でもはっとする。その倫理性の問題だけで、格差を懸念する十分な理由になるのではないか？　しかし、人間は倫理的配慮だけではなく利己心にも突き動かされているというのが残酷な現実だ。格差が抽象的な倫理をめぐる問題であるだけでなく、一人ひとりの生活に影響するものだとわかれば、アメリカの富裕層の多くはもっと懸念を抱くはずだ。

一九九二年四月二九日に妻と私は「それが何だ？」という疑問に対する答えを身をもって受け止めた。ある学会のため、ロサンゼルスから飛行機に乗ってシカゴに到着したときのことである。子どもたちはロサンゼルスに残し、世話はベビーシッターに託していた。ホテルのロビーで出くわした友人が、「部屋に戻ってテレビをつけろ。見たくない光景だろうが」と言った。言われたとおりに部屋に戻ってテレビをつけると、ロサンゼルス中心部の貧しいマイノリティが住む地区で手のつけようのない暴動、略奪、火事、殺人が発生し、通りづたいに近隣地区へ広がっていた（口絵10・1）。いわゆるロドニー・キング暴動である（日本ではロサンゼルス暴動と呼ばれた）。ちょうど子どもたちがベビーシッターの運転で学校から帰宅する時間帯だった。ベビーシッターからの電話で彼女も子どもたちも無事帰宅したと聞くまでの二時間ほどを、私たちは心配しながら過ごした。数の上で圧倒的に劣るロサンゼルス警察が富裕層地区を守るためにできたことといえば、黄色いビニールテープでメインストリートを封鎖することだけだった。

このとき暴徒たちが富裕層地区を攻撃することはなかったし、これ以前にロサンゼルスで起こった暴動、たとえば一九六五年のワッツ暴動でもそうした事態は起こらなかった（ロドニー・キング暴動もワッツ暴動も、人種差別が生んだ経済格差や絶望感から起こった人種暴動である）。しかし、ロサンゼルスでも他のアメリカの大都市でも今後は間違いなく暴動が増えるだろう。格差が広がり、人種差別がはびこり、社会的流動性が小さくなるほど、アメリカの貧困層は自分の子どもたちがよい収入を得るチャンスはもちろん、経済状態が少しでも改善される可能性さえ小さくなると捉えるだろうし、それは正しい認識だろう。近い将来、アメリカは都市暴動を経験するだろうし、そのとき富裕層へのフラストレーションを噴出させる暴徒を警察の「立入禁止」のテープで抑え込むのは不可能だろう。このときになって初めて、アメリカの富裕層の多くは「貧困層に囲まれて住むことは富裕層に害をおよぼすのか？」という疑問に対する答えを身をもって知ることになる。答えのひとつは「イエス。個人の生活に不安をもたらす」だ。

　暴徒たちから安全な距離をとって暮らす富裕層ですら、「それが何だ？」という疑問に対する別の答えを得るだろう。暴力性は低いが、彼らの財布やライフスタイルに大きな影響を与える答えだ。その答えは、アメリカが直面している四つの基本的問題の最後のひとつと関係がある。それは、人的資本や他の公共目的の投資の減少がもたらす経済的影響である。その結果は富裕層も含めたアメリカ人全員が体感することになるだろう。

未来への投資

　個人であれ、国家であれ、将来のための投資の必要性は明白だ。現在は金持ちであっても、金の上にあぐらをかいて投資をしなかったり、愚かな投資をしたりすれば、金持ちでなくなるのは時間の問題だ。この懸念は今日のアメリカにもあてはまるだろうか？

　即座に「もちろん、そんなことはない！」と答える人もいるだろう。多くの人はアメリカでは民間投資がたいへん盛んで、大胆かつ想像力に富んだ、非常に利益率が高い投資がおこなわれていると考えている。他国に比べ、アメリカでは新規ビジネスをはじめたりアイデアの商業的可能性を試したりするための資金を得やすい。だからこそ、マイクロソフト、フェイスブック、グーグル、ペイパル、ウーバーなど、多くのアメリカ企業は資金を得てから短い期間で国際的巨大企業になった。ベンチャーキャピタルに携わる友人を通して、私はアメリカの民間投資がじつにうまくいっている様子を間接的に見聞きしてきた。ベンチャーキャピタル・ファンドは数百万ドル（あるいは数億ドル）の資金を調達し、多数のスタートアップに分散投資する。そうしたビジネスのほとんどは失敗するが、ひとつ、あるいは二、三のビジネスが大成功すれば、最初に投資した投資家に莫大な利益をもたらす。私の友人のベンチャーキャピタリストが大胆な投資をおこなうアイデアには、よくある金融テクノロジーの類だけではなく、型破りでハイリスクなものもある。民間のスタートアップが投資資金を得やすいことは、新規ビジネスの爆発的成長においてアメリカが世界のトップを走る大きな理由になっている。

投資資金の得やすさを示すため、一〇年前なら私がクレイジーでハイリスクだと思っただろう八つのアイデアをリストアップしよう。八つのうちふたつは今や成功をおさめ、数千億ドルのビジネスを創出している（カテゴリーA）。つぎのふたつは裕福な支援者を引きつけているが、まだうまくいっていない（カテゴリーB）。そのつぎのふたつはうまくいきはじめているしベンチャーキャピタルの資金を引きつけているが、大きなビジネスには（まだ）なっていない（カテゴリーC）。最後のふたつは私には詐欺にしか思えなかっただろうし今もそう思っており、資金も（私の知る限り）調達できていない（カテゴリーD）。八つのアイデアは以下のとおりだ。（1）海水浴客向けの電磁場によるサメ退治装置、（2）犬の活動や健康状態をGPSで電子送信する犬用首輪、（3）飼い犬に高価な毛皮を持つシルバーフォックスの仔を産ませる子宮内でのDNA技術、（4）オンライン投稿した写真や文章が二四時間以内で自動的に消えるメディア、（5）真空チューブを使って人間を飛行機並みのスピードで移送するポッド、（6）そうしたいと思った人が、会ったことのない赤の他人に自宅の部屋を貸せる技術、（7）将来、死因となった病気の治療法がわかったときに生き返らせてもらえるよう、死んだら即座に自分を凍結する技術、（8）肌に吹き付けるだけで水中で一五分間呼吸できる化学物質のスプレー。

以上のアイデアをカテゴリーA、B、C、Dに正しく結びつけられるだろうか？　答えは傍注に記しておいた。八つのアイデアを四つのカテゴリーにすべて正しく結びつけ

答えは、（1）＝C、（2）＝C、（3）＝D、（4）＝A、（5）＝B、（6）＝A、（7）＝B、（8）＝D

られた人はあまりいないのではないか。このことは、一見クレイジーだと思われるアイデアでさえアメリカでは資金調達できるし、自分たちの正しさを証明するチャンスを得られるし、(成功すれば)数十億ドル規模のビジネスとして世界展開できることを示している。

アメリカにおける未来への投資に関する懸念を払拭できるもうひとつの理由は、世界を席巻する科学技術である。アメリカの経済生産量の四〇%は科学技術によるものであり、他のどの民主主義国よりも高い割合である。化学、物理学、生物学、地球科学や環境科学など、主要な科学分野の学術誌に掲載される質の高い論文の数において、アメリカは大きく他国を引き離している。世界トップレベルの科学技術研究機関の半分はアメリカにある。アメリカは研究開発費の絶対額において世界一である(相対額ではない。イスラエル、韓国、日本のいずれも科学技術への出費の対GDP比率はアメリカより高い)。

アメリカの未来への投資について楽観視できるこれらの理由を相殺し、悲観的にさせられる理由がひとつある。アメリカ政府による公共投資の減少だ。公共投資とは教育、インフラ整備、非軍事的研究開発、そして経済利益の出ない目的への大型政府支出である。今日、ますます多くのアメリカ人が、政府による投資を「社会主義的」だとして軽んじている。しかし、政府による投資は、もっとも古くから政府が果たしてきたふたつの機能のひとつなのである。五四〇〇年前に最初の政府が誕生して以来、政府はふたつの主要な機能を担ってきた。ひとつは、権力の独占によって国内の平和を維持し、紛争を収拾し、紛争収拾のために人々が暴力を用いるのを禁じること。そしてもうひとつが、個人の富をより大きな目標への投資のために再分配することだ――最悪の場合、エリート層をますます富裕にし、最善の場合、社会全体が向上することになる。もちろん、投資の多くは、富裕層の個人や企業が見返りとなる投資利益を期待しておこなう民間投資である。しかし、民間投資にとって見返りが魅力的ではない場合も多い。見返りが得られるまで時間がかかりすぎたり（初等教育の完全普及から得られる見返りなど）、見返りが投資家にとって利益が高い分野に集中せず、社会全体に分散されたりするからだ（地方自治体の消防署、道路、広範な教育など）。小さな政府をもっとも強く支持するアメリカ人でも、消防署や州間高速道路、公立学校への支出を社会主義的だと非難はしないだろう。

結果として、アメリカは、以前は教育を受けた労働力や科学と技術という基礎の上に有していた競争力を失いつつある。少なくとも三つの傾向がこの衰退の原因として挙げられる。すなわち、アメリカの教育投資の減少、実際に支出された資金から得られた成果の減少、アメリカ人が受ける教育の質の大きなばらつきである。

政府の教育予算（とくに高等教育）については、少なくとも二一世紀になる頃から減少しはじめている。人口が増えているにもかかわらず、高等教育のための政府予算は刑務所のための政府予算の伸び率の二五分の一しか伸びておらず、今日では一〇州ほどが高等教育システムよりも刑務所システムにより多くの予算を割いているほどである。

ふたつめの傾向は、アメリカの生徒の学習到達度が、世界基準からみて低下していることに関連する。数学と科学の理解度や試験の点数において、アメリカの生徒のランクは主要な民主主義諸国のなかでも低い。これはアメリカにとって危険なことだ。なぜならアメリカ経済は科学技術に大きく依存しているし、数学と科学の教育レベルと教育年数は国の経済成長をもっともよく予測するものだからだ。しかし、生徒一人あたりの教育支出は減少しているものの、世界基準からみれば今も高い。つまり、アメリカ人は教育投資に対して低い見返りしか得られていないことを意味している。なぜなのだろうか？

もっとも大きな要因は教職だ。韓国、フィンランド、ドイツなどの民主主義国においては、教職は最良の学生を引きつける職業である。これらの国では教師の給料が高く社会的ステータスも高いため、離職率は低い。韓国では、小学校教員養成課程に出願する学生は全国大学入学試験のトップ五％に入る成績でなければならないし、中学校教員の募集一人に対して一二人が応募する。対照的に、アメリカの教師の給料は相対的に（すなわち、あらゆる職業の全国平均給与との比較で）最低である。妻と私が毎夏を過ごすアメリカのモンタナ州では教師の給料は法定貧困レベルに近く、彼らは生活のために、仕事の後でひとつかふたつ副業している（スーパーマーケットでの箱詰め作業など）。韓国、シンガポール、フィンランドでは教師をめざす学生の全員が学年のトップから三分の一以内だが、アメリカでは半数近くの教師が学生時代、学年の下から三分の一以内だった。私が五三年間教鞭をとったＵＣＬＡは優秀な学生が集まる大学だが、教え子で教師になりたいといっていたのはたった一人だけだった。

アメリカにおいて教育程度の高い労働力が減少する原因になっているもうひとつの傾向は、アメリカの州によって、またひとつの州のなかでも、教育に大きなばらつきがあることだ。中央政府が教育予算を負担し、教育基準を決める他の主要な民主主義諸国とは異なり、アメリカではその責務が各州および各自治体に委ねられている。公立高等教育に対する学生一人あたりの州の教育予算は、州の経済規模、税収、政治哲学によって、各州のあいだで最大一一倍の差があり、同じ州内でも地域によって差がある。貧しい地域や貧しい州は教育予算の割当が少ない。この事実はアメリカ国内の貧困の分布を自己永続的にする傾向がある。なぜなら、教育は経済生産量にとって非常に重要だからだ。同じ地域のなかでも私立校と公立校では教育の質においてとてつもない差がある。なぜなら、学費のかかる私立校には富裕層の子どもが集まり、教師の給料もよく、クラスの規模は小さく、はるかに質の高い教育が提供されるからだ。こんなことはフィンランドではあり得ない。フィンランドでは公立校と私立校の両方の給料を公費負担しており、どちらの額も同じである。だからアメリカとは異なり、フィンランドの親たちは、私立校に子どもを入れて良い教育を金で買うことなどできない。

政府が公教育に対する予算を削減し、アメリカの子どもたちが手に入れられる教育機会の格差が広がることには、どのような意味があるのか？　それは、多数のアメリカ人の未来への投資を惜しんでいるということだ。アメリカは富裕な民主主義国のなかで群を抜いて人口の多い国だが、その国民のほとんどは国の経済成長を支えるエンジンとなる能力を身につける訓練を受けていない。それでもアメリカは韓国、ドイツ、日本、フィンランドなど、すべての子どもの教育に予算を割いている国と競争しなければならない。万が一、こうした国々の人口がアメリカよりも少ないという事実に安心している人がいるなら――たとえばアメリカの児童数が韓国の児童数の五倍以上であることに安堵しているなら――中国を思い起こすべきだ。アメリカの五倍近くの人口を擁する中国は、現在、子どもたちの教育機会を改善する突貫計画に乗り出している。アメリカ経済がこれまで享受してきた高い競争力という強みの未来にとっては凶兆である。

こうした事実からひとつの疑問が生まれる。アメリカは世界一の富裕国である。政府が自国の将来に投資していないとすれば、アメリカの金はどこに行っているのだろうか？

ひとつの答えは、アメリカの金のほとんどは納税者の懐にあるということだ。アメリカの税負担は他のほとんどの富裕な民主主義国に比べて低い。もうひとつの答えは、アメリカの税金の多くが刑務所や軍、医療のために支出されているということだ。更生や社会復帰よりもむしろ懲罰と抑止に重点を置いたアメリカの刑務所が未来のための投資になるなどと主張する人はいないだろう。たしかに軍はアメリカの未来のための投資である。しかし、なぜアメリカの軍事費はEUよりもこれほど多いのだろうか？　EUはアメリカの二倍近い人口を擁するが、その軍事費は結局のところ不釣り合いなまでにアメリカが負担しているのである。医療支出は当然未来への投資である――だが、それも使われ方や効果を精査すると疑問が生じる。アメリカの医療効果については、たとえば寿命や幼児死亡率、妊産婦死亡率といった基準において、他のすべての主要な民主主義国よりもランクが低い。その理由は、多額の医療関連支出を医療効果につながらない目的、たとえば営利目的医療保険会社が課す高い保険料、高い事務費用、高い処方箋薬、高い医療過誤賠償責任保険費と防衛的医療、緊急を要しない医療を受ける余裕のない大量の無保険の国民が受けざるを得ない高額の緊急医療に費やしているからだ。

危機の枠組み

前章の最初に、私の母国であるアメリカが持つ強みを紹介した。それから、アメリカで進行しつつあるもっとも深刻な問題だと私が考えるものについて議論した。前章と本章の締めくくりとして、危機と変化という本書の枠組みのなかでこれらの問題を捉えよう。

第1章の表1・2に挙げた一二の予測要因のうち、今後、アメリカが変化を選択的に採り入れて自身の問題を解決しようとする場合、促進要因や阻害要因になるのはどれだろうか？　私がこの枠組みをアメリカにあてはめる動機は、単に学術的な関心だけでなく、アメリカ人が解決策を求める際に助言となるものを提供したいという希望にある。解決の探求を阻害する要因をはっきりと理解できれば、障害に対処する方法を見出すために集中すべきことがみえてくるはずだ。

幸せな結果をもたらすために有利にはたらく要因には、物質的な強み、物質的な部分を含む強み、そして文化的な強みがある。物質的な部分を含む強みには、まず、アメリカは人口が多いという人口動態上の強みがある。また、面積の広さ、温暖な気候、肥沃な土壌、沿岸部と内陸部の水路の長さという地理的な強みもある。連邦民主制、軍の文民統制、政治腐敗が比較的少ないという政治的な強み、そして個人の機会、政府の投資、移民の受け入れという歴史的な強みもある。これらは、現在、そしてこれまで長きにわたり、アメリカが世界一の強国、世界一の経済大国になっている主たる理由である。その他の、完全に物質的な強みの組み合わせとしては、アメリカに最大の選択の自由を与えた、世界に類をみない地理的強みの組み合わせである（表1・2の要因12）。すなわち、アメリカの東西は広大な海に守られ、南北は威嚇的でなく人口も少ない隣国との国境に守られている。結果として、本書で論じた六カ国のうち二カ国（ドイツと日本）が占領され、他の二カ国（フィンランドとオーストラリア）が攻撃されたのに対し、近い将来アメリカが侵略されるリスクはない。しかし、大陸間弾道ミサイル、経済のグローバル化、近代的輸送手段が可能にした制御不能な移民の流入が、かつてアメリカが有していた地政学的制約からの自由を縮小させている。

アメリカの文化的な強みのひとつにアメリカ人の強いナショナル・アイデンティティがある（要因6）。歴史を通して、ほとんどのアメリカ人は、アメリカはユニークで称賛に値する国であり、国民が誇るべき国であると捉えている。アメリカ人以外の人々もしばしばアメリカ人の楽観主義や「やればできる」精神を指摘する。つまり、「問題は解決されるために存在している」とみなすのがアメリカ人である。

もうひとつのアメリカの文化的強みは、アメリカの持つ柔軟性（要因10）であり、これはさまざまな面に現れている。アメリカ人は平均で五年ごとに引っ越しをしており、私が考察した他の国々の国民よりもはるかに頻繁に引っ越している。二大政党間の政権移行は、この七〇年間に大統領のレベルで九回と頻繁に起こっている。同じ二大政党が長い歴史を持っていること――民主党は一八二〇年代から、共和党は一八五四年から――は、じつのところ硬直性より柔軟性の徴《しるし》である。第三党（セオドア・ルーズベルトのブル・ムース党やヘンリー・ウォレスの進歩党、ジョージ・ウォレスのアメリカ独立党など）が存在感を示しはじめても、その政策が二大政党のどちらかに部分的に吸収されて、すぐに衰退したのもそのためだ。基本的価値観としての柔軟性は、アメリカの特徴でもある。一方で、アメリカが主張する自由、平等、民主主義という基本的価値観は、表向きは交渉の余地がない（もちろん、その適用については盲点があるが）。他方、アメリカは過去七〇年にわたり、長年保持してきた価値観であっても時代遅れになったと認めたものは廃棄してきた。外交における孤立主義は第二次世界大戦以降は放棄されたし、女性差別や人種差別も一九五〇年代以降退けられてきた。

さて、アメリカの弱みである。どんな国であれ、国家的危機に対応するための最初のステップとは、国が本当に危機を迎えつつあるという共通認識を国民が持つこと（要因1）、他者（他国または国内の他の集団）を非難するのではなく、国家の問題に対する責任を引き受けること（要因2）、何がうまくいっていて何がうまくいっていないのかについて、公正な自国評価を受け入れること（要因7）である。こうした最初のステップについて、アメリカは一致団結しているとはまだとてもいえない状態だ。アメリカ人はますます自国の状況を不安に思っている一方で、何が間違っているのかについて、いまだに世論の合意がない。公正な自国評価も足りていない。アメリカの基本的問題が、二極化、投票率と有権者登録にともなう障害、格差の拡大と社会的流動性の衰退、教育や公共目的への政府予算の減少であるということについて、幅広い合意は得られていない。アメリカの政治家と有権者の大多数は、こうした問題を解決するどころかむしろ悪化させるほうに懸命になっている。あまりに多くのアメリカ人が、アメリカの問題を自分たちではなく他者のせいにしている。お気に入りの非難の標的は中国、メキシコ、そして不法移民である。

　富と影響力があり不釣り合いなほどの権力を持つアメリカ人たちの傾向として、何かが間違っていると認識しているものの、解決策をみつけることに富と影響力を注ぐのではなく、自分と家族だけがアメリカの社会問題から逃避する方法を探し求めている。現在人気の逃避戦略として、ニュージーランド（先進国のなかでもっとも孤立している）に不動産を買うことや、大金を費やしてアメリカ国内にある打ち捨てられた地下ミサイル倉庫を豪華な防空壕に改装すること（口絵10・2）などがある。しかし、アメリカが崩壊した場合、防空壕のなかの豪華なミクロの文明やニュージーランドの孤立した先進社会がどれほど生き延びられるものだろうか？　数日？　数週間？　数カ月間？　彼らの態度はつぎの苦々しいやりとりに表現することができる。

質問：アメリカはいつになったら自身の諸問題を真剣に受け止めるのか？
回答：権力も富もあるアメリカ人たちが身の危険を感じはじめたときだ。

この回答に、私はつぎのように追加したい。すなわち、他のほとんどのアメリカ人が怒りと不満を抱えて現実に希望を持てないならば、自分たちの身の安全を維持できる方法はない、と権力も富もあるアメリカ人たちが悟ったときだ、と。

もうひとつ、アメリカには別の大きな弱みがある。それは、私が示した一二の要因のひとつでアメリカに欠けているもの、すなわち他の国を手本に学ぼうとする意欲である（要因5）。学ぶことを拒否するアメリカの態度は、「アメリカ例外論」という信念と関連している。すなわち、アメリカはあまりにもユニークな存在なので、他の国の例はどれもあてはめることができないというアメリカ人の信念である。もちろん、それはナンセンスだ。たしかにアメリカはさまざまな点において際立っているが、あらゆる人間、社会、政府、民主主義には共通する特徴があり、だからこそだれもが他者から何かを学ぶことができるのだ。

とくにアメリカの隣国カナダは、アメリカと同様、広い国土を持ち、人口密度が低く、英語を主要言語とし、地理的な防衛力の高さに起因する選択の自由があり、一六〇〇年以降の移民が人口の大部分を占める、富裕な民主主義国である。世界におけるカナダの役割はアメリカとは異なるが、カナダもアメリカも人類共通の問題を抱えている。国民健康保険、移民、教育、刑務所、共同体と個人利益のあいだのバランスなどに関して、カナダが実践している社会・政治政策の多くはアメリカとは非常に異なっている。アメリカが解決できずに不満をつのらせている問題のなかには、カナダでは広く公的支援をおこなうことで解決しているものもある。たとえば、カナダの移民受け入れ基準はアメリカよりもきめ細かに設定されていて合理的である。結果として、カナダ人の八〇%が移民はカナダ経済にとって良いものだと捉えており、移民をめぐってアメリカ社会がずたずたに引き裂かれているのとはかけ離れている。しかし、隣国カナダについてのアメリカ人の無知には驚く。カナダ人のほとんどが英語を話し、文字通りアメリカの隣に住んでおり、電話の市外局番システムも共有しているため、アメリカ人の多くがカナダを別の国だとさえ捉えていない。カナダがどれほど違っているか、アメリカ人が不満をつのらせている問題の解決にカナダのモデルから学べることがどれほどたくさんあるか、アメリカ人は認識していない。

一見すると、西欧に対するアメリカ人の見方はカナダに対する見方とは異なっている。

アメリカ人にとって、カナダがアメリカと異なっているのは明白ではないが、西欧がアメリカと異なっているのは明白だ。カナダ人と異なり、西欧人はアメリカから遠く離れたところに暮らしており、自動車ですぐには行けず、飛行機で少なくとも五時間はかかるし、大部分の人が英語以外の母国語を話し、最近の移民によるものではない長い歴史を有している。にもかかわらず、西欧諸国は富裕な民主主義国であり、医療保険、教育、刑務所などアメリカ人におなじみの問題に直面しながら、違う方法でそれらの問題を解決している。とくに、西欧諸国の政府は、医療保険、公共交通、教育、高齢者、芸術およびその他の国民生活の諸側面を、アメリカ人が「社会主義的」として退けがちな政府予算によって支えている。国民一人あたりの所得は西欧の多くの国よりもアメリカのほうがいくぶん高いが、寿命や個人の満足度は西欧のほうがつねに高い。

これは、アメリカには西欧的なモデルから学べることがたくさんある可能性を示している。しかし、最近のアメリカ史を振り返れば、西欧やカナダのモデルを学ぶために、明治日本の岩倉使節団のようなものをアメリカ政府が送った例はほとんどない。その理由は、アメリカの方法は西欧やカナダの方法より優れているし、アメリカは非常に特別なケースなので西欧やカナダの解決策は何の参考にもならないとアメリカ人が確信しているためだ。こうした否定的な態度は、多くの個人や国が危機解決に有益だと見出した選択肢、つまり、他者が同様の危機をすでに解決した方法を手法として学ぶという選択肢をアメリカ人から奪っている。

残りのふたつの要因についてみると、ひとつは比較的小さい弱みとなり、もうひとつは評価が入り混じる。比較的小さい弱みとは、国家的不安や失敗を許容することについてアメリカ人が鍛錬されていないという点で（要因9）、不安や失敗の許容はアメリカ人の「やればできる」という態度や成功への期待と衝突するからだ。一九五六年のスエズ危機の屈辱に対処したイギリス人や、第二次世界大戦の壊滅的な敗戦から回復した日本人やドイツ人（ドイツの場合は第一次世界大戦も）と比べると、アメリカ人はベトナム戦争の失敗を認めておらず、受け入れがたいと感じている。危機を乗り越えた過去の経験（要因8）についてアメリカを評価すると、優劣が入り混じっている。アメリカは日本やドイツのように戦争に負けて占領された経験がなく、フィンランドのように侵略されたことがなく、イギリスやオーストラリアのように侵略の脅威にさらされたこともない。アメリカは、日本が一八六八年から一九一二年にかけて、あるいはイギリスが一九四五年から四六年にかけてとそれにつづく数十年間に経験したような大規模な変容を経験したことがない。しかし、アメリカは国家の結束を脅かした長い内戦を乗り越え、一九三〇年代の大恐慌時代から這いあがり、平和的孤立から第二次世界大戦への全面的参戦へとうまく路線を変更した。

前項では、私の一二の予測要因をアメリカにあてはめた。アメリカに選択の自由、強いナショナル・アイデンティティ、柔軟性にあふれる歴史を与えた地理的特徴は、良好な見通しを示す要因である。良好な帰結を阻害する要因は、アメリカがたしかに危機を迎えているという共通認識の欠如、問題について自己の責任を認識するよりもむしろ往々にして他者を責めること、権力を有するアメリカ人のあまりにも多くが国の問題を修正することよりも自己保身に力を注いでいること、そして他国のモデルから学ぶことに消極的な態度である。しかし、これらの要因は、アメリカ人が将来自分たちの問題を解決するという選択をするかどうかを予測してはいない。単に、アメリカ人が解決を選択する可能性がどのくらいあるかを予測するだけだ。

これからアメリカに何が起こるのだろうか？ それはアメリカ人の選択次第である。アメリカが享受しているとてつもなく大きな基本的な強みの数々は、アメリカ人が自分たちの進む道に横たわる障害に対処すれば未来が過去と同じくらい明るいものでありつづけることを意味している。しかし、現在のアメリカ人は、みずからの強みを無駄使いしている。他にも、かつては強みを享受しながら、それを無駄使いしてしまった国はある。少なくとも今のアメリカの危機と同じくらい深刻にして急激な、あるいはゆっくりと進行する国家的危機に、かつて直面したことのある国もある。そうした国のいくつか、たとえば幕末・明治期の日本や戦後のフィンランドやドイツは、最終的に危機を解決する長い道のりを歩み、痛みをともなう大きな変化に適応することに成功した。アメリカ人はメキシコとの国境沿いに壁をつくるのではなく、アメリカ社会の内部で機能している特徴と機能していない特徴のあいだに囲いをつくること(要因3)を選ぶだろうか?そして、囲いの内側の、危機を増大させている特徴を変えていこうとするのだろうか?それがみえてくるのはこれからだ。

第11章　世界を待ち受けるもの

現在の世界状況

　これまでの章では、一つひとつの国の内部における危機を議論してきた。当該国以外の読者は自国内に潜んでいる可能性のある危機を思い浮かべることができるだろう。ここからは、切迫している世界危機について検討しよう。世界に暮らす人間やその生活水準を脅かす要因とは何か？　最悪の場合、世界文明の存続を脅かすのは何か？

　世界全体に害をおよぼし得る可能性がある四つの問題を明らかにする。重要度ではなく、目につきやすいものから述べていくと、核兵器の使用（口絵11・1）、世界的な気候変動、世界的な資源枯渇、世界的な生活水準における格差の拡大である。イスラム教原理主義、新種の伝染病、小惑星の衝突、大規模な生物学的絶滅などの問題をリストに追加すべきだという意見もあるだろう。

核兵器

一九四五年八月六日の広島への原爆投下により、一瞬のうちにおよそ一〇万人が死亡し、さらに何万もの人々が怪我や火傷、被爆によって命を落とした。インドとパキスタン、あるいはアメリカとロシアか中国のあいだで戦争が起こり、互いに核兵器を使用すれば、一瞬のうちに数億人が殺されるだろう。しかし、世界全体に広がる遅発性の影響のほうが甚大になるだろう。核兵器の爆発がインドとパキスタンの国内に限られても、数百の核爆発による大気への影響は世界全体におよぶだろう。なぜなら、爆発時の火球からの煙、すす、ダストは数週間にわたって太陽光のほとんどを遮り、世界全体の気温は急激に下がって冬のような状態になり、植物の光合成は阻害され、多くの植物や動物の生命が奪われ、世界的な不作になり、世界全体に飢餓が起こるだろうからだ。最悪のシナリオは、「核の冬」と呼ばれるもので、飢餓だけでなく寒さ、病気、被爆によってほとんどの人類は死を迎える。

今日にいたるまで、核兵器が実戦使用されたのは広島と長崎の二回のみである。それ以降ずっと、大規模な核戦争の脅威は私の人生の背景を形成してきた。一九九〇年の冷戦の終結は、当初この恐怖の根拠を減らしてくれたが、その後の展開は核のリスクをふたたび増大させている。核兵器の使用を招きかねないシナリオとはどのようなものだろうか？

以下に述べる私の主張は、ウィリアム・ペリーとの対話および彼の著書『核戦争の瀬戸際で』（二〇一五年）にもとづいている。ペリーは核問題を専門とするキャリアを歩み、一九六二年のキューバ危機の際にはケネディ政権のためにキューバにおけるソ連の核能力分析に日々従事し、一九九四年から九七年までアメリカ国防長官を務め、北朝鮮やソ連/ロシア、中国、インド、パキスタン、イラン、イラクとの核交渉をおこない、ソ連崩壊後のウクライナとカザフスタンの旧ソ連核施設の解体を進めるなど、さまざまな事案に携わった。

核爆発にいたるシナリオは四つあるとされ、政府によるもの（最初の三つのシナリオ）と非政府テロリスト集団によるもの（四つめのシナリオ）がある。もっともしばしば議論されてきたシナリオは、核兵器保有国による別の核兵器保有国への計画的な奇襲である。この奇襲の目的は、敵国の兵器を完全かつ瞬間的に破壊し、相手国の報復能力をなくすことだ。冷戦時代の数十年間はこのシナリオがもっとも恐れられていた。アメリカとソ連はともに互いを破壊する核能力を有していたため、「合理的計画性のある」攻撃、敵の報復能力の破壊が期待できる奇襲しかないと思われた。アメリカもソ連も、自国が持つすべての報復能力が瞬間的になくなるリスクを回避するため、複数の核兵器配備システムを開発した。たとえば、アメリカは地下ミサイルサイロ、潜水艦、核爆弾を搭載した爆撃機という三つの核兵器配備システムを持っている。そのため、たとえソ連の奇襲がすべてのサイロを破壊し尽くしたとしても、アメリカは爆撃機や潜水艦の核兵器で報復できる——ただし、アメリカはダミー、対攻撃防御力を高めたサイロ、小規模サイロを含め、非常に多くのサイロを有しているし、すべてのサイロを破壊し尽くすにはソ連のミサイルの正確性を信じられないほど高くしなければならないため、あり得ない話だが。

結果として、アメリカとソ連双方の核軍備は「相互確証破壊」をもたらし、奇襲はけっして実行されなかった。敵のすべての核兵器配備システムを破壊し、報復攻撃を防ぐのは不可能だから、敵国の核能力を破壊するという目的がどれほど魅力的にみえたとしても、奇襲は非合理的だ、とアメリカとソ連の立案者は認識していた。しかし、こうした合理的な考察がもたらした未来に対する安心は限定的だった。なぜなら、現代には非合理的な指導者が存在したからである。イラクのサダム・フセイン、北朝鮮の金正恩、またドイツや日本、アメリカ、ロシアの指導者の何人かはおそらくそうだった。加えて、今日インドとパキスタンが所有するのは、地上核兵器配備システムのみで核ミサイル搭載潜水艦はない。そのためインドやパキスタンの指導者は、奇襲が、敵国の報復能力を破壊する十分なチャンスをもたらす合理的な戦略だと考える可能性がある。

第二のシナリオは、敵国政府の対応についての計算ミスがエスカレートし、各国の指導者に対応を迫る軍部からの圧力が高まり、ついに当初はいずれも望まなかった相互の非奇襲攻撃にいたってしまうというものだ。その典型的な例が一九六二年のキューバ危機である。一九六一年のウィーン会談でアメリカのケネディ大統領を軽くみたソ連のフルシチョフ書記長は、キューバにソ連のミサイルを配備してもうまく収拾できるだろうと計算ミスしてしまったのだ。アメリカがミサイルを発見すると、アメリカの将軍たちはケネディに即座にミサイルを破壊するよう要求し、（ソ連による報復のリスクも提示しつつ）進言に従わないならケネディは弾劾されるリスクを負うことになると警告した。幸いなことにケネディは過激ではない対応方法を選択し、フルシチョフも過激ではない対応をしたため、ハルマゲドンは回避された。しかし、両国が後に開示した当時の動向に関する書類によれば、まさに間一髪だった。たとえば、一週間にわたるキューバ危機の初日にケネディは、キューバからのソ連製ミサイルの発射は必ず「［アメリカから］ソ連への全面報復」を招くと公式に宣言している。しかし、ソ連の潜水艦艦長は、モスクワのソ連指導部に諮ることなく核魚雷を発射する権利を有していた。実際、ソ連の潜水艦艦長は威嚇してきたアメリカの軍艦に対する核魚雷発射を検討しており、艦内の他の司令官たちの介入でようやく攻撃を断念したのだった。このソ連の艦長がもし自分の意図を遂行していたら、ケネディは報復への抵抗しがたい圧力に直面し、それはフルシチョフに対してもさらなる報復への抵抗しがたい圧力をもたらしたはずだ。

同様の計算ミスは今日でも核戦争をもたらし得る。たとえば、北朝鮮は日本や韓国に到達可能な中距離ミサイルを保有しており、アメリカに到達させるつもりで長距離大陸間弾道ミサイル（ＩＣＢＭ）を発射したこともある。北朝鮮がＩＣＢＭの開発を完了すれば、アメリカに向けて発射して示威活動をおこなうかもしれない。そうなった場合、とくに間違ってＩＣＢＭが意図した以上にアメリカの近くまで飛来した場合には、アメリカは受け入れがたい挑発と捉えるだろう。そうなると、アメリカの大統領は報復を求める圧倒的な国内圧力に直面し、となれば、中国指導部には、同盟国である北朝鮮を守るための報復をおこなうよう圧倒的な国内圧力がかかるだろう。

計算ミスによって意図しない報復が起こる別の可能性は、パキスタンとインドに存在している。パキスタンのテロリストは二〇〇八年にすでに通常兵器によるテロ攻撃をインドの都市ムンバイで実行した。近い将来、パキスタンのテロリストがさらに挑発的な攻撃を（たとえばインドの首都ニューデリーに）しかける可能性があり、攻撃の背後にパキスタン政府がいるのかどうかをインドは明確に把握できないかもしれないが、インドの指導者たちはテロリストの脅威を排除するために国境を接するパキスタンの一部に侵攻すべきだという圧力を受けるだろう。すると、パキスタンの指導者たちは、侵攻してきたインド軍を迎え撃つため「だけ」という目的で小規模戦術核兵器を使用すべきだという圧力にさらされる。そして、このような核兵器の限定的使用ならきっとインドも「受け入れ」、全面報復をしかけてくることはないだろうという計算ミスを犯す。しかし、インドの指導者はインドも核兵器で報復せよという圧力にさらされることだろう。

計算ミスによって核戦争がはじまり得ることを示した前述のシナリオのどれも、今後一〇年のあいだに展開し得ると私は思う。不確実性の核心は、そのとき指導者たちがキューバ危機のときのように引き返すのか、それともエスカレートしてシナリオ完遂にいたるのかにかかっている。

核戦争に到達し得る第三のシナリオは、テクニカルな警告サインの誤読による事故である。アメリカとロシアはいずれも敵国の弾道ミサイル発射を探知する早期警戒システムを持っている。ミサイルの発射が探知されると、アメリカまたはロシアの大統領は、飛来するミサイルによって自国の地上ミサイル基地が破壊される前に報復攻撃を開始すべきか否かを約一〇分以内に決定する。発射されたミサイルは取り消すことができない。警報は本物か、それともテクニカルなエラーによる誤報なのか、そして数百万人を殺害するボタンを押すべきかどうかを判断する時間は最小限しか残されていない。

しかし、他のあらゆる複雑な技術と同様、ミサイル早期警戒システムも誤動作や解釈の曖昧性をともなうものである。アメリカの早期警戒システムは少なくとも三回誤報を出している。たとえば、一九七九年一一月九日の真夜中に、当直将官だったアメリカ軍の将軍が当時のウィリアム・ペリー国防長官に電話をかけて、こう告げた。「ソ連からアメリカに対して二〇〇発のＩＣＢＭが発射されたと警戒システムが探知しました」。しかし、その将軍は警報はおそらく誤報だろうと結論を下し、ペリーはカーター大統領を起こすことはなく、カーターが核の発射ボタンを押して数百万人のソ連国民を不必要に殺害することもなかった。最終的に警報はヒューマンエラーによる誤報だったと判明した。あるコンピュータ・オペレーターが、誤ってアメリカの早期警戒システムのコンピュータにソ連が二〇〇発のＩＣＢＭを発射したという演習用テープを挿入してしまったのだ。ロシアの早期警戒システムによる誤報も少なくとも一度あったことが判明している。一九九五年、ノルウェーのある島から発射された一機の非軍事ロケットが、ロシアのレーダーの自動追尾アルゴリズムによって、アメリカの潜水艦から発射されたミサイルだと誤探知されてしまったのだ。

こうした事故は重要なことを明らかにする。警告シグナルは明確なものではない。誤報は生じ得るものだし、実際に発生しているが、本物の発射や本物の警報である可能性もある。そのため、警報が発せられるとアメリカの当直将官や大統領は（そして、対応する状況においてはおそらくロシアの当直将官と大統領も）、その時点でのコンテクストに照らして警報の真偽を判断しなければならない。現在の世界情勢において、ロシア（あるいはアメリカ）が即座に大量破壊兵器による報復を招くような攻撃を開始するという恐ろしいリスクを冒す可能性はあるだろうか？　一九七九年一一月九日にはミサイル攻撃の動機となる世界情勢はなく、ソ連とアメリカの関係は緊急のトラブルを抱えておらず、アメリカの当直将官とウィリアム・ペリーの両方が警報は誤報だと自信を持って判断することができた。

ああ、そうした安心できる状況はもはや存在していない。冷戦終結がロシアとアメリカのあいだの核戦争のリスクを減少あるいは排除するだろうという素朴な期待もあったかもしれないが、皮肉なことに結果は正反対である。現在、そのリスクはキューバ危機以来最高レベルに達している。理由は米露関係と両国間のコミュニケーションの悪化である。悪化の原因の一部はロシア大統領であるプーチンの最近の政策にあり、一部はアメリカの軽率な政策にある。一九九〇年代後半、アメリカ政府はソ連崩壊後のロシアについて、弱体化してもはや敬意を払うに値しない存在だと片付けてしまうミスを犯した。こうした新しい姿勢と並行して、アメリカはＮＡＴＯを拙速に拡大し、かつてソ連の一部だったバルト三国を傘下に入れ、ロシアの強硬な反対を押し切ってＮＡＴＯ軍がセルビアに介入し、イランのミサイルへの防衛策として東欧に弾道ミサイルを配備した。こうしたアメリカの行動にロシア指導部が脅威を感じるのは理解できる。

今日のアメリカの対ロシア政策は、フィンランドの指導者が一九四五年以降、ソ連の脅威から学んだ教訓を無視している。自国の安全保障を確保する唯一の方法として、フインランドはソ連と腹を割った対話をつづけ、フィンランドは信頼に足る相手であり、脅威を与える存在ではないとソ連に納得させたのである（第2章）。今日、アメリカとロシアは、誤解が生じれば計画外の攻撃にいたる可能性があるという大きな脅威を互いに与え合っている。なぜなら、両国は継続的かつ率直なコミュニケーションをとっていないし、計画的な攻撃の可能性という脅威はないと相互に納得させることに失敗しているからだ。

核兵器使用にいたる可能性のある残りのシナリオは、テロリストが核保有国——もっとも可能性が高いのはパキスタン、北朝鮮、イラン——からウランやプルトニウム、あるいは完成品の核爆弾を盗むか与えられるかするというものだ。この場合、核爆弾はアメリカまたは別の標的国に秘密裏に持ち込まれて起爆されるだろう。二〇〇一年のワールド・トレード・センタービルの攻撃を準備していたとき、アルカイダはアメリカに対して使用する核兵器の入手を実際にもくろんでいた。核爆弾貯蔵庫の警備が不適切であった場合、核保有国の援助がなくてもテロリストがウランや核爆弾を盗むことはおそらく可能になる。たとえばソ連崩壊時、旧ソ連の核兵器級ウラン六〇〇キログラムが、独立したばかりのカザフスタンに残っていた。ウランは鉄条網の囲いより少しましな程度の警備しかない倉庫に保管されており、簡単に盗める状態だった。しかし、より可能性が高いのは、テロリストが核爆弾の材料を「内部犯行」によって、つまりパキスタンや北朝鮮、イランの核爆弾保管担当者や指導者の支援によって手に入れることだ。

テロリストが核爆弾を入手する危険と混同されがちな関連リスクは、彼らがいわゆる「汚い爆弾《ダーティー・ボム》」を入手するリスクだ。汚い爆弾とは、半減期が三〇年と長い放射性セシウム一三七など長期にわたって放射線を発する物質を、核爆弾ではない通常の爆弾のなかに仕込んだものだ。この汚い爆弾をアメリカや他の国の都市で起爆すれば、セシウムが広く拡散し、永続的に居住不能になってしまうし、心理的にも大きな影響をおよぼすだろう（核爆弾や汚い爆弾が使用されなかったにもかかわらず、ワールド・トレード・センタービルへの攻撃がアメリカ人の考え方や政策に永続的な影響を与えていることをみるだけでおわかりいただけるだろう）。テロリストはすでに多くの国の都市において爆弾を爆発させる能力をみせているし、セシウム一三七は医療目的で使用されるため病院で入手可能だ。したがって、テロリストがまだ爆弾にセシウム一三七を加えていないのが驚きなぐらいである。

これら四つのシナリオのなかでもっとも可能性が高いのは、テロリストが（簡単につくれる）汚い爆弾か核爆弾を使うケースである。前者が殺害するのは数人程度だろうが、後者は広島なみの数十万人の死者を出す――しかし、いずれも死者の数をはるかに上回る悪影響を残すだろう。数億人の命を直接奪い、究極的には地球上のほとんどの人を死にいたらしめる最初の三つのシナリオが実現する可能性はより低いが、それでも可能性はある。

気候変動

今後数十年の私たちの生活に影響する四つの世界的大問題のうち、つぎに扱うのは世界的気候変動である。だれもがこれを耳にしたことがあるはずだ。しかし、あまりに複雑で、混乱しており、パラドクスが錯綜しているため、気候の専門家を除けば実際にこれを理解している人はほとんどおらず、（アメリカの政治家の多くを含む）影響力のある人々の多くがこれを詐欺だとして退けている。私は今から、気候変動についてできるだけ明快に説明するつもりだ。因果連鎖を示す図9を参照しつつ、お読みいただきたい。

出発点は世界人口と、一人の人間が世界に与える平均的な影響だ（後者の表現が意味するところは、一人あたり年間平均の石油などの資源消費量と汚水などの廃棄物排出量である）。これら二つの量──人の数、平均的な人の資源消費と廃棄物排出──は増大しつつある。その結果、人類が世界に与える影響の総量も増大しつつある。なぜなら影響の総量は、増大しつつある影響の一人あたり平均に、増大しつつある人の数を掛けたものに等しいからだ。

重要度の高い廃棄物は二酸化炭素だ。二酸化炭素は（私たち人間も含めた）動物の呼吸によって常時生産され、大気中に排出されている。しかし、産業革命がはじまり、人口爆発が起こって以来、とくに人間による化石燃料利用を起源とする二酸化炭素排出が、自然による二酸化炭素排出をはるかにしのぐ量になってしまった。気候変動の原因となるガスとしてつぎに重要なのがメタンで、量はずっと少なく、現時点では二酸化炭素よりも重要度ははるかに低いが、「正のフィードバック効果《ポジティブ・フィードバック・ループ》」により重要度が増す可能性がある。すなわち、地球温暖化により融けた北極圏の永久凍土はメタンを排出し、メタンがさらなる温暖化の原因となり、温暖化がますます永久凍土を融かし、融けた永久凍土がさらにメタンを排出し、と延々と増えていくのである。

二酸化炭素の排出がもたらす一次的影響としてもっとも議論されているのが、大気中においていわゆる「温室効果ガス」の役割を果たすことだ。これは、大気中の二酸化炭素が太陽の短波放射を通すので、降り注ぐ太陽光が大気を透過して地表を温めてしまう現象だ。地球は宇宙に対してそのエネルギーを再放出するが、二酸化炭素は長波放射を透過しない。そのため、二酸化炭素は再放出されたエネルギーを吸収し、それを地表へも含めて全方向に再放射してしまう。こうして地表は、温暖化の物理的メカニズムは異なるものの、まるで温室の内部のように暖められてしまう。

しかし、二酸化炭素放出の一次的影響は他にもふたつある。ひとつは、私たちが産出する二酸化炭素が炭酸として海に蓄積されることだ。しかし、海の酸性度はすでに過去

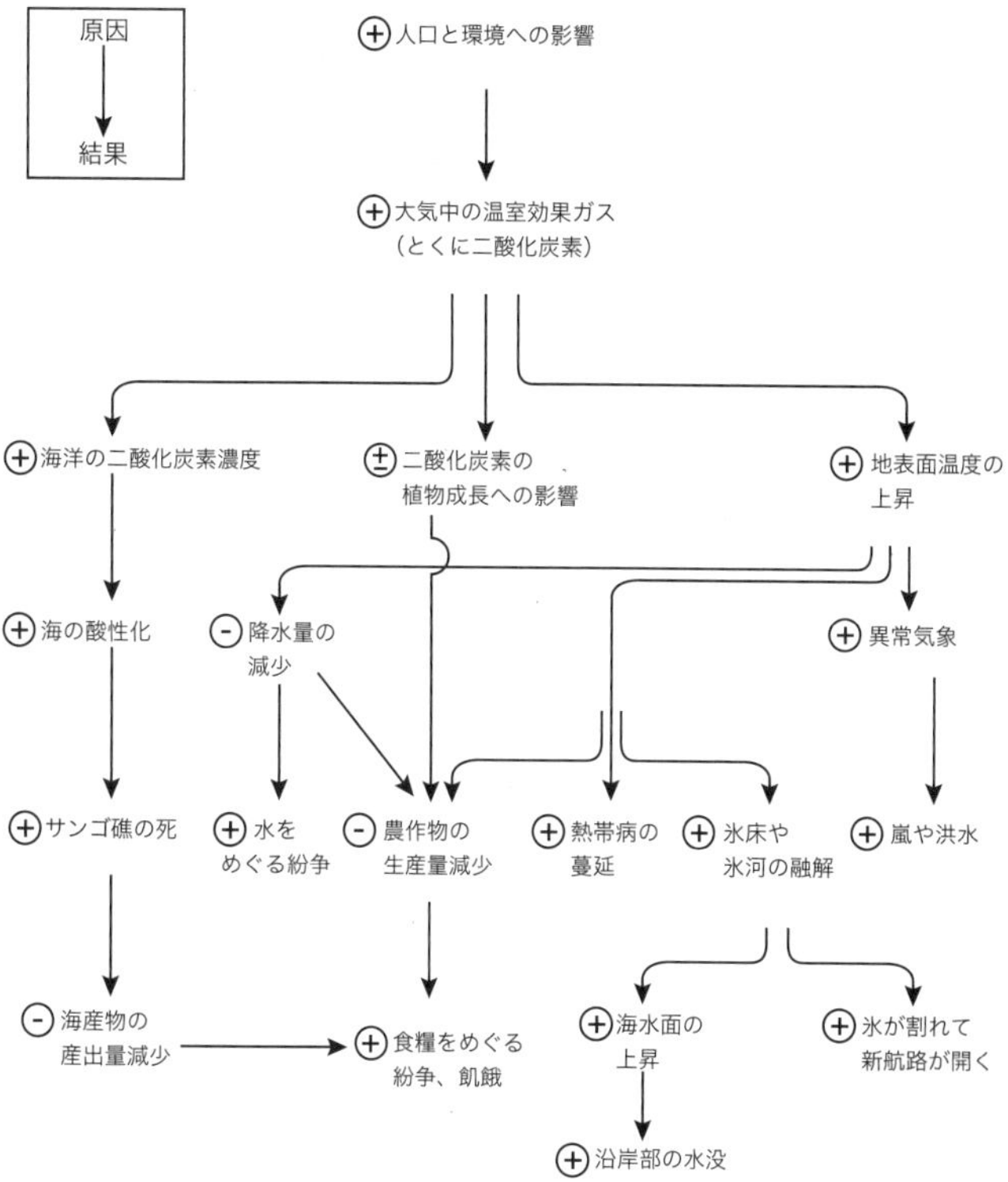

図9　世界的気候変動の因果連鎖

一五〇〇万年でもっとも高くなっている。炭酸はサンゴの骨軸に溶け込んで、海の魚を育む主要な場所であり熱帯や亜熱帯の沿岸部を嵐の波や津波から守るサンゴ礁を殺してしまう。現在、地球上のサンゴ礁は毎年一％から二％ずつ縮小しているため、今世紀中にはほとんどが失われてしまう計算だが、これは熱帯地方の沿岸部の安全性や海産物由来のタンパク質の入手可能性が大きく減少することを意味する。もうひとつの人間による二酸化炭素排出の一次的影響は、植物の成長に対する刺激あるいは抑制などのさまざまな影響である。

しかし、二酸化炭素排出の影響についてもっとも議論されているのは、最初に挙げた影響、すなわち、地表と大気下層を暖めてしまうことである。これが私たちが地球温暖化と呼ぶものだが、その効果はとても複雑なので「地球温暖化」と呼ぶのは間違いに近く、「世界的気候変動」と呼ぶほうがふさわしい。複雑さを示すものを挙げれば、まず、因果連鎖により、大気の「温暖化」は（アメリカの大半の地域を含む）ほとんどの地域で温暖化をもたらす一方で、（アメリカ南東部を含む）いくつかの地域では一次的な気温の低下をもたらす。たとえば、大気が温暖化すると北極圏の海氷が融けて冷たい北極海の水が南下するため、海流の下流に沿った地域の気温が下がるのだ。

ふたつめに、人間社会にとっての重要性において平均的な温暖化傾向に匹敵するのが、極端な気候の増加である。嵐や洪水が増え、最高気温はますます上昇しているが、最低気温もますます下がり、エジプトで雪が降ったりアメリカ北東部を寒波が襲ったりしている。そのため、気候変動を理解しない懐疑派の政治家たちは、これを気候変動が現実ではない証拠と捉えてしまう。

三つめの複雑さは、気候変動の原因と結果のあいだには大きなタイムラグがあるという点にある。たとえば、海洋が二酸化炭素を蓄積したり排出したりするスピードは非常に遅いため、たとえ今夜地球上の人間が一人残らず死滅したり、呼吸を止めたり、化石燃料を燃やさなくなったりしても、大気は数十年にわたって温暖化しつづけることになる。逆に、原因と結果の線形の関係を前提とする現在の保守的な予想よりも、もっと速いスピードで地球温暖化を進行させ得る、大きな非線形の増幅因子も潜在的に存在する。そうした増幅因子としては、永久凍土や海氷の融解や、北極圏とグリーンランドの氷床崩壊の可能性がある。

世界で進行する平均的な温暖化傾向の結果を、これから四つ述べていく（私の「明快な説明」により、現時点ですでに、地球温暖化がじつに複雑であることには同意していただけると思う！）。世界各地でもっとも目立っている結果は旱魃《かんばつ》である。たとえば、私の住む南カリフォルニアではどんどん乾燥が進んでおり、とくに二〇一五年はロサンゼルスで一八〇〇年代に気象観測記録がはじまって以来もっとも乾燥した年になった。地球温暖化が原因の旱魃の進行は世界各地でむらがある。最悪の影響を受けているのが北米、地中海、中東、アフリカ、オーストラリア南部の農業地帯、そしてヒマラヤ山脈である。たとえば、ヒマラヤ山脈の氷河と積雪は中国、ベトナム、インド、パキスタン、バングラデシュの水のほとんどを供給しているが、その氷河は縮小している。これらの国々はヒマラヤから流れ出す水資源を分け合わねばならないが、紛争を平和的に解決することに関しては実績の芳しくない国々である。

平均的地球温暖化傾向のふたつめの影響は農作物の生産量の減少で、原因は、先に述べた旱魃と、陸地温度の上昇である（たとえば農作物の成長よりも雑草の成長に有利にはたらくため）。世界の人口、生活水準、そして食糧消費は今後数十年間で五〇％の上昇が見込まれているが、現在すでに数十億人の人々が栄養不良の状態にあるのだから、食糧生産の減少は問題である。とくにアメリカは世界一の食糧輸出国であり、アメリカの農業は西部と中部に集中しているが、そこでは気温の上昇と乾燥、生産量の低下が一様に進んでいる。

平均的地球温暖化傾向の三つめの影響は、熱帯病を媒介する昆虫が温帯に移動していることである。その結果としてこれまでに生じた疾病の問題として、アメリカにおける最近のデング熱の伝染やダニの媒介による病気の流行、ヨーロッパにおける熱帯病チクングニア熱の発生や、マラリアおよびウイルス性脳炎の流行がある。

温暖化傾向の影響として私が最後に挙げるのは海水面上昇である。保守的に見積もって、今世紀中の平均海水面上昇は約九〇センチメートルになるとされるが、長い歴史をみれば二〇メートル以上も上昇したこともある。現時点における主要な不確実要因として、海洋に大量の水を流すことになる北極圏やグリーンランドの氷床の融解がある。平均上昇が九〇センチメートル程度であっても、嵐や潮の干満によって増幅されれば、フロリダやアメリカ東部の沿岸地帯、オランダ、バングラデシュの低地など人口が密集する多くの地域の居住適合性が低下し、海の魚の「ゆりかご」となる入江が損なわれる。

ときおり友人たちから、気候変動は人間社会にとって何の好影響ももたらさないのかという質問を受けることがある。もちろん、好影響はいくつかある。北極海の氷が融ければ、極北に不凍航路が開ける見込みがあるし、カナダ南部の小麦ベルトや他のいくつかの地域では小麦の生産量が増加するだろう。しかし、人間社会にとっての影響のほとんどは、大きな悪影響である。

こうした問題をすばやく修正できる技術はあるのだろうか？　地表を冷やすため、大気中に微粒子を放出する、あるいは大気中の二酸化炭素を抽出するといった地球工学的手法による提案を耳にしたことがあるだろう。しかし、効果が検証済みの手法はひとつもない。これらの手法はたいへん費用がかかるし、検証や実践には長い時間がかかり、思わぬ悪い副作用が生じる可能性も高い。

たとえば、一九四〇年代まで冷蔵庫に使われていた有害なガスに代わって、無害なフロンガスが使われるようになった。フロンガスが使われていたのは、実験室の検証ではマイナス面がまったくなかったからだ。残念ながら、実験室での検証では、フロンガスが大気中に放出されたときに人類を紫外線から守っているオゾン層を破壊しはじめることがわからなかったのだ。結果として、フロンガスはほぼ全世界で使用禁止になっているが、使用開始から数十年が経過してようやくである。となれば、地球工学についてまずは「大気中実験」が必要になるわけだが、それは不可能だ。なぜなら、地球工学の実験を重ねて一一回目で望みどおりの効果が得られるとしても、それまでの一〇回の実験で地球を破壊してしまいかねないからだ。そのため、科学者や経済学者の多くは地球工学の実験は愚の骨頂であり、致命的な危険性があるため禁止されて当然であると考えている。

このようにみてくると気候変動はもはや止めようがなく、私たちの子どもたちは生きる価値のない世界に生きるほかないのだろうか？　もちろんそうではない。気候変動の原因は圧倒的に人間の活動なのだから、気候変動を抑制するためにすべきことはそれらの活動の抑制しかない。つまり、化石燃料の使用を減らし、風力、太陽光、原子力などの再生可能エネルギーの使用を増やすことだ。

化石燃料

核兵器と世界的気候変動に加え、世界中の人間社会の未来を脅かす三つめの大きな問題は、必要不可欠な自然資源の世界的枯渇である。これはトラブルを招く方程式だ。なぜなら、資源のなかには（とくに水と木材のように）その不足が過去に社会を制約し、崩壊させたものもあれば、（とくに化石燃料、鉱物、生産性のある土地のように）戦争の原因となったものもあるからだ。自然資源の欠乏は今日の世界各地ですでに社会に損害を与えたり戦争を引き起こす脅威となったりしている。一例を詳しく検討することからはじめよう。人類が主たるエネルギー源として利用し、多くの製品に使われる化学合成物の原料である化石燃料を取り上げる（「化石燃料」とは、石油、石炭、オイルシェール、天然ガスを意味する）。

人間のあらゆる活動にはエネルギーが必要であり、とりわけものを運んだり持ち上げたりするのに大量のエネルギーが必要である。人間が進化してきた数百万年において、人間がものを運んだり持ち上げたりする唯一のエネルギー源は筋力だった。約一万年前に人間は大型動物を家畜化し、それらを使って乗り物を引き、荷物を運び、滑車やギアのシステムを使って重いものを持ち上げはじめた。つぎに風力を使って船を、（後に）

風車を動かし、ものを持ち上げたり挽いたり回したりするため、水力で水車を動かした。今日、群を抜いてもっとも広く利用されているエネルギー源は化石燃料だ。なぜなら化石燃料は一見するとローコストで（後述する）、エネルギー密度が高く（わずかな量の燃料から大量のエネルギーを取り出せる）、利用するためにどこへでも運ぶことができる（動物や水力、風力は、特定の場所でしか利用・維持できない）。だからこそ、化石燃料は近年、戦争や外交政策の動機となってきた。アメリカとイギリスの中東政策や日本の第二次世界大戦参戦を促したのはその一例だ。

　人類は古代にはすでに地表に露出していた少量の石油や石炭を利用していた。しかし、化石燃料の大規模な利用がはじまったのは一七〇〇年代に産業革命が起こってからだ。利用される化石燃料の燃料源やタイプは時とともに少しずつ変わっていった。最初に利用された燃料は、地表やその近くにあり、至極簡単かつ安価に抽出でき、抽出によるダメージももっとも小さかった。そうした最初の燃料源がほとんど枯渇すると、人間はもう少し手に入りにくい、地下の深いところにあって、抽出費用が高く、またはダメージが大きいものへと移っていった。こうして、最初の産業規模での燃料利用は、浅い鉱床からとれる石炭であり、水を汲み上げる蒸気エンジンや、紡車の動力、そして（最終的には一八〇〇年代に）蒸気船や鉄道のエンジンに使われた。産業は石炭を搾取し、つぎに石油、オイルシェール、そして天然ガスを搾取した。たとえば、地下にある石油を最初に抽出したのは一八五九年にドリルで掘られた浅い油井《ゆせい》からだったが、その後どんどん油井は深くなった。

人間がすでに「ピーク・オイル（石油産出量のピーク）」に達してしまったかどうか――つまり、人間が地球にある手の届く埋蔵石油をあまりにも大量に消費してしまったため、石油産出量はやがて減少しはじめるのかどうか――については議論がある。しかし、人間がもっとも安くてもっとも手近でもっともダメージの少ない石油をすでに使い尽くしてしまったことについては議論の余地がない。地表の石油をかき集めようとしても、ペンシルベニアの浅い油井をドリルで掘っても、もはや石油を手に入れることはできない。逆に、油井は陸地だけでなく海底でも、そして浅い海洋だけでなく深海でも、アメリカの産業の中心地であるペンシルベニアだけでなくはるか離れたニューギニアの熱帯雨林や北極圏でも、もっと深く（五〇〇メートル以上）掘らなければならない。そうした深くて遠い場所の埋蔵石油は、ペンシルベニアの浅い埋蔵石油よりも抽出するのにはるかに費用がかかる。結果として、石油流出が費用のかさむダメージを与える可能性も高くなる。石油抽出のコストが上がるにつれて、もっとダメージの大きい代替化石燃料源であるオイルシェールや石炭、あるいは風力や太陽光といった非化石燃料源はますます経済的になっている。にもかかわらず、今日でも石油価格は巨大な石油企業が高い利益を維持しつづけることができるレベルである。

先ほど、石油は一見するとローコストだと述べた。ここで、石油（あるいは石炭）の実際のコストを考えてみよう。石油の販売価格が一バレルあたり六〇ドルだとする。石油会社にとって石油の抽出や輸送のコストが二〇ドルにすぎず、他にコストがかからないとすれば、一バレルあたり六〇ドルの販売価格は石油企業に大きな利益をもたらす。

しかし、石油燃料は多くのダメージをもたらす。こうしたダメージが石油会社に課されるならば、石油価格は上がるはずだ。化石燃料を燃やすことによるダメージには、最近までアメリカやヨーロッパで深刻であり、現在ではインドと中国でとくにひどくなっている大気汚染が含まれる。大気汚染によって毎年何百万人もの人が命を落とし、医療コストも高くなる。他にも化石燃料が原因のダメージは気候変動のかたちでもたらされており、農業生産の減少や海水面の上昇対策としての防波堤の建設、洪水や旱魃による大被害への対策費用を支出せざるを得ないため、コストがかかる。

化石燃料の生産者たちが現在支払っていない、化石燃料による間接コストを理解するために役立つ例をひとつ挙げよう。あなたがハッピー・ドールと呼ばれる人形を生産する工場を経営していると仮定しよう。一トン分のハッピー・ドールの製造コストは二〇ドルだが、他社の人形の一トン分の製造コストは三〇ドルであり、ハッピー・ドールは一トンあたり六〇ドルで売れるとする。ハッピー・ドールの生産者の利益は六〇ドル引く二〇ドルとなり、とても利益率が高いため、競合他社をはるかにしのいでいる。

残念ながら、ハッピー・ドールの製造工程は副産物として大量の黒いヘドロを生み出す。競合他社の人形の製造工程ではそんな副産物はない。あなたはそのヘドロを近隣の小麦畑に廃棄し、そのため小麦の生産量は減少する。ハッピー・ドールが一トン生産されるごとに、あなたが出す黒いヘドロのせいで隣人たちの小麦の収入に七〇ドルの損失が出ている。

その結果、隣人たちはあなたに対して訴訟を起こし、ハッピー・ドールの生産一トンごとに生じる小麦収入の損失七〇ドルを支払えと主張する。あなたはたくさんの言い訳を並べてその要求に反論する。社内の科学者たちが何十年間もあの副産物についてあなたに警告してきたにもかかわらず、まず、あなたはハッピー・ドールの製造工程が黒いヘドロを生むことを否定する。それから、黒いヘドロの有害性は証明されていないとか、黒いヘドロは何百年ものあいだに自然に湧いてきたもので、製造工場から出たヘドロの量を判断するにはもっと調査が必要だとか、ハッピー・ドールは文明や私たちの高い生活水準に必要不可欠なものだからヘドロの犠牲者は口を閉じて不平を口にするのをやめるべきだ、というのである。

しかし、裁判になると、裁判官も陪審員もこのケースは議論するまでもないという。もちろん、隣人たちの小麦生産量の減少分を補償するため、ハッピー・ドールの生産一トンあたり七〇ドルを支払えというのである。結果として、ハッピー・ドールの真の製造コストは一トンあたり二〇ドルではなく、二〇ドル足す七〇ドル、つまり九〇ドルになる。ハッピー・ドールはもはや大きな利益を生む存在ではない。六〇ドルでしか売れないとしたら、九〇ドルかけて生産するのは経済的ではないからだ。今や、製造コスト三〇ドルの競合他社の人形がハッピー・ドールをはるかにしのぐ利益を上げており、逆ではないのである。

仮説として述べたハッピー・ドールと同じく、化石燃料も利益だけでなくダメージを生み出す。違いは、化石燃料を燃やすことで出る二酸化炭素は、黒いヘドロより目に見えにくいことと、先ほどの仮説の人形製造業者と異なり、化石燃料の生産者も利用者も他の人々に与えている害のコストを払わなければならない状態にはなっていないことである。しかし、たとえば、二酸化炭素排出税やその他の方法によって、化石燃料生産者や利用者は、ハッピー・ドールの製造者のように支払いを強制されるべきだという声はますます高まっている。こうした主張は、今日の化石燃料以外の代替エネルギー源を探す動きを後押しするひとつの要因になっている。

代替エネルギー源

代替エネルギー源のなかには、風力や太陽光、潮力、水力、地熱エネルギーなど、実質的に無尽蔵にみえるものもある。これらのうち潮力を除くすべてのエネルギー源がすでに「検証済み」、つまり、大規模かつ長期的に使用されている。たとえば、デンマークではすでに北海の風車から大量の電気を得ているし、アイスランドの首都レイキャビクは暖房に地熱を利用しているし、河川につくったダムによる水力発電は一〇〇年以上にわたり広く利用されている。

もちろん、こうした代替エネルギー源にもそれぞれ固有の問題がある。私が暮らす南カリフォルニアでは、大規模な太陽光発電のために、日がよく照る砂漠の動物生息地に太陽光パネルが設置されるが、これは、すでに生息数が減少しているサバクガメにとってはよくないものだ。風車は鳥やコウモリを殺すし、風車のせいで景色が台無しになると憤慨する土地の所有者もいる。河川にまたがる水力発電ダムは回遊魚にとっては障害になる。安くて問題のないエネルギー生成方法が他にあれば、私たちはきっと、サバクガメの生息地を破壊したり、鳥やコウモリを殺したり、人の景色を台無しにしたり、魚の回遊を阻害したりはしないだろう。しかし、すでに議論したように、化石燃料性の代替物には、世界的気候変動や呼吸器の病気、石油や石炭の抽出にともなうダメージがつきまとう。このように、良い解決策と悪い解決策から選ぶという選択肢があるわけではないため、問うべきは、いずれも悪い選択肢のなかからもっとも悪質でないものを選ぶならどれになるか、ということだ。

この議論の例として、風車を検討してみよう。アメリカでは、毎年少なくとも四万五〇〇〇羽の鳥やコウモリが風車に殺されているという概算がある。これは、大量の鳥とコウモリであるように聞こえる。この数を大局的に捉えるため、飼い猫を考えてみよう。飼い主の家を自由に出入りできる飼い猫は平均で一匹あたり年間三〇〇羽以上の鳥を殺しているという観察結果がある（そう、三〇〇羽以上だ。間違いではない）。アメリカで放し飼いの猫の数が一億匹と見積もられているなら、アメリカの猫は毎年三〇〇億羽の鳥を殺しているという計算になる。それに比べ、風車が殺す鳥やコウモリはほんの四万五〇〇〇羽である。風車の犠牲になる鳥やコウモリの数は、猫一五〇匹分と同じである。このように、もしアメリカの鳥やコウモリを真剣に心配するなら、風車よりもまず猫に注目すべきだといえるだろう。さらに風車を擁護するとしたら、猫は鳥に損害を与えるだけで、人間にエネルギーや汚染されていない空気や、気候変動に関する安心を与えてくれたりはしないが、風車はこれらすべてを与えてくれる。

この例をみれば、ダメージは必ずあるにせよ、風車、砂漠の太陽光パネル、ダムに利があることがわかる。これらは、化石燃料に比べて深刻なダメージをもたらさない。そのため、燃料源として化石燃料に代わる、容認可能な妥協的方法を提供すると考えられるだろう。それでも、風車や太陽光発電ではまだ化石燃料の競争相手にはならないという反論を聞くことも多い。しかし、いくつかの環境においてはすでになっているし、化石燃料のみかけの経済的優位性は誤解を招くものである。繰り返すが、化石燃料の大きな間接コスト（あのハッピー・ドールのコスト）を考えれば、代替エネルギーのほうがはるかに安くつく。

おそらくそろそろ、あの明白にして大いに恐れられている代替エネルギー、原子力発電はどうなのだろうか、とお思いのことだろう。アメリカ人のほとんど、そして他の国の国民の多くが、すぐに耳をふさいでしまう話題である。彼らがそうする理由は、経済性を別にして三つある。事故への不安、原子炉の燃料が核爆弾の製造に転用されることへの不安、そして使用済み核燃料の保管場所という未解決問題である。

広島と長崎の原爆の記憶により、多くの人々が原子炉と聞くと本能的にエネルギーではなく死と結びつける。実際、一九四五年以来、死者が出た原発事故はふたつある。旧ソ連のチェルノブイリ原発では三一人が事故直後に死亡し、数は不明だが多くの人々が被曝により後に死亡した。もうひとつは日本の福島の原発事故である。一九七九年には装置の事故とヒューマンエラーによりスリーマイル島の原発で事故が起きたが、死傷者はなく放射性物質の漏出も最小限だった。しかし、スリーマイル島事故の心理的影響は甚大だった。長年にわたり、発電用原子炉の新規発注は停止されることになった。

原子力発電にまつわる恐怖として、使用済み核燃料をどこに廃棄するかという未解決の問題がある。理想的にいえば、遠隔地、しかも地質学的に安定しているエリアにある、地震や浸水による漏出のリスクのない深い地下に永遠に保管すべきである。現在のところアメリカ国内で名前が出ている最善の場所はネバダ州の最終処分場候補地であり、物理的な条件に合っていると思われる。しかし、安全性については完全な確実性はあり得ないし、ネバダ州民の反対運動でこの最終処分場計画は撤回された。その結果、アメリカには現在も使用済み核燃料の最終処分場がない。

風車に殺される鳥とコウモリの問題で議論したように、原子力発電も欠点がないわけではない。たとえこうした欠点がなくても、原子力発電は人間の主要なエネルギー需要のすべてをカバーできない。たとえば、自動車や飛行機に原子炉を使うわけにはいかないからだ。広島と長崎の記憶は――スリーマイル島やチェルノブイリ、福島によって強化され――アメリカ人や他の国の人々の原子力発電に対する思考を麻痺させてしまっている。繰り返すが、それでも、私たちは問わねばならない――原子力のリスクは何か、代替エネルギーのリスクは何か、と。フランスは何十年にもわたり国の電気のほとんどを原子力発電でまかなってきたが、一度も事故を起こしていない。フランスは本当は事故を起こしていたかもしれず、それを認めていないのだ、という反論があったとしても信憑《しんぴょう》性はない。なぜなら、損傷した原子炉から大気中に漏出した放射性物質はたやすく他の国に検出されてしまうことが、チェルノブイリの経験からわかっているからだ。韓国、台湾、フィンランドなど多くの国が、やはり重大事故を起こすことなく原子力発電で多くの電力をまかなっている。となれば、原子炉事故の「可能性」への恐怖は、化石燃料の燃焼による大気汚染で毎年何百万人もの人々が死に、化石燃料によって生じた世界的気候変動がとてつもない荒廃をもたらす「確実性」と比較すべきである。

　アメリカがこれらのジレンマを解決するには、ふたつの要素が必須となるだろう。ひとつは一人あたりのエネルギー消費を減らすことだ。ヨーロッパ人のほうがアメリカ人よりも高い生活水準を享受しているのに、アメリカの一人あたりエネルギー消費はヨーロッパの二倍である。その要因は、ヨーロッパ諸国とアメリカでは消費者の車の購入判断に影響する政策に違いがあることだ。ヨーロッパ諸国のなかには自動車取得税が一〇〇%に設定され、自動車購入のコストが二倍となるため、国民が燃費の悪い高価な大型車を購入する意欲を削がれている国もある。また、ヨーロッパ各国ではガソリン税が高いため、ガソリン価格は一ガロンあたり九ドル（一リットルあたり約二・四ドル）以上になっており、燃費の悪い自動車の購入意欲をくじく要因になっている。アメリカでも同様に、ガソリンを湯水のように消費する車の購入意欲を削ぐような税制を導入することはできるはずだ。

　エネルギー消費全体を抑えること以外で、アメリカがエネルギーのジレンマを解決する第二の方法は、化石燃料以外の資源、すなわち風力、太陽光、潮力、水力、地熱、そしておそらく原子力から、より多くのエネルギーを得ることだろう。一九七三年のオイルショック後、アメリカ政府は代替エネルギー発電の開発者に補助金を提供していたし、アメリカの企業もそうした補助金を使って効率的な風力発電を開発した。不幸なことに、一九八〇年頃にアメリカ政府は代替エネルギーへの補助金を撤廃したため、アメリカにおける効率的な風車の市場は急激に縮小した。一方、デンマーク、ドイツ、スペイン他のヨーロッパ諸国はアメリカが開発した風車のデザインを改良し、電力需要の多くをカバーしている。同様に、中国は西部の風力発電所から人口の多い東部へ電力を供給する長距離送電線を開発した。アメリカはそうした長距離送電システムをまだ開発していない。

その他の天然資源

これまで述べてきたのは、化石燃料というひとつの資源の枯渇にともなう諸問題であり、それをエネルギー需要問題という広いコンテクストから捉えた。ここからは、自然資源の他の主要なカテゴリーと、それらが人間の未来に困難をもたらす潜在的可能性についてて議論していこう。そうしたカテゴリーのうちふたつについては、すでに第8章において、とくに日本に生じる問題との関連で取り上げた。すなわち、木材や紙、そして授粉媒介者など重要な生物学的仲介者を提供する森林と、世界的に人類のタンパク源の大部分を占める漁業資源（主に海洋の魚介類だが、湖沼や河川の魚介類も含む）である。

他のカテゴリーとしては、産業に利用されるさまざまな元素や鉱物（鉄、アルミニウム、銅、ニッケル、鉛など）、農業や林業に欠かせない肥沃な土壌、真水（飲用、洗浄用、農業用、林業用、産業用）、そして私たち全員がそのなかで暮らす大気がある。こうしたさまざまな資源が、人間にとってどのような問題になり得るかを理解するうえで、四つの重要な側面があり、資源によってそれぞれの状況は異なる。四つの側面とは、再生可能性とそれに由来する管理の問題、人間社会によって限界を迎える可能性、国際的な管轄の問題、そしてそれが引き起こし得る国際競争（戦争を含む）である。

まず、資源の再生可能性に違いがある。化石燃料と同じく鉱物は無機物だ（生物ではなく再生可能でもない）。つまり、鉱物は自己再生しないし、赤ちゃん鉱物も生まれない。地球上において現在人間が実用目的に利用できる量が、人間が持てるすべてである。対照的に、森林資源と漁業資源は再生可能な生物資源である。魚も樹木も、稚魚や若木を生む。したがって、理論的にも、そしてしばしば実際問題として、稚魚や若木が生まれるスピードよりもゆっくりと収穫することで、魚や木の量を維持、あるいは増加させることさえできるため、持続可能な活用が可能である。肥沃な土壌は、おおむね無機物に一部生物由来の成分が混じっているが、これも再生可能な資源と考えることができる。なぜなら、人間の活動によって侵食されることもある一方で、ミミズや微生物の活動によって再生されることもあるからだ。真水は再生不能な部分（たとえば帯水層の枯渇）

もあるが、再生可能な部分もある。なぜなら海洋から蒸発した水分は雨となって陸地に降り注ぎ、新たに真水をつくりだすからだ。

世界に埋蔵されている再生不能資源（鉱物と化石燃料）の世界埋蔵量の維持について私たちにできることは、適切な管理の実践しかない。しかし、管理のあり方は、再生可能な生物資源の維持にも大きな影響を与える。第8章ですでに述べたように、森林や漁業資源の持続可能な管理方法については多くの知見がある。世界の森林や漁業資源のなかには、ドイツの森林やアラスカの天然サーモン漁業のように、すでにうまく管理されているものもあるが、残念ながら、ほとんどはそうではない。乱獲が進んだ結果、樹木や魚のストックは減少あるいは消滅しつつある。たとえば、あなたが大西洋産のメカジキを最後に食べたのはいつだろうか？　答えは、何年も前のことだろう。なぜなら乱獲の結果、商業的に絶滅してしまったからだ。表土についても管理方法はわかっているが、悲しいことにしばしば管理が悪く、浸食により河川を経て海洋に流出してしまったり、肥沃さや質が落ちてしまったりしている。端的にいって、世界は現在、再生可能で価値の高い生物資源の多く、あるいはほとんどを、適切に管理していない。

第二に、人間社会によって限界を迎える可能性のある自然資源とはどれだろうか？　答えは、使い尽くす兆候のない大気中の酸素を除く、おそらくすべての自然資源である。鉱物の一部、とくに鉄とアルミニウムは、とてつもない量で存在しているので尽きることがなさそうに思われる。しかし、人間が利用してきたのは浅い層にある手近で安価に抽出できる埋蔵物であったことを考えれば、楽観はできない。化石燃料がすでにそうなっているように、時とともに、必然的により深い層にあって抽出にコストのかかる埋蔵物に頼らねばならなくなるだろう。産業に使われる他の重要な鉱物のなかには現存量がはるかに少なく、すでに埋蔵量に限りがある恐れが出ているものもある。たとえば、中国に埋蔵が集中していることが知られる、レアアースと呼ばれるものがそうだ。真水に関しては、世界にはこれほど海水があり、海水を脱塩すれば無限につくれるはずだから無限に手に入る、と考える人も多いだろう。しかし、それにはエネルギーが必要だし、すでにエネルギーは逼迫しており、使いすぎによって甚大なコストに苦しんでいるのだから、実際のところ、使える真水の量ももちろん限界がある。

つぎに、世界の資源問題を国際的な管轄の面から検討しよう。森林など、資源のなかには動かないものもある。樹木はそれが育っている国に留まるため、その管理は理論的にその国の専権事項となる（他の国も森林資源を購入したりリースしたりする可能性があるため、実際には国際的な管轄もあるが）。しかし、国際関係の複雑化は、国際的な「共有地《コモンズ》」にある資源にも、国境を越えて動く可動性のある資源にも、必ず波及する。

公海は「コモンズ」である。基線から二〇〇カイリまでは排他的経済水域（ＥＥＺ）とされるが、二〇〇カイリを超えた公海はだれのものでもない（「コモンズ」という名称は中世の広大な放牧地を指す言葉に由来している。それは個人が専有しない共有地とされ、共同利用できるものだった)。国家は二〇〇カイリの海域内の漁業を規制する法的根拠を有するが、公海ではどの国のどんな漁船であれ、好きな場所で魚を獲ることができる。他にも三つの潜在価値のある自然が国境を越えたコモンズに属している。海洋中の鉱物、南極の氷のなかにある真水、そして海底にある鉱物である。この三つを利用するための試みはすでにおこなわれている。第一次世界大戦後、ドイツの化学者フリッツ・ハーバーは海洋水から金を抽出する方法を研究したし、南極から氷山を曳行《えいこう》して水不足の中東諸国に届けるという試みも少なくとも一度はおこなわれたし、海底から鉱物を掘り出す試みはもっと進んでいる。しかし、コモンズにある三つの資源の利用はいずれもいまだ実用性が検証されていない。人類が現在直面しているコモンズの問題は、公海での漁業「だけ」である。

他に国際関係の複雑化を招く可能性のある資源は、国のあいだを移動するものだ。動物の多くは定期的に移動する習性を持ち、国境も越える。経済的にもっとも重要なのは、マグロなどの商業的価値の高い海洋魚、川魚の一部、渡りをおこなう陸生動物や鳥類である(河川のサーモン、北極圏のトナカイ、アフリカのサバンナのアンテロープなど)。そのため、一国の漁船が回遊魚を乱獲すると、他の国も利用できるかもしれない魚を枯渇させてしまう。真水も移動する。河川の多くはふたつ以上の国を流れ、多くの湖沼はふたつ以上の国にまたがっているため、他の国が使いたい真水をある国が引き尽くしたり汚染したりしてしまうことがある。こうした利用価値のある移動性の自然資源は水や大気のなかに存在していることに加え、人間の活動が水や大気中に移動性の有害物を排出し、それが水流や風に乗って国から国へと運ばれてしまうことがある。たとえば、インドネシアの森林火災の煙は隣接するマレーシアやシンガポールに流れ、大気の質に深刻な害を与えたし、中国や中央アジアの微粒子状物質は日本や北米にまで飛散している。また、河川はプラスチックを運び、はるかかなたの海洋や岸辺にまで到達している。

最後に、資源をめぐる国際競争を考察しよう。これは大きな問題だ。なぜなら友好的に解決できなければ、国々は戦争による解決を求めるかもしれないからだ。これは石油をめぐる国際競争の事例としてすでに起こっており、日本の第二次世界大戦参戦や、銅や硝石を豊富に埋蔵するアタカマ砂漠をめぐってチリがボリビアやペルーと戦った太平洋戦争（一八七九〜八三年）の発端となった。今日、中国、インド、東南アジア各国を流れる大河の水源であるヒマラヤ山脈の氷河の水など、世界各地で水をめぐる深刻な競争が起こっている。メコン川や東南アジアを流れる河川の場合、上流の国がダムをつくれば栄養豊かな堆積物が下流の国々に届かなくなる。西アフリカの沖合では、EU、中国、西アフリカ諸国の漁船のあいだで競争が生じている。他にも資源をめぐる国際的な「争奪戦」は、熱帯雨林で育つ硬材を求める温帯の先進国のあいだで起こっている。産業用のレアアースをめぐる競争や、アフリカで中国が土地を借りて農業をおこなうなど土壌をめぐる競争もある。端的にいって、世界人口と消費が伸びるにしたがい、限られた資源をめぐる国際競争が原因となり、多くの、じつに多くの紛争がさらに起こると思われる。

格差

石油や金属といった資源の国民一人あたりの平均消費量や、プラスチックごみや温室効果ガスのような廃棄物の国民一人あたりの平均排出量は、先進国が発展途上国の最大三二倍である。たとえば、毎年、平均的アメリカ人は、貧困国の平均的国民の約三二倍のガソリンを使い、約三二倍のプラスチックごみと二酸化炭素を出している。三二倍という数字は、発展途上国の人々の行動に大きな影響を与えるだけでなく、人類全体の未来にも影響を与える。これが、文明やヒトという種を脅かすと私が考えている四つめの問題である。

経緯を理解するために、世界人口に関する懸念事項を振り返ろう。現在の世界人口は七五億人を超えており、五〇年以内におよそ九五億人まで増える可能性がある。数十年前には、多くの人々が人口こそ人類が直面している最大の問題だと考えていた。だが人口は、本当に重要な結果を生む二要因のうちのひとつでしかないことがわかってきた。本当に重要な結果とは、世界中の各地域の消費量を合計した世界総消費量であり、「各地域の人口」と「各地域の一人あたり平均消費量」の掛け算で導かれる。

人口が問題になるのは人々が消費と生産をおこなう場合のみだ。もし世界の七五億人のほとんどが低温貯蔵ロッカーにいて代謝も消費もしないのなら、資源問題も生じない。先進国には約一〇億人の人々がおり、そのほとんどは北米、ヨーロッパ、日本、オーストラリアに暮らし、一人あたり平均消費率（途上国を一としたときの相対値）が最大三二である。発展途上国に暮らす残り六五億人の人々のほとんどは、一人あたり平均消費率は三二よりも低く、大半が一に近い。こうした数字は、ほとんどの資源消費が先進国によるものであることを示している。

にもかかわらず、人口だけにこだわりつづける人々もいる。ケニアのような国は人口成長率が年間四％を超えており、大問題だという。たしかに問題ではあるし、五〇〇〇万人のケニア国民にとってはとりわけそうだ。しかし、世界全体にとってもっと大きな問題は、ケニア人の六・六倍にもなる三億三〇〇〇万人のわれわれアメリカ人の一人ひとりが、ケニア人一人の三二倍の資源を消費しているということだ。アメリカとケニアの比率（人口は六・六対一、平均消費率は三二対一）を掛けると、アメリカはケニアの二一〇倍もの資源を消費していることがわかるだろう。他の例を挙げれば、六〇〇〇万人のイタリア国民は、アフリカ大陸全体に暮らす一〇億人の約二倍の資源を消費している。

近年まで、貧困国の人々の存在は先進国にとって脅威ではなかった。向こうにいる「彼ら」は先進国のライフスタイルをよく知らないし、もし知ったら羨望や怒りを感じただろうが、それに対してできることはあまりなかった。何十年も前のこと、アメリカ人外交官たちは、世界の国のなかでアメリカの国益にもっともかかわりのない国はどこかを議論するゲームをしたものだった。人気のある答えは「アフガニスタン」と「ソマリア」だった。いずれも非常に貧しく、非常に離れているため、アメリカにとっての問題となるようなことは何もできないと思われていたのだ。皮肉なことに、その後これらの二カ国は脅威とみなされ、アメリカは両国に軍を送ったし、アフガニスタンには今もアメリカ軍が駐留している。

遠く離れた貧困国が富裕国にとっての問題を生み出す理由は「グローバル化」という一言に集約できる。つまり、世界中のあらゆる地域のつながりが増したのである。とくに、コミュニケーションと旅行がますます楽にできるようになったため、発展途上国の人々も今では世界各地の消費率や生活水準に大きな差があることを知っており、彼らの多くが今では富裕国に旅することができる。

グローバル化によって世界の生活水準の差を擁護できなくなったことの結果のうち、

三つがとくに重要である。ひとつは貧困国から富裕国への新しい病気の拡散である。この数十年間に広まった恐ろしい致命的疾病は、しばしば公共衛生基準の脆弱な貧困国の風土病を旅行者が富裕国に持ち込んだものだった。コレラ、エボラ、インフルエンザ、HIVなどだが、こうした病気の到来は増えるだろう。

新しい病気の拡散はグローバル化の意図せぬ結果だが、グローバル化が可能にした結果のうちふたつめには人間の意図がかかわっている。貧困国の多くの人々が、世界の他の地域で営まれている快適なライフスタイルを知り、不満と怒りをつのらせている。なかにはテロリストになるものもいるし、多くはテロリストにならずとも、テロリストを容認あるいは支持している。二〇〇一年九月一一日のワールド・トレード・センタービルへの攻撃以来、かつてはアメリカを防護してきたふたつの大洋がもはやアメリカ人を守ってくれないことが明らかになった。今後もアメリカやヨーロッパに対するテロリストの攻撃は確実に増えるだろうし、将来は日本やオーストラリアに対してもおそらく起こるだろう——消費量の差が三二倍のままである限り。

当然のことながら、グローバルな格差自体はテロリストの行動の直接的原因ではない。宗教的原理主義や個人の心理も重要な役割を果たしている。どの国にも怒りにかられて正気を失い、他者の殺害に走る個人は存在する。貧困国に限ったことではない。アメリカにはオクラホマシティにおいてトラック爆弾で一六八人を殺害したティモシー・マクベイや、注意深く設計した爆弾を郵便小包で送りつけて三人を殺害し二三人を負傷させたセオドア・カジンスキーがいた。ノルウェーではアンネシュ・ベーリング・ブレイビクが爆弾と銃により七七人を殺害し三一七人を負傷させ、被害者の多くは子どもだった。しかしこれら三人のテロリストは正気ではない孤立した個人であり、幅広く支持されたりはしなかった。なぜなら、大半のアメリカ人やノルウェー人はそこまでの絶望や怒りに苦しんではいないからだ。国民の多くが絶望や怒りを抱えているのは貧困国であり、そこではテロリストが容認あるいは支持されている。

三二倍という格差がグローバル化との組み合わせによりもたらす三つめの結果は、低消費生活を送ってきた人々が高消費のライフスタイルを求めるようになることだ。第一に、発展途上国の政府は消費率も含めた生活水準の上昇を国家政策の最重要目標とみなしている。第二に、発展途上国に暮らす何千万もの人々は、自分が生きているうちに政府が高い生活水準を実現できるかどうかを静観するつもりなどない。許可があろうがなかろうが、発展途上国、とくにアフリカやアジアの一部や中南米から、先進国、とくに西欧やアメリカ、オーストラリアに移民して、そのライフスタイルを今すぐ実現したいと望んでいる。移民の排除が不可能であることは検証済みだ。ほとんどの移民の消費がすぐに三二倍になることはないにせよ、低消費国から高消費国へ一人移住するごとに世界の消費率は上がる。

夢見る先進国のライフスタイルを全員が叶えることはできるのだろうか？　数字で考えてみよう。国ごとの現在の人口に国民一人あたりの（石油、金属、水などの）消費量を掛け、その合計を出す。それがその資源の世界消費量である。つぎに、すべての発展途上国が先進国の消費量（途上国の最大三二倍）に達したとして、この計算を繰り返す。各国の人口など他の条件は変化しないものとする。結果として、世界の消費量は一一倍になる。これは、現在の一人あたり平均消費量のままで世界人口が約八〇〇億人になるのと同じである。

世界人口が九五億人になっても大丈夫だと楽観視する人もいる。しかし八〇〇億人の世界を維持できるというほどの楽天家にはお目にかかったことがない。それでも、私たちは発展途上国に対して、誠実な政府や自由市場経済など良い政策を採用するなら今日の先進国のようになれると約束する。そんな約束はまったく不可能であり、悪質なでっちあげだ。世界人口七五億人のうちたった一〇億人が現在の先進国のライフスタイルを維持するのすら、すでに難しくなっているのである。

アメリカ人はしばしば中国や他の発展途上国の消費の増加を「問題」だといい、そんな「問題」が存在しなければ、と願う。とはいえ、もちろん、その問題とやらは存在しつづけるだろう。中国や他の発展途上国の人々は、アメリカ人がすでに享受している消費率を享受しようと努力しているだけのことである。グローバル化する世界のために中国、インド、ブラジル、インドネシア、アフリカ諸国、そして他の発展途上国が受け入れるであろう唯一の持続可能な結果とは、消費率と生活水準が世界中でほとんど同じになる状態だ。しかし、世界には現在の先進国を持続可能なかたちで支える資源すら十分にないのに、ましてや発展途上国が現在の先進国レベルになったらどうなるだろうか？厄災が約束されているようなものなのだろうか？

答えはノーだ。先進諸国と他の国々が現在の先進諸国の消費率よりもかなり低いレベルに集約されれば、安定的な状況を得られるだろう。アメリカ人のほとんどは反論することだろう。世界の他の人々の利益のためだけに自分たちの生活水準を犠牲にするなんてとんでもない！と。ディック・チェイニーが、「アメリカ的生活様式を譲ることなど不可能だ」と述べたように。しかし世界の資源レベルの残酷な現実をみれば、アメリカ的生活様式も変化していくことは避けられない。世界資源をめぐる現実をなくすことなど不可能である。アメリカ人は、そうしようと決意するしないにかかわらず、消費率を犠牲にすることになるのは確実だ。なぜなら世界は現在の消費率を維持できないからである。

だからといって、真の意味での犠牲になるとは限らない。なぜなら消費率と人間の幸福は関連性はあっても切り離せないものではないからだ。アメリカの消費の多くは無駄だらけであり、質の高い生活に寄与していない。たとえば、西欧諸国の国民一人あたり石油消費量はアメリカの半分だが、寿命や健康、幼児死亡率、医療へのアクセス、定年退職後の経済的安定、休暇、公立学校の質、芸術への支援など生活の豊かさに関しては、有意な基準のいずれをとっても西欧の平均のほうがアメリカの平均より高い。本書のこのページを読み終わったら、アメリカ人は通りに出て、行き交う自動車を眺め、燃費を推測し、無駄だらけのアメリカのガソリン消費が先ほどの生活の質の評価基準のいずれかにプラスにはたらいているかどうか自問してみよう。すでに議論した世界の漁場や森林における無駄だらけで破壊的な搾取など、石油以外にもアメリカや他の先進諸国において消費に無駄の多い分野は他にもある。

手短にいって、私たちのほとんどが生きているあいだに、先進諸国の国民一人あたり消費率が現在より低くなるのは確実だ。唯一の問題は、私たちが選択した計画や手法によってそうした結果に到達するのか、それとも選択したわけではない不愉快な方法によってか、ということだ。私たちのほとんどが生きているあいだに人口の多い発展途上国の多くにおいて国民一人あたり消費率が先進諸国の三二分の一に留まらなくなり、現在よりも先進諸国の消費率に近づくのも確実だ。こうした傾向は、アメリカ人が抵抗すべき恐ろしい展望どころか、むしろ望ましい目標である。そうした目標の達成に向かって前進していることも私たちはすでに十分に知っている。肝心なことで欠けているのは、必要な政治的意思である。

危機の枠組み

以上が、世界が直面している最大の問題だと私が考えているものだ。危機の枠組みにあてはめてみると、人類がこうした問題を解決するにあたり、どれが促進要因でどれが阻害要因になるのだろうか？

私たちがとてつもない障害に直面しているのは否定できない。手本となる過去の事例がほとんどないことから、本書の前章までで取り上げた七カ国がそれぞれに直面した国家的危機の事例よりも、世界の諸問題を解決する世界全体の努力は人類を未踏の領域に押し出す。全体としての世界と一つひとつの国の違いを考えてみればいい。私たちが議論してきた国は一貫したナショナル・アイデンティティと価値観を共有しており、異なるアイデンティティや異なる価値観を持つ他国と自国を区別する。七つの国家は長きにわたって確立された国政を議論する場と、過去の国家的危機への対処事例があり、歴史を参照することで着想も得られる。これらの国々はすべて、変化し、適応していくための物質的支援やアドバイス、手本を提供してくれる友好国から恩恵を受けている。

しかし、世界全体となると、国家が持つこれらの、あるいは他の利点が欠けている。居住者がいて支援を求められるような惑星（表1・2の要因4）、あるいは解決策の手本となる社会のある惑星（要因5）との接触はない。他の惑星には全体に浸透しているアイデンティティや価値観があるかもしれないが、人類には共有されたアイデンティティの広い認識（要因6）や共有された基本的価値観（要因11）が欠けている。史上初めて、人類は真の地球規模の課題に直面している。過去にこうした課題を経験したこと（要因8）はなく、その解決に失敗した経験（要因9）もない。世界規模で対処して成功した前例は限られている。国際連盟と国際連合は史上初の組織的な試みであり、成功した面もあるが、世界問題に匹敵する規模での成功はしていない。世界の危機に対する世界全体の共通認識（要因1）はなく、世界規模での公正な自己評価（要因7）もない。選択の自由（要因12）は厳しい条件によって限られている――すなわち、避けられそうにない世界の資源の枯渇、二酸化炭素レベルの上昇、世界規模の格差により、人類が実験・操作できる余地はほとんどない。こうした残酷な現実のすべてが、人類にまともな未来はないと多くの人を悲観的にさせ、あるいは絶望させている。

にもかかわらず、世界の諸問題の解決に向けて、三つの異なるルートですでに前進も起こっている。ひとつは、二国間あるいは多国間の協定という長年にわたる試験済みのルートである。政治的集団のあいだでの交渉や合意は少なくとも文字や文書と同じくらい長く（五〇〇〇年以上）存在していることがわかっている。現在でも文字を持たない集団や部族も合意を交わしていることから、政治交渉の歴史は主権国家の政府より前、現生人類が登場した数万年前まで遡《さかのぼ》るのは確実だ。とくに、本章で議論した四つの世界問題は、近年の二国間および多国間交渉の議題となっている。

ひとつだけ例を挙げよう。解決された問題がもっとも喫緊の問題のひとつだったからではなく（実際そうではなかった）、イスラエルとレバノンという、他のケースではもっとも厳しい敵対関係にはまりこむ二国でさえ合意に達する可能性があることを示す例だからだ。イスラエルはレバノンに侵攻し、その一部を占領したことがある。レバノンはイスラエルへ向けたロケット攻撃の基地になっていたことがある。にもかかわらず、両国の野鳥観察家が画期的な合意達成を成功させた。ワシなどの大型渡り鳥は季節ごとにヨーロッパとアフリカを行き来しており、毎年秋にレバノンからイスラエルを通って南下し、毎年春にイスラエルからレバノンを通って北上する。飛行機はこうした大型の鳥と衝突し、しばしば両者にダメージを与える（この文を書いている一年前、私と家族が乗った小型チャーター機もワシと衝突したが、私たちは無事だった。機体は凹んだが墜落しなかったのだ。ワシは死んだ）。こうした衝突はレバノンとイスラエルの両国で死者の出る飛行機事故の主要な原因になっていた。このことが両国の野鳥観察家たちを刺激し、彼らは相互警告システムを確立した。秋には、レバノンの野鳥観察家たちがレバノン上空でイスラエルに向かって南下する鳥の群れを見たら、イスラエルの野鳥観察家たちと管制官たちに警告し、春にはイスラエルの野鳥観察家たちが北上する鳥の群れの警告を発する。相互に利益のある合意であることは明白だが、はびこる憎悪を乗り越え、鳥と飛行機だけに集中するには何年もの議論が必要だった。

もちろん、たった二カ国の協定、あるいは数カ国の協定であっても、世界を構成する全二一六カ国の協定にはまったく足りていない。しかし、それでも、世界的協定へ向けた大きな一歩になる。なぜなら、たった数カ国で世界の人口と経済の大部分を占める場合もあるからだ。中国とインドのたった二カ国だけで世界人口の三分の一を占めるし、アメリカと中国の組み合わせは世界の二酸化炭素排出量とGDPの四一%を占める。中国、インド、アメリカ、日本、EUの五者なら六〇%だ。中国とアメリカはすでに二酸化炭素排出に関して原則合意に達している。その後インド、日本、EUがパリ協定に参加し、二〇一六年から効力が発生している。もちろんパリ協定だけで十分ではない。本格的な実施機構がないし、翌年にはアメリカ政府が脱退の意思を表明したためだ。しかし、それでもパリ協定はより良い未来のための合意達成のモデルあるいは出発点になる可能性が高い。たとえ二酸化炭素排出量の少ない他の二〇〇カ国が将来こうした協定に参加しなくても、世界の五大国・地域による合意は、二酸化炭素排出問題の解決に向けて大きな役割を果たし得るだろう。なぜなら、五大国・地域は従わない国々に対して関税や炭素税を掛けることで、他の二〇〇カ国にプレッシャーをかけられるからだ。

世界的諸問題の解決に向けた別のルートは、地域内の国家間協定である。こうした協定はすでに北米、中南米、ヨーロッパ、東南アジア、アフリカなどの地域グループにある。もっとも多種多様な機関、合意内容、規則を持つ最も先進的な地域協定はヨーロッパ連合（ＥＵ）のもとで結ばれたものであり、ＥＵには現在は二七カ国が加盟している。もちろんＥＵといえば不和や後退、ブレグジットや他の政治的離脱の可能性などが即座に思い浮かぶ。それも予測されたことである。なぜならＥＵは、ヨーロッパにとってだけでなく世界のどの地域にとっても、これまでになく大きく急進的な一歩を踏み出したからだ。

だがＥＵに対する悲観主義に圧倒されてしまう前に、第二次世界大戦末期の一九四五年当時の疲弊し切ったヨーロッパの状態を思い起こし、それからＥＵが達成してきたことを考えてほしい。ヨーロッパ諸国は過去数千年のほとんどを戦争に明け暮れ、その果てに世界史上もっとも破滅的なふたつの戦争を戦ったが、その後ＥＵの前身組織が一九五〇年代に設立されて以来、加盟国同士は一度も戦争をしていない。一九五〇年に私が初めてヨーロッパを訪れたとき、すべての国境で入国審査がおこなわれていた。しかし現在では、ＥＵ加盟国間の国境を越える往来に関する制限ははるかに限定されている。私は一九五八年から六二年までイギリスに住んでいたが、当時イギリス人科学者でヨーロッパ大陸にある大学で終身教授職および研究職を持っている人、あるいはその逆のケースは非常に少なく、私の研究分野では片手で数えられるほどしかいなかった。現在では、EU諸国の大学の職のかなりの数を外国人が占める。EU諸国の経済は実質的に統合されている。EU諸国のほとんどが共通通貨ユーロを使用している。エネルギー、資源利用、移民といった重要な世界問題について、EUは議論を交わし、共通政策を採用することもある。繰り返すが、EU内に存在する不和は私もすべて認識している――しかし、どんな個別の国家にも必ず不和が存在することを忘れてはいけない。

他に、より焦点を絞った地域協定の例として、域内の病気を撲滅するための取り組みがある。大きな成功例が牛疫撲滅活動だ。牛疫はかつてたいへん恐れられた牛の病気であり、アフリカやアジア、ヨーロッパの広い地域が甚大なコストに苦しんだ。数十年という長きにわたり地域的な活動がつづけられ、二〇〇一年以降は牛疫の症例は報告されていない。南北の両半球で進行中の大規模な活動としてはギニア虫や河川盲目症の撲滅活動がある。このように、地域協定は、超国家的問題の解決に向けたすでに試験済みの第二のルートとなっている。

第三のルートは世界的協定である。これは世界機関によって長い時間をかけて打ち出され、包括的な活動目的を持つ国際連合だけでなく、農業、動物密売、航空、漁業、食糧、保健、捕鯨など、より特定の活動目的を持った世界組織によっても達成される。EUについてもそうだが、国連や国際機関について斜に構えるのは簡単だ。これらの機関の権力は概してEUが持つ権力より弱く、ほとんどの国家が自国内で有する権力よりもはるかに弱い。しかし、国際機関はすでに多くの目標を達成しており、さらなる進歩のためのメカニズムも提供する。大きな成功としては、一九八〇年の天然痘の世界根絶、オゾン層保護のために採択された一九八七年のモントリオール議定書、船舶の石油カーゴタンクと水バラストタンクの分離を義務づけ、石油の海上輸送には二重船側構造でなければならないとした一九七八年のマルポール条約、排他的経済水域を設定した一九九四年の国連海洋法条約、海底鉱物資源の利用に関する法的枠組みを定めた国際海底機構などがある。

グローバル化は問題の原因になるだけでなく、問題解決を促進する。今日におけるグローバル化の不吉な一側面は、資源競争、世界戦争、汚染物質、温室効果ガス、疾病、人々の移動などさまざまな問題が世界中に拡大、拡散することである。しかし、グローバル化は楽観材料を提供するものでもあって、そうした世界的問題の解決に寄与する要因を拡大、拡散するのだ。そのような要因としては、情報、コミュニケーション、気候変動の認識、少数の世界的主要言語、地球上の他の地域の状態や問題解決策の知識、そして、世界は相互依存関係にあり、成功も失敗も一蓮托生《いちれんたくしょう》だという認識がある。二〇〇五年に出版した『文明崩壊』で私は、問題と解決策の緊張関係を競馬のレースになぞらえた。つまり、破壊という馬と希望という馬のレースである。それは、両方の馬が全距離をほぼ一貫してトップスピードで走りつづける通常のレースではなく、二頭の馬のスピードがそれぞれ指数関数的に速くなるレースである。

二〇〇五年の執筆時、どちらの馬がレースに勝つのか明らかではなかった。この文を書いているのは二〇一九年だが、どちらの馬も過去一四年にわたり加速しつづけている。私たちが抱える諸問題、とりわけ世界人口と世界消費は、二〇〇五年以来著しく増大した。諸問題に対する世界の認識もそれらを解決するための世界的取り組みも、二〇〇五年以来著しく拡大した。どちらの馬がレースに勝つか、今もまだ明らかではない。しかし、良かれ悪しかれ、レースの結果が判明するまでの時間が減ってきているのはたしかである。

エピローグ

教訓、疑問、そして展望

一二の要因

この最終章ではまず、第1章で国家的危機の帰結に影響を与えると仮定した一二の要因が、サンプルとして取り上げた七カ国に実際にどのようにあてはまるかを要約することからはじめたい。つぎにそのサンプルを使って、危機について人々がしばしば私に問うふたつの一般的な疑問を検討する。すなわち、国家が大きな変化を遂げるためには、危機を引き起こす急激な大変動が必要なのかどうか、そして、歴史がたどる道筋は特定の指導者に大きく依存するのかどうか、というふたつの問いである。それから、危機をより深く理解するための戦略を提示する。最後に、その理解から引き出せる未来への教訓を問う。

1　危機に陥っていることを認める

危機を認識することは、個人のほうが国家よりも簡単だ。個人の場合は、多数の国民がコンセンサスにいたる必要はなく、危機に陥っていることを認識するもしないも判断するのはたった一人の人間だからだ。しかし個人であっても、答えはイエスまたはノーというシンプルなものではないかもしれない。複雑化する要因が少なくとも三つあるからだ。まず、当初は危機にあることを否定する可能性がある。また、問題の一部しか認識しない可能性や、危機の深刻さを侮る可能性もある。それでも、危機にあれば最後には「大声で助けを求める」だろう。現実には、そのときが危機を認識する瞬間だ。国家的危機にも同じ三つの複雑化要因があるし、加えて四つめの要因もある。国家は少数の指導者たちと多数の追随者、そして、さまざまな集団に分かれた大勢の人々で構成されている。こうした集団と、指導者たちと追随者たちは、往々にして認識のありかたが異なっている。

個人と同様に国家も、当初は問題を無視し、否定し、あるいは過小評価するかもしれないが、外部的事象によって否認の局面は終了する。たとえば一八五三年よりも前に、明治日本は西洋が中国に戦争（一八三九〜四二年のアヘン戦争）をしかけ、日本に対する西洋の脅威が高まっていたことを知っていた。しかし、日本はそれを危機とは認識せず、一八五三年七月八日のペリー来航まで改革の議論をはじめることはなかった。同様に一九三〇年代後半、フィンランドはソ連の要求を受け取っており、ソ連は人口が多く強大な軍隊を持っていることを知っていたが、一九三九年一一月三〇日にソ連の攻撃を受けるまで脅迫を深刻に受け止めていなかった。ことが生じると、フィンランド人は一夜にしてほぼ全会一致で反撃を決めた。対照的に、ペリー来航によって日本人は速やかに自国が喫緊の課題に直面していることについては意見が一致したが、最善の対応策について倒幕派は幕府の意向に同意しなかった。この対立は一五年後に倒幕派が幕府を倒してようやく解決された。

国家的危機をきっかけに、国が何らかの大きな問題に苦しんでいるという認識で広く一致しても、何が問題なのかについては意見が分かれることもある。チリでは、アジェンデと左派はチリの国家体制にこそ問題があり改革の必要性があるとみていたのに対し、右派はアジェンデと彼の改革案こそ問題だとみていた。同様に、インドネシアでは、共産党はインドネシア政府に改革の必要があるとして問題視していたのに対し、インドネシア軍は共産党とその改革案こそ問題であるとみていた。どちらの場合も、危機は最終的に国家的合意にいたって解決されたわけではないし、一集団が軍事力で制圧したあと敗者を助命し寛大に扱うことで解決にいたったわけでもない（江戸幕府の最後の将軍は敗北後に引退生活を送ることを許され、明治維新後四五年間生きながらえた）。チリとインドネシアでは、勝者が敗者集団の多くを殲滅《せんめつ》することで危機が消滅した。

第二次世界大戦後のオーストラリアとドイツは、危機の拡大を長きにわたって否定した例だ。オーストラリアは長いあいだ、イギリスとのつながりや白豪主義にこだわっていた。ドイツは長いあいだ、ナチスの犯罪に対する多数のふつうのドイツ人の責任や、東方領土喪失、東欧諸国の共産主義化という不愉快だが変えられない現実を否定していた。これらの問題は、オーストラリアやドイツの有権者がゆっくりと民主主義的プロセスをたどり、政府の政策を変える国家的合意に到達することで解決された。

最後に、本書を執筆の時点で、日本とアメリカは大きな問題についていまだに自国に都合の悪い部分を否定している。日本は現在、いくつかの問題（巨額の国債発行残高と高齢化）を認識しているが、日本の女性の役割という問題については認識が十分でない。他に、今も否定をつづけている問題もある。すなわち、人口問題解決のための移民受け入れという選択肢に反対しているし、中国および韓国との緊張関係の原因である歴史問題を否定しているし、海外の自然資源の獲得ばかりに走って持続可能な管理を顧みないという政策が今や時代遅れであることを認めていない。アメリカも大きな問題をいまだに否定しつづけている。すなわち、政治の二極化、投票率の低下、有権者登録への障害、格差、社会的流動性の低さ、公共財への政府投資の減少である。

2　責任を受け入れる。被害者意識や自己憐憫、他者を責めることを避ける

個人的危機の解決において、危機の認識という第一段階につづくのは、個人としての責任を受け入れることだ。すなわち、自己憐憫にふけったり、自分をもっぱら犠牲者とみなしたりしないようにし、個人が変わる必要性を認識することである。個人についてと同じく国家にとってもあてはまるが、先ほど述べたように国家全体の認識についても同様の複雑化要因がある。つまり、責任を受け入れることや自己憐憫を避けることは個人にとっても国家にとってもイエスとノーで割り切れる単純な問題ではないし、国家は多様な集団、指導者と追随者たちで構成されており、彼らのものの見方は往々にして異なるものである。

本書で取り上げた七カ国は、責任の受容と否定のさまざまなありかたを示す例だ。自己憐憫を避けた事例はフィンランドと明治日本だ。一九四四年以降、フィンランドは自己憐憫で麻痺したり、犠牲者の立場ばかり強調したり、フィンランド侵攻やフィンランド人の殺害でソ連を非難しつづけたりする可能性もあった。しかし、フィンランド国民はソ連と交渉しなければならないという認識を持っていた。フィンランドはソ連と継続的に政治的対話をつづけ、信頼を勝ち取り、多くの実のある結果を手にした。ソ連はヘルシンキ近郊のポルッカラに駐留していた海軍を撤退させ、フィンランドに科した賠償金を減額したうえで期限を延長し、フィンランドの欧州経済共同体（ＥＥＣ）との自由

貿易協定締結や欧州自由貿易連合（EFTA）参加を容認した。ソ連が崩壊してずいぶん経った今日でさえ、フィンランドは失ったカレリア地方の返還への働きかけはしていない。同様に、明治日本は数十年にわたって西洋列強の脅威にさらされ、不平等条約を締結させられていた。しかし、日本は自国を犠牲者とみなしてはいなかった。むしろ、対抗できるだけの実力をつけることを国家の責任だと捉え、その目標に集中していた。

逆の例、すなわち問題の責任は自国より他国にあるとした例はオーストラリアで、シンガポール陥落に際し、第二次世界大戦前に防衛拡大を怠った自国の責任を認めず、イギリスの「裏切り」だと責めた。同様に、オーストラリアはイギリスがEECに加盟しようとすると最初は裏切りだと責め、後になってようやく、イギリスはイギリスで国益を追求しなくてはならないという認識を痛みとともに受け入れた。こうした他国を責める態度は、オーストラリアがアジア諸国との経済・政治関係を発展させるうえでマイナスにはたらいた可能性がある。

責任を否定することがきわめて悲惨な結果をもたらした例が、第一次世界大戦後のドイツである。戦争に負けたのは軍事力において連合国に圧倒的に劣っていたからではなく、国内の社会主義者に「裏切られた」からであるというナチスや多くのドイツ人の間違った主張を、ドイツ国民の大半が受け入れてしまった。ナチスやドイツ人はヴェルサイユ条約の不公平さにばかり目を向けた。皇帝ヴィルヘルム二世とその政府による戦前のさまざまな判断ミスが重なり、ドイツは軍事的条件が整わないまま戦争に突入して惨敗を喫したために、ヴェルサイユ条約を押し付けられたのだという事実を、ドイツ国民は認めなかった。こうしてみずからの責任を否定し、自己を犠牲者とみなして自己憐憫にふけっていた結果がナチスへの支持となり、第二次世界大戦につながって、ドイツにさらなる厄災をもたらした。

責任の受容をめぐって同時期に対照的な方法をとった顕著な例が、第二次世界大戦後のドイツと日本だ。両国はともに戦争をはじめた全面的な責任があった。第一次世界大戦のときのドイツとは異なり、第二次世界大戦では、両国の敵となる連合国側には戦争をはじめた責任はなかった。第二次世界大戦中、ドイツと日本は他国民に対して恐ろしい行為をおこない、自国民もまた恐ろしい苦しみを経験した。その事実への対応は、ドイツと日本では対照的だった。ドイツは戦時中に亡くなった数百万人のドイツ国民の犠牲（連合国が戦争に勝たなければ戦争犯罪とされたであろう連合国によるドイツ諸都市への空爆による犠牲者も含む）を強調し、自己憐憫にふけることもできただろう。東から進軍してきたソ連軍に一〇〇万人のドイツ人女性がレイプされ、戦後は領土の多くを失った。それでも、ドイツにおいてはナチスの犯罪が広く認識されており、学校でもナチスの犯罪とドイツの責任についての教育がおこなわれ、戦時中のドイツの行為によって多くの犠牲者を出したポーランドなどの国々とも良好な関係を確立している。対照的に、日本は戦争を開始した責任のほとんどを否定しつづけている。日本に広がっている見解とは、日本はアメリカの企みにはまって真珠湾を攻撃して戦争がはじまったというもので、日本がその四年前からすでに中国に対して宣戦布告もせずに大規模な戦争をはじめていたという事実を無視している。日本は中国や韓国の民間人および連合国の捕虜に対する犯罪責任も否定しつづけている。一方で日本は自己憐憫に陥り原爆の被害者としての立場にばかり目を向けており、原爆が落とされなければ起こったであろうさらに悪い事態について冷静に議論することはない。そうした否定、被害者としての自己憐憫が、強大な中国や韓国といった隣国との関係を害しており、日本にとって大きなリスクとなっている。

3　囲いをつくる／選択的変化

第2章から第7章にかけて論じた六カ国はすべて、危機への対応として選択的変化を採り入れた。変化が進行中の例として取り上げた二国（日本とアメリカ）もまさに今、そうした行動をとっており、日本のほうがアメリカよりその傾向が強い。いずれの国も、特定の政策についてのみ変化を遂げたり、あるいは変化を議論したりしているところだ。変化の受容と非受容のコントラストにおいて非常に示唆に富んでいるのは、明治日本とフィンランドだ。明治日本は政治、法律、社会、文化などさまざまな分野において西洋化した。しかし、いずれの分野においても、日本はただ西洋をコピーしたわけではない。むしろ、数多くの西洋のモデルのなかから日本にもっとも適したものを求め、日本の状況に合わせて手を加えた。同時に、天皇への崇敬、漢字の使用など日本社会の他のさまざまな基本的な側面は変えなかった。同様に、フィンランドは、共産主義のソ連と継続的な対話をつづけ、行動の自由をいくぶん犠牲にし、農業国から近代的工業国にシフトすることにより変化した。同時に、他の面では自由民主主義を維持し、旧ソ連（現在のロシア）に隣接する他のヨーロッパ諸国よりもはるかに多くの行動の自由を確保している。結果としてフィンランドの行動には明らかな矛盾がみられるし、フィンランド人以外の人々からひどく批判されたが、他国はフィンランドの地理的位置がもたらす残酷な現実を認識できていなかったのである。

4　他国からの支援

他者からの支援は個人的危機においては重要だが、本書が取り上げてきた多くの国家的危機の解決においては、その役割には正負の両面があった。アドバイザーの派遣や戦艦の建造技術を学ぶ日本人使節団の受け入れなど、西洋が日本に対しておこなったさまざまな種類の支援は、明治日本が選択的西洋化を遂行するうえで重要だった。チリやインドネシアの軍事政府がそれぞれ一九七三年および一九六五年のクーデター後に経済を強化するにあたって、また日本とドイツが第二次世界大戦後の焼け跡から国を再建するにあたって、アメリカからの経済援助は重要だった。オーストラリアは軍事防衛に関して最初はイギリス、つぎにアメリカを頼った。負の側面の例としては、アメリカの援助停止および経済制裁により、チリのアジェンデ政権は不安定化した。第一次世界大戦後のドイツ・ワイマール共和国はイギリスとフランスへの莫大な戦争賠償金の支払いにより不安定化した。オーストラリアの場合は、シンガポール陥落後にイギリスによる軍事防衛を失ったこと、イギリスがEEC加盟交渉の結果としてオーストラリアへの特恵関税を廃止したことの衝撃が、新しいナショナル・アイデンティティ追求に寄与した。友好国からの支援の欠如に関する顕著な例は、冬戦争時のフィンランドである。フィンランドの潜在的な同盟国は、望まれた軍事支援を提供することができなかったり、提供しないことを選択したりした。この残酷な経験が一九四五年以降のフィンランドの外交政策の基礎となった。ソ連とのあいだでふたたび紛争が起きた場合は支援が期待できないのだから、むしろ自国の独立をできるだけ保持するかたちでソ連との関係を発展させるしかないのだ、という認識である。

5　他国を手本として利用する

手本は個人的危機の解決にしばしば大いに役立つが、本書で取り上げた国の多くにとっても、手本の存在あるいは欠如は重要な意味があった。明治日本の変容においては、西洋的モデルを借用し、手を加えて利用することはとくに重要だったし、第二次世界大戦後においては民主主義政府についてアメリカ的モデルをいくつか借用し、手を加えて（あるいは押し付けられて）利用したことが、明治期ほどの規模ではないが重要だった。チリとインドネシアの軍事独裁政権は自由市場経済についてアメリカ的モデル（あるいは彼らがアメリカ的モデルだと捉えたもの）を借用した。第二次世界大戦前のオーストラリアの歴史のほとんどはイギリス的モデルを大きく借用していたが、その後はそれを拒否するようになった。

逆に、本書で取り上げた国のなかには、実際の手本、あるいは仮定の手本が存在しない例もふたつある。フィンランドについては、ソ連の近隣国でソ連の要求を満たしつつ独立の維持にも成功した手本となる国はなく、その政策は「フィンランド化」と呼ばれるようになった。「フィンランド化は輸出品ではない」というケッコネン大統領の言葉の基礎には、自国が置かれた状況の特異性に対するフィンランド国民の認識があった。アメリカ例外主義という概念が、アメリカにはカナダや西欧の民主主義から学ぶことは何もないという信念の蔓延に置き換わってしまったという意味で、今日のアメリカも手本が存在しないと思われてしまっている一例である。医療や教育、移民、刑務所、高齢者の安全といった万国共通の問題についてさえ、アメリカ人はそう捉えている。アメリカ人のほとんどが自国の解決策に不満を持っているにもかかわらず、カナダや西欧の解決策から学ぶことを拒んでいる。

6 ナショナル・アイデンティティ

個人的危機に対する一二の要因のうち、いくつかはそのまま国家的危機にもあてはめることができる。そのままあてはめられないのは「自我の強さ」という個人の資質だが、これは国ごとの相対的な資質、すなわちナショナル・アイデンティティに置き換えることができる。

ナショナル・アイデンティティとは何か？ その国を特徴づけ、独自の存在にしているすばらしいものについて共有された誇りである。言語、軍事的成功、文化、歴史などナショナル・アイデンティティの源は多種多様である。こうした源は国によって異なる。たとえばフィンランドと日本はどちらも他国で使われていない独自の言語を持っており、これを誇りの拠りどころとみなしている。他方、チリは他の中南米諸国のほとんどと同じ言語を使用しているが、それを逆説的なかたちで独自のアイデンティティにしている。すなわち、「私たちチリ人は、政治的安定性や民主主義の伝統において、他のスペイン語を話す中南米諸国とは異なっている。私たちはラテンアメリカ人というよりヨーロッパ人に近いのだ！」と。軍事的成功がナショナル・アイデンティティの形成に大きく貢献している国もある。フィンランド（冬戦争）、オーストラリア（ガリポリの戦い）、アメリカ（第二次世界大戦）、そしてイギリス（多くの戦争があるが、最近では第二次世界大戦とフォークランド紛争）がそうである。多くの国において、愛国の誇りとナショナル・アイデンティティの中心は文化にある。たとえば、イタリアは歴史的芸術や現代の料理や生活様式、イギリスは文学、ドイツは音楽である。多くの国が自国のスポーツチームに誇りを持っている。イギリスとイタリアは歴史とかつて世界の大国であったという記憶に誇りがあり、イタリアの場合、それは二〇〇〇年前のローマ帝国の記憶だ。

本書で取り上げた七カ国のうち、ナショナル・アイデンティティがしっかりと共有されているのは六カ国だ。例外はインドネシアで、ナショナル・アイデンティティは弱い。非難すべきことではなく、単にインドネシアが独立国として存在しているのが一九四九年以降のことであり、一九一〇年以前は現実として一植民地としてすら統合されていなかったという事実に由来する。そのため、インドネシアにおいて昔も今も分離運動や抵抗運動があるのは驚くにあたらない。それでも、インドネシア語の普及や民主主義や市民参加の拡大により、インドネシアのナショナル・アイデンティティは近年急速に高まっている。

ナショナル・アイデンティティは、本書で取り上げたインドネシアより古い国々のいずれにおいても危機の解決に大きく寄与してきた。明治時代の日本人やフィンランド人を結束させ、強力な外敵の脅威に立ち向かう勇気を与え、窮乏や国家的屈辱を乗り越えたり、個人が国家の大義のために命を犠牲にしたりする動機となった。ソ連への戦争賠償金の支払いにあてるため、フィンランド国民は金の結婚指輪でさえ差し出した。ナショナル・アイデンティティがあればこそ、一九四五年以降のドイツや日本は軍事的敗北やそれにつづく占領時代を生き抜くことができた。オーストラリアでは、自国の再評価や選択的変化の中心に「われわれは何者なのか？」という問いをめぐるナショナル・アイデンティティの形成があった。ピノチェトの失脚後、チリの左派が節度ある行動をとったのもナショナル・アイデンティティがあればこそだった。軍部の恐怖が弱まっても、チリの左派政権は、ピノチェト支持者を憎みながらも融和策をとり、右派のピノチェト称賛者と左派のアジェンデ称賛者を含めた「すべてのチリ人のためのチリ」を達成した。これは注目すべきことである。対照的に今日のアメリカでは、集団ごとのアイデンティティを強調する声は大きいが、広く国家全体をまとめるアイデンティティを強調する声は小さい。

国民と政府は通常、愛国の誇りを醸成するために、歴史を詳しく物語ることを通してナショナル・アイデンティティの強化を図る。こうした歴史のナラティブが「国家神話」を構成する。私は「神話」という言葉を「嘘」という侮蔑的意味合いではなく「何らかの現象を説明したり、何らかの目的を促進したりするための、表向きは歴史的な基礎があるようにみえる伝統的な物語」という意味で使っている。実際、国家神話は政治目的のために繰り返し語られつづけ、事実に即した物語と嘘のあいだに存在するスペクトルのすべてを取り込んでしまうものだ。

スペクトルの一端には、事実として正確性があり、当時のその国にとってもっとも重要な出来事を中心とする物語があり、政治目的のために今も語られている。例を挙げれば、イギリスは一九四〇年夏のバトル・オブ・ブリテンを、フィンランドは一九三九年一二月から一九四〇年三月の冬戦争を語ることで愛国の誇りを醸成している。たしかに、これらは当時のイギリスやフィンランドにおけるもっとも重大な出来事であったと主張することも可能だし、だからこうした出来事は今日でも政治的目的のために繰り返し語られるのである。

スペクトルの中間に位置する物語としては、語られることは事実として正しいが、当時その国で起こっていた複数の出来事のうちひとつだけに焦点を合わせており、他の重要な出来事を省略してしまっているものがある。例を挙げよう。一九世紀初頭のアメリカ史で、ルイス・クラーク探検隊をはじめとするヨーロッパ系白人による西部の探検と征服を強調するが、ネイティブ・アメリカンの虐殺や強制移住、アフリカ系アメリカ人の奴隷化を省略するもの。あるいは、インドネシア独立への奮闘の歴史で、オランダとインドネシア共和国の戦闘は語られるが、共和国に戦いを挑んだインドネシア国内の大きな集団については述べないもの。また、二〇世紀初頭のオーストラリアの歴史において、ガリポリの戦いだけが語られて、アボリジニの虐殺や強制移住が省略されているものもそうだ。

スペクトルの反対の端には、ほぼ嘘に等しいものの上に成り立っている説明がある。例を挙げれば、第一次世界大戦の敗北の原因をドイツ国民の裏切りに帰するドイツの説明や、南京大虐殺をできる限り矮小化したり否定したりする日本の説明である。

過去についての正確な知識というものはあり得るのか、歴史は複数の解釈を生まざるを得ないのか、異なる解釈はすべて同列に扱うに値するのかについて、歴史家のあいだには議論がある。これらの問いへの答えがどうであれ、ナショナル・アイデンティティは国家的神話によって政治的目的のために強化されること、ナショナル・アイデンティティは国家にとって重要であること、ナショナル・アイデンティティを支える神話が拠りどころとする歴史はそれぞれに異なっていることは、変わらない事実である。

7　公正な自国評価

もし、人間や人間社会について何の知識もない、完璧な合理性を備えた地球外からの訪問者がいたとしたら、個人や国家が危機の解決に失敗する要因が何であれ、公正な自己評価の欠如が要因になるなどとは、思いもよらないだろう。合理的思考から、この奇妙な人間たちは、いったいどうして自分たちを公正にみないことによって自滅するのだろうか、と不思議に思うかもしれない。

実際には、公正な自己評価にはふたつの段階が必要だ。第一に、個人または国家は正確な知識を持たねばならない。しかしそれは得るのが難しい場合もある。危機にうまく対応できず失敗するのは、不公正という倫理上の悪徳のせいというよりもむしろ情報の欠如のせいかもしれない。第二の段階は知識を公正に評価することだ。だが、国家や個人という存在をよく知る人ならだれでも、人間に関することがらには自己欺瞞がつきものだと承知しているだろう。

国家による公正な自国評価、あるいはその欠如を理解するのにもっとも簡単な事例は、強力な指導者や独裁者にかかわるものだ。こうした事例においては、指導者が公正な自国評価をするかしないかによって国家も左右される。国際的によく知られているのが、現代のドイツの指導者たちにみられる対照的な事例である。優れた現実主義者だったビスマルクはドイツ統合という困難な目標を達成した。情緒不安定で現実主義者ではなかった皇帝ヴィルヘルム二世は不必要にドイツの敵をつくって第一次世界大戦に参戦し、敗北するという大失敗を犯した。はるかに頭がいいがはるかに邪悪でもあったヒトラーは、ソ連を攻撃するというリアリズムを欠いた行動で当初の成功を帳消しにし、すでにソ連およびイギリスと交戦中でありながら、必要もないのにアメリカにも同時に宣戦布告してしまった。さらに最近になると、ドイツはヴィリー・ブラントというもう一人の現実主義者を数年間指導者に持つという幸運に恵まれた。ブラントは東方外交について痛みをともなうが公正な政策（東ドイツを国家として承認し、東方領土の喪失を承認する）をとる必要性を認める勇気を持っていたし、これによって二〇年後のドイツ再統合の前提条件を達成したのだった。

西洋ではあまり知られていないが、同じく歴代の指導者が顕著な対比を示しているのがインドネシアである。インドネシア建国時のスカルノ大統領は、自分にはインドネシア国民の無意識の願望でさえ見通す独自の能力が備わっているという思い違いをしていた。インドネシア国内の問題をないがしろにしたまま、世界的な反植民地運動のうねりに乗り、島民の意思や自軍の将校たちの懐疑論に反して、インドネシア軍にマレーシア領ボルネオ島の奪取を命じた。スカルノにとっては不幸であったが、インドネシア第二代大統領になるスハルト将軍は（政治家としてのキャリア末期以前は）物事を注意深く進め、成功が確実であるときのみ行動を起こす傑出した現実主義者であった。スハルトはゆっくりとスカルノの実権を奪うことに成功し、スカルノの世界進出やマレーシア作戦を破棄し、インドネシアの国内事情に集中した（しばしば邪悪な政策ではあったが）。

つぎの三つのケースは、一人の強力な指導者による支配はなかったものの、公正な自国評価にもとづいて国民的コンセンサスにいたった国々だ。明治日本は、「憎き毛唐《けとう》ども」のほうが強大で、日本が実力をつけるには西洋から学ぶしかないというつらい真実に直面した。そして、多くの官僚や民間人を欧米に派遣して、西洋の正確な知識を入手した（対照的に、日本が第二次世界大戦参戦という破滅の道を選んだ一因は、一九三〇年代の青年将校たちに、西洋とその実力についての直接的な知識が欠けていたことだった）。同じくフィンランドも、潜在的な同盟国から支援を受けることはほぼ不可能でありつづけるだろうし、ならばフィンランドの対ソ政策はソ連の信頼を勝ち取りソ連の視点を理解するしかないという厳しい現実に、正面から向き合った。そしてオーストラリアは、かつては存在していたイギリスの経済的かつ軍事的重要性が消滅し、アジアとアメリカがより重要になったという現実を認めることで世論の合意を得た。

最後に取り上げるケースは、今日、ふたつの国家に存在している公正な自国評価の欠如である。すでに述べたように、日本は今日、自国の問題のいくつかを認識しているが、現在のところその他の問題に対して現実的な対応をとりそこねている。今日のアメリカも公正な自国評価を頑として受け入れない。とりわけ、現在の重大な問題を深刻に捉えているアメリカ国民や政治家の数が十分ではない。またアメリカ人の多くは現在の問題について自国よりも他国を責めるばかりであり、自分たちは正しいと信じ込んでいる。アメリカでは科学への懐疑主義がますます広がっており、これは非常に由々しき兆しである。なぜなら科学の基本とは、現実世界を正確に描写し理解するという行為であるからだ。

8　過去の国家的危機の経験

個人にとって、過去の危機を生き抜いた経験は、新たな個人的危機に対処する際の自信になる。国家レベルでこれにあてはまる要因は、本書で取り上げた国々のいくつか、またそれ以外の国々にとって重要であった。その一例が近代の日本である。西洋による分割のリスクに抵抗するため急速な変化を遂げ、十分な実力を身につけて、ついには西洋列強のうち二国を打ち負かしたこと（一九〇四〜〇五年の日露戦争と一九一四年の日独戦争）で自信をつけた。はるかに広大ではるかに強大にみえた中華帝国（清国）が同時期に西洋の圧力に屈したことを考えれば、明治日本の成功はなおさら印象的だ。

フィンランドも過去の成功が自信につながった国の例である。フィンランド国民にとって、第二次世界大戦中に侵攻してきたソ連を撃退した歴史は非常に重要な誇りであり、二〇一七年の独立一〇〇周年には独立と同じくらい冬戦争を重視していた。本書で詳しく取り上げなかった国々のなかでは、イギリスもひとつの例だ。アメリカやソ連と連合を組んで最終的にヒトラーを打ち負かし、さらにフランスがヒトラーに屈した一九四〇年六月からヒトラーがソ連に侵攻した四一年六月までは孤立無援で戦い、そして、とくに四〇年後半のバトル・オブ・ブリテンから自信を得た。バトル・オブ・ブリテンでは、イギリス上空でイギリス空軍がドイツ空軍を撃破して、ドイツのイギリス侵攻を阻止したのである。一九四五年から現在までイギリスがどんな難局に立とうとも、イギリス国民は、バトル・オブ・ブリテン以上の困難はないはずだ、あれを乗り切ったのだから今度も克服できる、と考えるのだ。

過去の成功はアメリカにも自信を与えている。アメリカ人にとっての成功体験とは、アメリカ独立戦争の成功、北米大陸を東から西まで探査し征服したこと、南北戦争というアメリカ史上最大の犠牲者を出しもっとも壮絶な戦争となった長い内戦を経験しながらも国が割れなかったこと、第二次世界大戦においてドイツと日本を同時に打ち負かしたという軍事的成功などである。

最後に、インドネシアは本書が取り上げたなかでもっとも新しい国であり、過去の成功から自信を得るための歴史ももっとも短い。しかし、私が一九七九年にインドネシアのホテルのロビーでみかけたように、インドネシア人は今でも、一九四五年から四九年にかけてのオランダに対する独立戦争や、一九六一年のオランダ領ニューギニアの獲得における成功を、繰り返し物語っている。こうした成功はインドネシア国民が自信を深めるうえで重要な役割を果たしている。

9　国家的失敗に対する忍耐

国家的問題は個人的問題よりさらに素早い解決が難しいし、最初の解決策で成功する見込みも低い。国家の問題であれ個人の問題であれ、危機は複雑で、有効な解決策がみつかるまで可能性のある解決策をいくつも試す必要があるため、不満、曖昧さ、失敗に対する忍耐や寛容が必要になる。そのため、たとえたった一人の絶対的独裁者によって国家的決断が下されたとしても、国家レベルでの忍耐が必要になる。だが、国家的決断のほとんどは利益が相反する集団間の交渉をともなうものだ。つまり、国家的危機の解決にはさらなる忍耐が求められる。

本書で取り上げた国々のほとんどは、失敗や敗北の経験から忍耐力をきたえている。とくに明治日本、ドイツ、フィンランド、そして現代の日本がそうだ。一八五三年のペリーの招かれざる来航が日本の孤立を終わらせた後、日本が西洋列強に対する最初の戦争で勝利をおさめるまで五〇年以上を要した。一九四五年のドイツの事実上の分断から再統合までは四五年を要した。一九四四年にフィンランドがソ連と戦った継続戦争が終結した後、数十年にわたってフィンランドは対ソ政策を見直しつづけ、ソ連からの圧力のうち安全に拒否できるものと、ソ連の侵攻を招くことなく安全に採用できる独自策を見極めようと努めた。第二次世界大戦後、日本はアメリカによる占領、数十年にわたる物質的・経済的再建、頻発する経済・社会問題、地震や台風、津波といった自然災害を生き抜いた。これら四つの例（うち日本が二例）について、いずれも国内での不満があったが、拙速な行動で墓穴を掘るようなことには抵抗した。忍耐が彼らの最終的な成功にとって欠かせなかったことを証明している。

忍耐をめぐる物語の例外が現代のアメリカだ。もちろん異論を唱える向きもあるだろう。歴史を振り返ればアメリカだって幾度となく当初の失敗を受け入れ、忍耐を示し、挫折を耐え抜いてきたではないか、と。たとえば南北戦争の四年間、大恐慌の一二年間、第二次世界大戦の四年間がそうではないか、と。しかしアメリカはドイツや日本、フランスなど多くの国と異なり、壊滅的な敗北や占領を経験していない。一八四六年から四八年にかけての米墨戦争から第二次世界大戦まで、アメリカは四つの戦争のすべてに勝利したため、アメリカ国民にとっては、朝鮮戦争の行き詰まった末の休戦と折り合いをつけ、ベトナム戦争の敗北を受け入れ、アフガニスタンで長引く軍事的膠着状態に耐えるのは困難だった。二一世紀に入って二〇年近くになるが、アメリカは社会、経済、政治をめぐる複雑な国内問題と格闘しており、即効性のある解決策は見当たらない。むしろアメリカに必要なのは忍耐と妥協なのだが、アメリカ人はいまだそれらを発揮できていない。

10　状況に応じた国としての柔軟性

心理学者は人々の特徴を見極める際、柔軟性と硬直性の二分法を用いる。個人の柔軟性が意味するのは、ある問題に対して今までとは異なる新しい対処方法の検討を受け入れる能力だ。個人の硬直性が意味するのは、どんな問題についても対処方法はひとつしかないと信じ切っている状態だ。この二分法は、新しい方法で危機に対処する個人の能力の違いを理解するのに役立つことが証明されている。また、どんな個人であれ、分野によって柔軟だったり頑固だったりするが、心理学者は、個人の性格全般にみられる柔軟性や硬直性の特徴を挙げ、それは個人によって差があり、とくに子ども時代の育ち方や人生経験の影響を受けるという。

個人から国家に目を移すと、国家が一貫して柔軟性や硬直性を発揮している説得力のある例は稀だと思われる。私の知るたったひとつの例（そしてそういう国になった理由も理解できる例）は、本書では初めて言及する、かつてのアイスランドである。数世紀にわたるデンマークによる統治時代、アイスランド人は硬直性と敵対心によって変化を促す提案に抵抗し、しばしばデンマーク人を悩ませた。デンマーク政府がどれほど善意からの改善案を提示しても、アイスランド人はたいていの場合、「いいえ、私たちは今までと違うことを試したくはありません。私たちの伝統的なやりかたで物事をつづけていきたいのです」と応えるのだった。漁船、水産物の輸出、漁網、穀物生産、採掘、ロープのつくりかたなどを改善する提案をデンマーク人がおこなったが、アイスランド人は拒否したのである。

アイスランドが置かれた環境の脆弱性を考えれば、あの硬直性も理解できる。アイスランドは緯度が高く、気候が寒冷で生育期が短い。アイスランドの土壌は脆く、軽く、火山灰性で浸食されやすく、再生に時間がかかる。植物は放牧や風、水食によって簡単に失われてしまうし、再生にも時間がかかる。バイキング時代の最初の数世紀間、アイスランド人はさまざまな自給自足戦略を試し、悲惨な結果を繰り返した後、ようやく持続可能な農業の方法を編み出した。この方法があればこそ、また生活の他の側面においても繰り返し苦難を経たからこそ、彼らは自給自足できる方法を変えることなど考えたくはなかったのだ。すなわち、うまくいく方法がようやくひとつみつかったのだから、他にどんなことを試しても物事を悪くするだけだ、と考えたのである。

おそらく、さまざまな面で柔軟だとか柔軟でないと特徴づけられる国はアイスランド以外にもあるだろう。しかし、より一般的にみられるのは、国家の柔軟性が状況に応じて発揮され、ひとつの国がある面では柔軟で、別の面では硬直的だというケースである。フィンランドは占領につながる譲歩は断固として拒否したが、他国なら民主主義国として絶対にしないこと――自国の大統領選出のルールを他国に都合よく変えることなど――については非常に柔軟だった。明治日本は天皇の役割や伝統的宗教についての譲歩を拒否したが、政治制度の譲歩については非常に柔軟に対応した。オーストラリアは長年イギリス的アイデンティティについての譲歩を拒む一方で、イギリスよりもはるかに個人主義的かつ平等主義的な社会を発展させた。

アメリカは、柔軟性について興味深い疑問を提起する。アメリカ人は、たとえば平均で五年おきに引っ越しをするという事実から、個人としては柔軟であるといえる。アメリカ政治史を振り返れば、主要政党間で政権党が頻繁に交代するし、既成政党が新党の政策を吸収してしまうので新党が発展できなくなるなど、国家にも柔軟性の特徴がみられる。しかし、対照的に、この二〇年間のアメリカ政治はますます妥協を拒否しているという特徴がある。

そういうわけで、社会科学者にとって、ある国が一様に柔軟、あるいは硬直的だと一般化するのは有益ではないと私は考えている。むしろ、複数の軸に沿って各国の多様な柔軟性や硬直性の分類を検討するほうが価値があるだろう。それは今後の課題である。

11　国家の基本的価値観

個人にとって基本的価値観は、その人の道徳的行動規範の根拠となり、しばしばそのために命を投げ出すことも厭わないものになる。個人にとっては、基本的価値観が危機の解決を楽にすることもあれば難しくすることもある。プラスにはたらくと、基本的価値観が明確さや強さを生み、人生の他の側面を変えていくことを深く考えられるようになる。マイナスにはたらくと、変化した環境に合わなくなった基本的価値観に固執することが、危機解決の邪魔をする可能性がある。

国家にも、国民に広く受け入れられ、場合によってはそのために国民が命を投げ出すことも厭わないという基本的価値観がある。基本的価値観はナショナル・アイデンティティと関連しているが、違いもある。たとえばフィンランドのナショナル・アイデンティティは独自性の高い言語と文化にとくに関連しているが、対ソ戦争においてあれほど多くのフィンランド人が命を投げ出した基本的価値観はフィンランドの独立であった。それこそ、ソ連がフィンランド語よりも破壊したいと望んだものだった。同様にドイツのナショナル・アイデンティティの中心は、ドイツ語とドイツ文化、そしてゲルマン系の人々が共有する歴史にある。しかしドイツ人の基本的価値観には、多くのアメリカ人が「社会主義的」だとして非難するが、ドイツ人のほぼ全員がすばらしいと捉えているものが含まれている。すなわち、公益事業に対する政府投資や、公益を優先するための個人の権利の制限、そして、投資への見返りのあるなしで判断しがちな利己的な民間企業に重要な公益事業を任せないことである。たとえばドイツ政府は芸術（オペラ団、交響楽団、劇団を含む）に大規模な資金を提供し、全ドイツ人に対して質の高い医療や高齢者支援を提供し、伝統的建造物の維持や森林管理を実施している。これらは近代ドイツの基本的価値観の一部である。

個人にとってもそうであるように、国家の基本的価値観は、国家が選択的変化を採用するのを楽にすることもあれば難しくすることもある。過去の基本的価値観が現在でも通用して、その価値観を守るために国民が犠牲を払うことも厭わない場合もある。基本的価値観は、フィンランドでは独立を守るため国民が命を投げ出す動機になり、明治日本では西洋に追いつくために多大な努力を払う動機になり、第二次世界大戦後のドイツ国民と日本国民にとっては、荒廃した国の再建のために窮乏に耐えて懸命に働く動機になった。しかし、過去の基本的価値観が今日では通用せず、時代遅れの価値観への固執が必要な選択的変化の採用を阻むこともある。第二次世界大戦中にオーストラリアでゆっくりと進んだ危機の中心にあった問題がそうだ。イギリスの前哨地としてのオーストラリアの役割はどんどん意味を失っていたが、多くのオーストラリア人にとってそれを捨て去るのはつらいことだった。もうひとつの例が第二次世界大戦後の日本である。日本文化、天皇への崇敬という基本的価値観は日本に力を与えているが、海外の自然資源の無制限な搾取という過去の政策への固執は日本にダメージを与えている。

12　地政学的制約がないこと

個人の場合、選択的変化を採用する能力を制限する外的な要因には、経済的制約、他の人に対する責任、物理的な危険などがある。国家も選択の自由に対する制約に直面するが、個人が抱える制約とはタイプが異なる。とりわけ、強大な隣国や経済的限界に由来する地政学的制約がそうだ。歴史を振り返れば、一二の予測要因のなかで、これは本書で取り上げた国々においてもっとも幅広い多様性をみせている。アメリカは制約がないことで際立っているし、四カ国（明治日本、チリ、インドネシア、オーストラリア）はいくつかの制約はあるものの比較的自由であり、二カ国（フィンランドとドイツ）は極端に多くの制約を受けている。まず過去の地政学的制約を要約し、それから今日の地政学的制約が過去とはどれほど異なっているかを説明していく。

アメリカは、東西では広い海洋に挟まれて孤立し、南北では脅威とならない隣国と国境を接し、国内の地理には自然の利点があり、人口も富も豊かであるため、歴史的に制約のない国だった。アメリカは国内において世界のどの国よりも思うがままの自由を享受している。その正反対がフィンランドとドイツで、どちらも厳しい制約を受けている。フィンランドはロシア（旧ソ連）とヨーロッパ最長の国境を接しているという不運を抱えている。フィンランドの現代史の中心には、この厳しい制約にもかかわらずできる限り選択の自由を保持するにはどうすべきかというジレンマがあった。ドイツはヨーロッパの中央に位置し、ヨーロッパでもっとも多くの隣国（そのうち数カ国は強大だ）と陸や海の国境を接しているという不運を抱えている。この地理上の基本的事実を無視したドイツの指導者（皇帝ヴィルヘルム二世とヒトラー）は二〇世紀において二度もドイツを奈落の底に突き落とした。ドイツに課せられた地理的制約の地雷原を切り抜けるため、ドイツは二度にわたって傑出した指導者（ビスマルクとヴィリー・ブラント）を必要とした。

他の四カ国の状況は複雑だ。明治日本は島国でありながら、アジアをうろつく西洋列強の大きな脅威にさらされた。東側をアンデス山脈に、北側を砂漠に守られたチリは、現在、南米内では深刻な脅威にさらされていない。しかしチリ経済はアジェンデ政権時代に遠く離れたアメリカから受けた圧力のせいでいまだに弱い。インドネシアは地理的には海洋に守られており、近隣に脅威となる国はないが、地球の裏側にあるオランダから独立するため苦闘を強いられた。独立以降、インドネシア政府は貧困と人口の急増という国内問題による制約を受けている。最後に、オーストラリアは他国から遠く離れ、地理的には海洋に守られているにもかかわらず、第二次世界大戦中に日本の脅威にさらされ、爆撃を受けた。このように、これらの国々はいずれもそれなりに行動の自由への制約を経験したが、フィンランドやドイツほど深刻かつ持続的な制約ではなかった。

地政学的制約が過去数千年で世界的に変化したのは明らかだ。はるか昔、各地に暮らしていた人々はおおむね自給自足しており、モノや情報のやりとりも比較的短距離間に限られ、軍事的脅威は近隣の集団のみだった。過去五〇〇〇年間で、コミュニケーション、経済、軍事のつながりがグローバルになった。軍事的脅威は世界中から海を渡って訪れるようになった。たとえば、オランダは一五九五年頃にインドネシアの占領を開始し、ペリー率いるアメリカの艦隊は一八五三年に日本の鎖国を突破した。日本はかつて自給自足の国であり、輸出入は存在しないに等しかったが、現在の工業国日本は自然資源が非常に限られており、輸出入に依存している。アメリカも世界の主要な輸入国かつ輸出国のひとつである。チリは銅山開発においてアメリカの資本と技術に依存していた。チリのアジェンデ大統領やアジェンデほどではないがインドネシアのスカルノ大統領は、アメリカによる経済圧力や国内の抵抗勢力への支援に対処を迫られた。本書で取り上げた七カ国のうち三カ国は数千キロメートル離れたところから飛来した敵軍機による爆撃を受けた。一九四一年一二月の日本によるアメリカへの真珠湾攻撃、一九四二年二月の日本によるオーストラリアへのダーウィン空襲、一九四二年四月のアメリカによる日本へのドーリットル空襲である。第二次世界大戦中、ドイツと日本は地上兵器による大規模な攻撃にも苦しんだ。最初のロケット攻撃は一九四四年および四五年に三〇〇キロメートル以上離れた位置から発射されたドイツのＶ２ロケットによるイギリス、フランス、ベルギーへの攻撃だった。現在では、大陸間弾道ミサイル（ＩＣＢＭ）は標的が世界のどこにあっても海洋を越えて攻撃できる。

こうした発展は、かつての地理的制約が大きく弱まったことを意味する。となれば地理はもはや無関係なのか？　もちろんそうではない！　フィンランドの外交政策は今でもロシアと接する長い陸の国境に左右されている。ドイツの外交政策は今でも陸の国境を接する九つの隣国とバルト海や北海を挟んだ八つの隣国に左右されている。チリの砂漠と高い山脈は独立以来二世紀にわたり侵略されたことのない同国を今も守っている。アメリカはミサイル攻撃を受ける可能性はあるものの、今も侵略や占領が法外に難しい国であるし、オーストラリアも同じくらい難しいだろう。端的にいえば、「わが国の地理はけっして変化しない」というフィンランドの標語は、今でもあらゆる国にあてはまる。

危機は必要か？

以上が、本書の最初のきっかけとなった疑問――個人的危機にみられる一二の要因と国家的危機の関連性――について私たちが学んできたことの要約である。ここからはこの研究の最初のきっかけではなかったが、国家的危機をめぐってもっともよく話題にのぼるふたつの疑問について考えていこう。ふたつの疑問は、国の政策変更の原動力としての危機の役割と指導者の役割にかかわるものだ。

みずから行動を起こすために国は危機を必要とするのか、あるいは国家はつねに問題を想定して行動しているのか？　本書で取り上げた危機は、頻繁に問われるこの疑問へのふたつの回答を示している。

明治日本は、ペリー来航への対応を余儀なくされるまで西洋という増大する脅威を避けていた。しかし一八六八年の明治維新以降は、変化への突貫計画の実施を促すためのさらなる外的ショックを必要としなかった。むしろ、西洋からのさらなる圧力のリスクをみずから想定して変化していった。

同様にフィンランドも、一九三九年に攻撃を受けて注意を払わざるを得なくなるまで、ソ連の意図を無視していた。しかし一九四四年以降、フィンランド人が奮起するためにソ連のさらなる攻撃は必要なかった。フィンランドは継続的にソ連の圧力を想定し、機先を制することを目的とする外交政策をとった。

チリでは、アジェンデ政権の政策は突発的な危機への対応ではなく慢性的な二極化への対応を目的とし、将来の問題と現在の問題の両方を想定して対処していた。対照的に、アジェンデがチリをマルクス主義国家に変えるという意図を宣言すると、チリ軍は急性の危機が引き起こされたとみなし、対処としてクーデターを起こした。

インドネシアでは、両方のタイプの対処が実践された。インドネシア軍内部の共産党シンパは反共将軍評議会の行動の恐れを想定してクーデターを起こした。残りのインドネシア軍は一九六五年九月三〇日から一〇月一日にかけて危機に対して反応したが、軍が前々からクーデターを想定し策を準備していたと疑わせる理由は存在している。

戦後ドイツは、近代史において国家が危機対応よりもむしろ危機の想定から行動したふたつの傑出した例を提示する。コンラート・アデナウアー首相の欧州石炭鉄鋼共同体（ECSC）の設立や、欧州経済共同体（EEC）やEUにつながる経済および政治機構の設立の計画は、明らかに危機を想定し、危機の発生を阻止するために採用されたものだった（第11章）。第二次世界大戦という悲惨な体験の後、アデナウアーとヨーロッパの指導者たちは、第三次世界大戦を避けるためには西欧を統合すれば戦争したくなくなるし、できなくなるだろうと考えた。同様に、ヴィリー・ブラントの東方外交は、東欧の喫緊の危機への対応としてはじまったわけではない（第6章）。ブラントは東ドイツなどの東欧の共産主義諸国の承認や、ドイツの東方領土の放棄に緊急の必要性があると考えていたわけではない。むしろ、遠い将来に訪れるであろうチャンスを想定し、可能になればいつでもドイツ再統合を実現できる――最終的にはそのとおりになったわけだが――安定的な状況を創出するために、ブラントはそうした政策をとったのだ。

今日、日本は七つの大きな問題と格闘しているが、どの問題についても決定的な行動をとれていない。日本は戦後のオーストラリアのようにゆっくりとした変化によってこうした問題をうまく解決していくのだろうか？　それとも突発的な危機がきっかけとなって大胆な行動をとることになるのだろうか？　同様に、アメリカも自国が抱える大問題に対して、ワールド・トレード・センタービル攻撃直後のアフガニスタン侵攻や大量破壊兵器を保有しているという仮定にもとづくイラク侵攻を除けば、決定的な行動をとれていない。

このように、本書で取り上げた国のうち四例において、各国政府は行動のきっかけとして危機を必要としたが、今日の二例はきっかけとなる危機が存在せず、決定的な行動をとっていない。しかし、いったん危機が起これば、明治日本、フィンランド、チリ、インドネシアはいずれも数年、あるいは数十年を要する変化の計画に乗り出し、計画遂行を促すためのさらなる危機は必要としなかった。だが本書で取り上げた国のなかには、危機が現実化するのを防ぐため（インドネシアとドイツ）あるいは危機の悪化を防ぐため（チリ）の先制行動をとった例もある。もちろん、あらゆる政府はあまり緊急性のない目前の問題や想定される問題に対処するため、未来を見据えて継続的に行動をとっている。

そのため、「みずからの行動を促すために国は危機を必要とするのか」という疑問への答えは、個人への答えと似たものになる。私たちは個人として、つねに目前の問題、あるいは想定した問題に対処すべく行動している。ときおり、大きな新しい問題がやってくるのを見通し、危機に襲われる前に食い止めようとする。しかし、個人と同じく国家にとっても、克服すべき惰性や抵抗が多く存在している。何か大きな悪いことが突然起こるほうが、ゆっくりと進む問題よりも、また、何か大きな悪いことが将来起こりそうだという見通しよりも、人々に行動を促す。「二週間後に絞首刑になるとわかっていれば、人はすばらしい集中力を発揮するものだ」というサミュエル・ジョンソンの言葉を私は思い出すのである。

歴史上の指導者の役割

指導者によって違いは生まれるのか？　国家的危機をめぐる会話でもっともよく話題にのぼるもうひとつの疑問は、国家の指導者たちは歴史に重要な影響を与えているのか、あるいは、ある時期の国家指導者がだれであっても歴史は同じように展開するのか、という古くからある議論にかかわるものだ。一方の側にはイギリスの歴史家トーマス・カーライル（一七九五〜一八八一年）のいわゆる「リーダーシップ偉人説」がある。歴史はオリヴァー・クロムウェルやフリードリヒ大王のような偉人たちのおこないによって支配されるとカーライルは主張した。同様の考え方は軍事史家たちのあいだでは今日でも一般的であり、彼らは将軍や戦時の政治指導者の決断を強調する傾向がある。まったく逆の考え方を持っていたのは作家のレフ・トルストイで、指導者や将軍は歴史の流れに対して最小限の影響しか与えないと考えた。『戦争と平和』には、将軍たちが命令を下すもその命令は戦場で実際に起こっていることとは無関係であるという戦闘の話があり、彼の主張が表れている。

この考え方、歴史の流れは偉人たちの政策や決断よりもむしろ無数の細部に左右されているという考え方が、歴史家たちのあいだでは現在一般的である。ある指導者に影響力があるようにみえるのは、すでに国民が保持していた考え方と共鳴する政策を実践するからにすぎない、と歴史家たちはしばしば主張する。凡庸な政治家が偉大にみえるとしたら、時運に恵まれたにすぎずその資質が理由ではない（アメリカのジェームズ・ポーク大統領とハリー・トルーマン大統領がしばしば例に挙がる）とされ、指導者たちにできることは、歴史の他の要因によって決まる限られた選択肢から選ぶことのみだ、とされる。偉人が歴史をつくるという考え方と指導者は重要ではないという考え方の中道にあたるのが、ドイツの社会学者マックス・ヴェーバー（一八四六〜一九二〇年）の考え方である。カリスマ的指導者と呼ばれるタイプの指導者は、何らかの条件下において歴史に影響を与えることがあると彼は主張した。

この論争は今も解決されていない。一人ひとりの歴史家は、経験的証拠を吟味するのに有効な方法よりも原則にもとづく一般的見解を維持し、その見解を個別のケーススタディに適用する傾向がある。たとえばヒトラーの伝記はどれも、彼の人生において大きな意味を持つ同じ出来事を語らざるを得ない。しかし「偉人説」をとる人々は、そうした出来事を語りながら、ヒトラーは非常に影響力のある邪悪な指導者でありドイツの指導者が他の人であったならドイツの歴史の流れは違っていただろうと主張する。「偉人説」とは逆の立場をとる人々は、同じ出来事を語りながら、ヒトラーは当時のドイツ社会に広がっていた空気を反映する代弁者だったとする。この論争は、語り方や個別のケーススタディによっては解決できない。

むしろ有望な方法は、以下の三つの特徴を盛り込んだ最近の分析から生まれている。特徴のひとつめは、多数の歴史上の出来事を使った規模の大きなサンプル、あるいは定義されたタイプにあてはまるすべての歴史上の出来事を取り出した規模の大きなサンプルを使うこと。ふたつめは、「歴史の自然実験」という手法を使うこと——すなわち、似ているけれども、ある特定の動きが起こった、あるいは起こらなかったという違いのある歴史の軌跡を比較すること（つぎの項でふたつの例を紹介する）。そして、結果を計量的に測定することである。ノースウェスタン大学のベンジャミン・ジョーンズとマサチューセッツ工科大学のベンジャミン・オルケンは、この手法による優れた二本の研究論文を出版している。

最初の論文において、ジョーンズとオルケンはつぎの問いを設定している——指導者が在任中に暗殺以外の原因で死亡したケース（ここでは「自然死」と呼ぶ）では、ランダムに選んだ指導者が在任中に死亡していないケースと比較して、国家の経済成長に違いがみられるだろうか？　この比較は指導者の交代が与える影響を調べる自然実験である。もし「偉人説」が正しいなら、指導者が在任中に死亡していないケースに比べて、指導者の死後に経済成長の変化が起こる――指導者の政策が良かったか悪かったかによって低下または上昇する――可能性が高いはずだ。ジョーンズとオルケンは、一九四五年から二〇〇〇年までに在任中に自然死した国家指導者の全例を世界中から集めてデータベース化した。そうした例は五七例あった。死因のほとんどは心臓発作か癌だが、数件の飛行機事故と、溺死、落馬、火事、骨折が一件ずつあった。こうした事件はまさにランダムな関連をみせていて、ある指導者の経済政策は、その指導者が溺死する可能性には影響しない。結果として判明したのは、指導者が在任中に自然死した後には、指導者が死亡していない例よりも経済成果に変化が表れる可能性がはるかに高いということだった。つまり、多数のケースを平均すると、指導者はたしかに経済成果に影響を与えることを示している。

二本めの論文においてジョーンズとオルケンは、指導者が自然死ではなく暗殺された場合はどうだろうか？という問いを立てた。暗殺はもちろんランダムに起こる事件ではない。暗殺計画が生じる可能性が高い条件も存在する（低調な経済成長に国民が不満をつのらせているなど）。そのため、ジョーンズとオルケンは「成功した」暗殺計画と「失敗した」暗殺計画を比較した。これはまさにランダムな違いである。国の政治状況は暗殺計画の有無に影響を与えただろうが、暗殺者の能力には影響を与えない。一八七五年から二〇〇五年のあいだに企てられた国家指導者に対する暗殺計画全二九八件がデータベース化された。うち五九例は成功し、二三九例は失敗に終わっている。結果として、暗殺計画の成功後のほうが、暗殺計画の失敗後よりも、国の政治制度に変化が起こる可能性ははるかに高いことがわかった。

ふたつの研究において、指導者の死の影響は、独裁的指導者のほうが民主的指導者よりも大きかったし、権力にまったく制約のない独裁者のほうが立法府や政党による制約を受ける独裁者よりも大きかった。これは予想どおりだった。（良きにつけ悪しきにつけ）無限の権力を持つ強い指導者は限定的な権力しか持たない指導者よりも大きな影響を与え得る。こうして、これらの研究からひとつの一般的な結論にたどり着く。指導者によって違いが生まれることも、ある。しかしそれは指導者のタイプによって、また検証される影響のタイプによって左右される。

本書で取り上げた指導者の役割

ここからは、これらの自然実験を、本書で取り上げた七カ国の指導者たちの役割に結びつけていく。七カ国の指導者たちがジョーンズとオルケンが認めたパターンにあてはまるかどうか、実験が提示するさらなる問いとは何かを見極めるのが目的だ。七カ国の歴史から、多くの歴史家たちは、その指導者たちをつぎのように評価してきた。

明治日本では、一人の指導者による支配は存在せず、数人の指導者たちが同じような政策を共有していた。

フィンランドでは、ソ連の攻撃に抵抗するため最大限の努力をすべきという点で政治指導者と国民はほぼ完全に一致していた（しかし、最高司令官としてのマンネルヘイム元帥の手腕や、戦後にソ連の指導者たちの信頼を勝ち取ったパーシキヴィ大統領とケッコネン大統領の能力が、フィンランドの運命にプラスの影響を与えた面もある）。

チリにおいては、（部下である将軍たちからさえ）ピノチェトはその残忍さ、権力への固執、経済政策の選択において、断固としていて尋常ではなかった、とみなされていた。

インドネシアでは、スカルノとスハルトの両者とも決断力のある指導者だったが、その後の大統領たちはそうではなかったとされている。

戦後ドイツにおいて、ヴィリー・ブラントは西ドイツの外交政策を転換し、東欧の共産主義諸国とドイツの国境を承認することで後の再統合への道筋をつけるという独自の役割を果たしたとされている。それ以前のドイツ史においては、良きにつけ悪しきにつけ違いを生んだ比類ない指導者の例としてビスマルク、皇帝ヴィルヘルム二世、ヒトラーの名がつねに挙がる。

オーストラリアには傑出した指導者は存在していない。近い例はゴフ・ウィットラム首相と彼が手がけた変化のための突貫計画だが、ウィットラム自身、自分の改革は「すでに起きていることを追認しただけ」だと述べていた。

アメリカでは、孤立主義者たち（当初はアメリカ国民の多数派だったかもしれない）の意に反して第二次世界大戦への参戦準備を段階的に進めたことや、アメリカを大恐慌から脱出させた政策は、フランクリン・ルーズベルト大統領の功績とされている。一九世紀においては、リンカーン大統領が南北戦争の形勢を左右する唯一無二の役割を果たしたとされる。

端的にいえば、本書が取り上げた七カ国においては、違いを生み出した指導者としてしばしば名が挙がる指導者が九人いる（六人は独裁的指導者、三人は民主主義的指導者）。加えて、七カ国以外の指導者で違いを生み出した人物としてもっとも頻繁に名が挙がるのは、イギリスのウィンストン・チャーチル、ソ連のレーニンとスターリン、中国の毛沢東、フランスのド・ゴール、イタリアのカヴール、インドのガンジーだ。つまり、違いを生み出した指導者と一般にみなされている指導者のリストには、一六人の名が挙がっている。そのうち一一人は独裁体制、五人は民主主義体制の指導者だ。この結果は一見すると、独裁体制の指導者のほうが影響力が大きいとするジョーンズとオルケンの研究結果にあてはまるようにみえる。だが、私はこの時代における世界中すべての独裁体制および民主主義体制の指導者数と比較したわけではないため、どちらかのタイプの指導者に偏った結果がみられるとはいえない。

本書が取り上げたデータの数は小さいものの、必要なデータをたくさん集めて結果を計量的に測定する、というジョーンズとオルケンの自然実験に近い方法を試すに値する仮説が、ふたつあると思われる。

ひとつの仮説は、他に類をみない影響力を持っていたとされる四人の民主主義的指導者（ルーズベルト、リンカーン、チャーチル、ド・ゴール）のうち、少なくとも三人が戦争中に影響力、あるいは最大の影響力を発揮したという観察から導かれる。リンカーンの任期のほとんどは南北戦争と重なっていた。チャーチル、ルーズベルト、ド・ゴールは戦時と平時の両方において指導者だったが、三人のうち二人は戦時にもっとも重要な影響力を発揮したとされている（チャーチルは一九四〇年から四五年までの戦時だけでなく一九五一年から五五年の平時にも首相を務めた。ド・ゴールは戦時中は将軍で、一九五九年から六二年にかけて起こったアルジェリア戦争の時期に大統領を務めた。ルーズベルトは一九三九年にヨーロッパで第二次世界大戦が勃発し、大恐慌が進行するなかで大統領を務めた）。こうした結果は、権力への制約が小さいほど指導者は決定的な影響力を発揮できるというジョーンズとオルケンの観察にも合致する。民主主義体制の指導者は、戦時中のほうがより集中的に権力を行使できるのだ。

もうひとつの仮説としては、(民主主義であれ独裁であれ)指導者たちは、非常に異なる政策を支持する人々からの強い反対に直面する状況において、注意深く段階を踏んだ取り組みなどによって最終的に自分の考えを普及させて最大の違いを生み出すというものだ。例を挙げれば、ピエモンテのカヴール首相やプロイセンのビスマルク宰相は、それぞれに有力な諸外国だけでなく国内の王たちからの強い反対を乗り越えて、時間をかけてイタリアおよびドイツの統合を実現した。チャーチルは、ヒトラーとの和平交渉を求めるハリファックス卿の提案を退けるために当初分裂していた戦時内閣を説得し、対日戦争よりも対独戦争を優先すべきとアメリカを説得した(当初、真珠湾攻撃直後のアメリカにとって対日戦争のほうが明らかに優先事項だった)。ルーズベルトは国内の孤立主義者の反対を抑え、時間をかけて第二次世界大戦参戦への準備を整えた。ド・ゴールは時間をかけてフランス人とアルジェリア人を説得し、アルジェリア独立戦争の和平交渉にいたった。スハルトは国民に愛されていた建国の父スカルノからゆっくりと実権を奪っていった。そしてヴィリー・ブラントは、それまで二〇年にわたって西ドイツを支配していたCDU(ドイツキリスト教民主同盟)からの激しい反対を抑え、ドイツ国民にかつてのドイツ領土の放棄という苦い薬を飲むことを承諾させた。

つぎのステップは？

本書は国家的危機の比較研究というプロジェクトの第一ステップであり、少数の国をサンプルとして、叙述的《ナラティブ》に調査と探索をおこなってきた。私たちの理解を深めるために、この研究をどのように発展させられるだろうか。私はふたつの方法を提案する。より多くの、そしてよりランダムなサンプルを使うことと、結果や仮定の予測要因を、言語化された概念から操作可能な変数に換えることでより厳密な分析をおこなうことである。

第一にサンプルだ。私がサンプルとした国々は数が少ないだけでなく、無作為抽出されてもいない。世界二一六カ国のなかのランダムなサブセットとしてこれらの国々を選んだのではなく、自分がもっともよく知る国々から選んだからだ。結果としてヨーロッパが二カ国、アジアが二カ国、北米と南米がそれぞれ一カ国、そしてオーストラリアがサンプルになっている。七カ国のうち五カ国は富裕国だ。七カ国はいずれも現在は民主主義体制だが、二カ国については独裁体制だった過去の時期を取り上げた。インドネシア以外のすべての国は独立、あるいは自治（フィンランド）を得て以来長い歴史を持ち、諸制度もしっかりと整っている。最近植民地を脱して独立した国はひとつだけだ。アフリカの国はひとつもなく、現在も独裁体制にある国もなく、非常に貧困な国もない。過去の危機を取り上げた六カ国はすべて危機の脱出にある程度成功した。適切な選択的変化を採用して危機に対応したが明白な失敗に終わった国もない。無作為抽出によるサンプルでないのは明白だ。そのため、サンプルの数を広げればどんな結論になるかは今後の課題である。

第二に、将来に向けてもっとも重要な方法論上の課題は、本書の叙述的、言語的、定性的分析をより厳密な計量的分析として展開することである。本書のプロローグで述べたように、社会科学の一部、とくに経済学や経済史、心理学のいくつかの分野においては、たったひとつのケーススタディの叙述に代わり、計量的データ、グラフ、大規模サンプル、統計的有意差検定、自然実験、操作可能な変数を組み合わせたアプローチを使うのが最近の傾向になっている。「操作可能な変数」とは、言語で表現される概念を、計量可能で相関が推定されるものか、概念が実体化した状態に置換するという意味だ。

本章で取り上げたジョーンズとオルケンの二本の論文は、こうしたアプローチの例である。ある指導者一人の活動を詳述するのではなく、同時に五七人あるいは二九八人の指導者を分析した。ある指導者の存在・不在による結果を比較するために、自然実験の利点を使った。ある指導者が自然死する前と後の国々、あるいは暗殺計画が失敗または成功した国々を検討したのだ。最後に彼らは、推定される結果を、計量可能な数量（たとえば経済成果）や、定義された尺度（指導者への制約が最小限の独裁体制から制約が最大限の民主主義体制まで、さまざまな政治制度という尺度）にして発表した。

国家的危機についての私の研究についてそうした手法を応用するには、結果や私が取り上げた「危機の認知」「責任の受容」「ナショナル・アイデンティティ」「制約からの自由」「失敗への対処」「柔軟性」「公正な自国評価」「変化あるいは変化の欠如」「危機の解決の成功または失敗」などの想定要因を操作可能にする手法が必要になるだろう。こうした操作可能な手法を開発する手がかりとしては、ロナルド・イングルハートによる世界価値観調査のほか、経済価値観調査、欧州社会調査、アジア太平洋経済社会調査、ヘールト・ホフステードやマイケル・ミンコフらの著書などの社会科学におけるデータが利用できる可能性がある。私もこれらを使って操作可能な変数を編み出せないだろうかと努力したが、残念ながらそうするためには、本書の叙述的調査の範囲を超えた壮大なプロジェクトが必要だという結論にいたった。本書の調査ですら六年を要している。こうした計量的アプローチは本書の主眼である国家的危機だけでなく、第1章で取り上げた個人的危機についても開発される必要がある。心理学者たちは、第1章で想定した変数のいくつかが個人的危機の帰結に影響する様子を操作的に定義して実験してきたが、個人的危機についてであってもなすべきことはまだたくさんある。そのため、私が国家的危機、そして指導者に関する歴史的研究のほとんどに応用した叙述的研究と同じ限界は、個人的危機を扱う研究のほとんどにあてはまる。

将来のための教訓

私たちは歴史から何を学べるのだろうか？　これは大きな問いであり、より限定的な下位の問いを立てるなら、本書で取り上げた七カ国の危機対応から私たちは何を学べるのか、ということだ。ニヒリストなら「何もない！」と答えるだろう。歴史の流れはあまりにも複雑すぎるし、あまりにも多くの個別にしてコントロール不可能な変数と予測不可能な変化がもたらす結果であり、だから過去から私たちが何かを学ぶのは無理だ、と多くの歴史家たちがいう。一九四四年六月の時点で、だれが東欧の戦後地図を正確に予測できただろうか？　ヒトラーが実際に自殺した一九四五年四月三〇日には、ソ連軍はベルリンや東欧、東ドイツの制圧を完了していたが、もし、ソ連軍がまだドイツとの国境を越えていなかった一九四四年七月二〇日、暗殺を企てたクラウス・フォン・シュタウフェンベルクがヒトラーのあと五〇センチ近くに時限爆弾入りのカバンを押し込むことに成功し、その結果、ヒトラーがただの負傷でなく死亡していたなら、結果は大きく異なっていたことだろう。

そう、歴史の多くはもちろん予測不可能だ。それでも、学ぶことのできる教訓はふたつある。しかし最初に、背景として、個人の理解から引き出される教訓を検討しよう。

なぜなら（またしても）国家の歴史と個人の人生のあいだにはパラレルな関係があるからだ。

個々の人々の人生や伝記から学ぶことがあるとしたら何だろうか？　国家と同じく、人々も非常に複雑で、それぞれ非常に違っていて、予測不可能な事件が起こるものだから、人の行動を予測するのは困難だし、ましてある人物の行動から別の人物の行動を予測するのはよけい困難なのではないか？　もちろんそのとおりだ！　そんな困難があるにもかかわらず、私たちのほとんどは人生の多くの時間を費やして、身近な人の個人史を理解し、それにもとづいて、その人が今後とる行動を想定しようと努力している。さらに、心理学者たちは訓練によって、一般人の多くは人との接し方を通じて、自分がすでに知る人々の経験を一般化し、新たに出会う人々の行動を予測する。だからこそ、会ったことがない人であっても伝記を読めば学びが多いし、人間行動の理解に関する自分のデータベースを大きくしてくれる。

先日のことだが、私は二人の女性の友人とともに夕べを過ごしていた。一人は二〇代でナイーブな楽観主義者、もう一人は七〇代で鋭い洞察力のある人物だ。二〇代の女性は最近魅力的な男性と別れて落ち込んでいた。とても優しい人だったのに、数年が経って突然、残酷にも何の前触れもなしに彼女を捨てたという。しかし、彼女が自分の話を物語るあいだに、破滅的な結末にいたる前から、年配の女性は（会ったことがないのに）相手の男が魅力的だが破壊的なナルシシストであることに気づいていた。そういう男のことを、よく知っていたのだ。この出来事は、幅広い人々を知り、彼らについて考えることが重要である理由を示している。たとえ一人ひとり細部は違っていても、じつのところ人間の行動には共通するテーマが存在しているものだ。

では、これに対して、人類史に目を移せば、どのような教訓が得られるだろうか？ひとつは、ある特定の国の歴史を理解すれば、それにもとづいて将来その国がとりそうな行動を予想しやすくなるということだ。たとえばフィンランドは、独裁的な隣国ロシアとの友好関係維持の努力を惜しまず、訓練の行き届いた軍隊を維持し、自国の防衛に関して他国に頼れない民主主義の小国である。そうしたフィンランドの政策の理由は同国の近代史をみれば明らかだ。だが、フィンランド史を知らなければ、フィンランドがなぜそうした政策をとりつづけるのか理解できないだろう。たとえば一九五九年に初めてフィンランドを訪れた私はその歴史に無知だったため、アメリカがフィンランドを防衛するはずだと信じて疑わず、フィンランドはなぜソ連の圧力に対して立ち上がらないのかと、世話になったフィンランド人に訊ねたものだった。

歴史から得られるもうひとつの教訓は、一般性のあるテーマである。またしても、フィンランドとロシアを例にとろう。フィンランドとロシアには固有の事情があると同時に、二国の関係は攻撃的な大国の近くにある小国につきものの危険という一般性のあるテーマを示す一例である。この危険を解決できる普遍的な方法はない。これは、もっとも古い、そして今でももっともよく引用され、もっとも強く人の心をつかむ歴史書——紀元前五世紀にアテナイの歴史家トゥキュディデスがペロポネソス戦争の歴史を著した『戦史』第五巻——の一節のテーマでもある。トゥキュディデスはギリシアの小島メロスが強大なアテナイ帝国からの圧力にどう対応したかを綴っている。「メロス対話」として知られる一節のなかで、トゥキュディデスはメロス人とアテナイ人の胸をえぐられるような厳しい交渉を再現している。メロス人は自由と命を求め、軍事力を行使しないようアテナイ人を説得しようとするが、アテナイ人はメロス人に現実的になれと警告する。そしてトゥキュディデスは結果を端的に述べる。ソ連の要求を当初は拒否した二〇〇〇年後のフィンランド人と同じく、メロス人はアテナイ人の要求を拒否し、アテナイ人はメロスを包囲した。メロス人の抵抗はしばらくは成功したが、最終的には降伏を余儀なくされた。そして、アテナイ人はメロス人の男性全員を殺し、女性と子ども全員を奴隷にしたのである。

もちろん、フィンランド人は最終的にロシア人に皆殺しにされることも奴隷になることもなかった。これは、メロス人のジレンマの結果や最善の戦略が、ケースごとに大きく異なることを示している。にもかかわらず、普遍的な教訓がひとつある。大国に脅かされている小国はつねに気を配り、別の選択肢を考慮し、選択肢を現実的に見極めるべきだということだ。この教訓はあまりにも当然すぎて述べる価値がないように思われそうだが、悲しいことにしばしば無視されている。まずメロス人が無視した。一八六五年から七〇年にかけてはパラグアイが、はるかに大きなブラジル、アルゼンチン、ウルグアイの連合軍に対して破滅的な戦争をしかけ、国民の六〇％が命を落とした。一九三九年にフィンランドが無視した。一九四一年には日本が無視して、アメリカ、イギリス、オランダ、オーストラリア、中国を同時に攻撃し、ロシアと敵対した。そして近年ではウクライナが無視してロシアと破滅的な対立に陥った。

ここまでで、歴史から有益なことを学べる可能性を忘れないようにすべきという点については納得していただけたとして、本書が取り上げた国家的危機の歴史から、具体的に学べることはあるだろうか？　多くの一般性のあるテーマが浮かび上がる。ひとつは、七カ国が危機に対応する際に役立った、以下の一連の行動である。自国が危機のさなかにあると認識すること。他国を責め、犠牲者としての立場に引きこもるのではなく、変化する責任を受け入れること。変化すべき特徴を見極めるために囲いをつくり、何をやっても成功しないだろうという感覚に圧倒されてしまわないこと。支援を求めるべき他国を見出すこと。自国が直面している問題と似た問題をすでに解決した、手本となる他国を見出すこと。忍耐力を発揮し、最初の解決策がうまくいかなくてもつづけていくつか試す必要があるかもしれないと認識すること。重視すべき基本的価値観ともはや適切でないものについて熟考すること。そして、公正な自国評価をおこなうこと。

もうひとつのテーマはナショナル・アイデンティティにかかわっている。若い国はナショナル・アイデンティティを構築する必要があり、インドネシア、ボツワナ、ルワンダなどがそれに取り組んでいる。古い国は、ナショナル・アイデンティティ、そして基本的価値観を見直す必要があるかもしれない。オーストラリアは近年、そうした見直しをおこなった一例である。

しかし、さらにもうひとつのテーマには、危機の帰結に影響を与えるコントロール不可能な要因がかかわってくる。過去に実際にあった危機解決の経験や地理的制約のせいで、行き詰まってしまうことがあるのだ。他の経験がすぐに構築されるわけはないし、制約も願えば消えるものではない。しかし、ビスマルクやヴィリー・ブラント時代のドイツのように、それでもそれらを計算に入れ、現実的に行動することはできる。

こうした提案に対して悲観主義者たちは、「馬鹿みたいにあたりまえな内容だ！　公正な自国評価をしろとか他の国をモデルにしろとか犠牲者の立場に引きこもるななんて、ジャレド・ダイアモンドの本に教えられなくたってわかっている！」というだろう。いや、それでも本が必要だ。なぜならそうした「あたりまえ」に必要なことがあまりにもしばしば無視され、今日でもいまだに無視されていることは否定しようがないからだ。過去はメロス人の男性全員、パラグアイ人数十万人、日本人数百万人が「あたりまえ」

なことを無視して命を落とした。現在、「あたりまえ」なことを無視してみずからの幸福を危険にさらしている人々のなかには私の同胞であるアメリカ人数億人が含まれる。

悲観主義者はさらにこういうかもしれない。「そう、悲しいことに私たちはしばしばあたりまえのことを無視してしまう。でも本で無知な人は変えられない。トゥキュディデスの『メロス対話』は二〇〇〇年前からあるけれど、国家はいまだに同じ間違いを犯しつづけている。本が一冊増えたくらいでどれほどのことができるものか？」と。しかし、私たち著者が努力をつづけるのは、背中を押してくれる理由があるからだ。世界史において今日ほど字の読める人が多い時代はない。私たちの世界史についての知識ははるかに増えているし、トゥキュディデスよりもはるかに実例にもとづいた主張ができる。民主主義国は増えており、つまりいまだかつてないほど多くの人々が政治に参加できる。

無知な指導者が跋扈《ばっこ》しているのも事実だが、国家指導者のなかには幅広く本を読む人もおり、彼らにとっては過去よりも今のほうが歴史から学びやすい時代である。各国の首脳陣をはじめ数多くの政治家に会ったとき、私の過去の著作に影響を受けたといわれるのはうれしい驚きだった。現在、世界全体がグローバルな問題に直面している。しかしこの一〇〇年、とくに過去数十年のあいだに、世界は地球規模の問題に対処する諸機関を発展させてきた。

以上のような理由から、私は悲観主義者の声に耳を傾けず、希望を捨てず、歴史について書きつづけている。そうすれば、望んだときに歴史から学ぶという選択肢を手にすることができるからだ。とくに、過去において危機はしばしば国家に困難を突きつけてきた。今でもそれは変わらない。しかし、現在の国家や世界は対応策を求めて暗闇を手探りする必要はない。過去にうまくいった変化、うまくいかなかった変化を知っておくことは、私たちの導き手になるからだ。

謝辞

友人や同僚、多くの方々の協力があって本書は完成した。最後まで尽力を惜しまずに協力して下さった皆様への感謝と喜びの気持ちをまず伝えたい。

本書の構想にヒントを与えてくれた妻マリー・コーエン。

本書執筆にあたりラフスケッチの状態から完成まで導いてくれた編集者トレイシー・ベーハーとエージェントのジョン・ブロックマン、校閲を担当してくれたアイリーン・チェッティ。

六年間このプロジェクトを支援してくれた、リンダ・レズニックとスチュワート・レズニック、ピーター・カウフマン、スー・ティブルズとキース・ティブルズ、フランク・コーフィールド、スキップ・ブリテンハムとヘザー・ブリテンハム、コンサベーションインターナショナル。

参考資料の収集を担当してくれたリサーチアシスタントのミシェル・フィッシャー、志村侑紀、ボラサ・イヤング。ミシェルは何度もこの原稿をタイプし直してくれ、侑紀は日本についての理解をシェアしてくれた。写真収集担当のルース・マンデル、カバーアートをみつけてくれた、いとこのイヴリン・ヒラタ、地図担当のマット・ゼブラウスキー。

過去六年間、私が危機を理解し、説明するのを助けてくれた、UCLAで私の授業を受講した数百名の学部生たちと、授業助手を務めてくれたカティア・アントワーヌ、ケイティ・ヘイル、アリ・ハムダン。

私の下書き原稿を端から端まで読んでくれて、アイデアやその提示方法についてフィードバックをくれた八人の友人たち——マリー・コーエン、パウル・エールリヒ、アラン・グリンネル、レベッカ・カンター、カイ・ミヒャエル、イアン・モリス、マイケル・シャーマー、スー・ティブルズ。

本書各章の下書きに目を通してくれただけでなく、コメントや経験談を共有し、さまざまな記事や参考文献を送ってくれた数十名におよぶ友人や同僚——エルドン・ボール、バーバラ・バレット、スコット・バレット、ニコラス・ベルグルーエン、K・デイヴィッド・ビショップ、ハイディ・ボーハウ、ダニエル・ボツマン、デイヴィッド・ブラウン、フランク・コーフィールド、カマラ・チャンドラキラナ、アレハンドラ・コックス、セバスチャン・エドワーズ、エルンスト・ペーター・フィッシャー、ケヴィン・フォッグ、ミカエル・フォルテリウス、ゼファー・フランク、ハワード・フリードマン、エバーハード・フロムター、ネイサン・ガーデルズ、アル・ゴア、ジェームズ・グリーン、ヴェリティ・グリンネル、カール＝テオドール・ツー・グッテンベルク、ジェフリー・

ハドラー、日比保史、ステファン＝ルドウィッグ・ホフマン、アンテロ・ホルミラ、デイヴィッド・ハウウェル、ディアン・イラワティ、アイヴァン・ジャクシック、マーテイン・ジェイ、ベンジャミン・ジョーンズ、ピーター・カウフマン、ジョセフ・ケルナー、鬼頭宏、ジェニファー・クライン、マッティ・クリンゲ、ショー・コニシ、マルック・クイスマ、ロバート・レメルソン、ハルトムート・レッピン、トム・ラブジョイ、ハリエット・マーサー、ロビン・ミラー、ノーマン・ナイマーク、モニカ・ナレパ、オリヴィア・ナリンス、ピーター・ナリンス、トム・ナリンス、ネイサン・ナン、ベンジャミン・オルケン、カイヤ・ペーウ＝レートネン、ウィリアム・ペリー、ルイス・プッターマン、ヨハンナ・ライニオ＝ニエミ、ジェフリー・ロビンソン、フランシス・マッコール・ローゼンブラス、チャーリー・サロニウス＝パステルナーク、ケネス・シーヴ、志村侑紀、シャンタール・シニョリーノ、ニーナ・シィレム、ケリー・スミス、ローレンス・スミス、グレッグ・ストーン、スーザン・ストークス、マーク・サスター、マック・タカノ、ジュリスト・タン、スペンサー・トンプソン、シルパ・トゥオマイネン、フリオ・ヴェルガラ、ゲイリー・ワイシ、D・A・ワラッシュ、スチュワート・ワード、テイム・ワース、安田喜憲。

以上の方々に心より感謝したい。

Ronald Inglehart. *Modernization and Postmodernization: Cultural, Economic, and Political Change in 43 Societies.* (Princeton University Press, Princeton, NJ, 1997).

Benjamin Jones and Benjamin Olken. Do leaders matter? National leadership and growth since World War II. *Quarterly Journal of Economics* 120, no. 3: 835-864 (2005).

Benjamin Jones and Benjamin Olken. Hit or miss? The effect of assassinations on institutions and war. *American Economic Journal: Macroeconomics* 1/2: 55-87 (2009).

Michael Minkov. *What Makes Us Different and Similar: A New Interpretation of the World Values Survey and Other Cross-Cultural Data.* (Klasika I Stil, Sofia, Bulgaria, 2007).

Thucydides. *The Peloponnesian War.* Steven Lattimore, translator. (Hackett, Indianapolis, IN, 1988).

Leo Tolstoy. *War and Peace.* Ann Dunnigan, translator. (New American Library, New York, 1968).

Crisis. (Atlantic Monthly Press, New York, 2015).
Clive Hamilton. *Earthmasters: The Dawn of the Age of Climate Engineering*. (Yale University Press, New Haven, CT, 2013).
Michael T. Klare. *The Race for What's Left: The Global Scramble for the World's Last Resources*. (Metropolitan Books, New York, 2012).
Fred Pearce. *Confessions of an Eco-sinner: Tracking Down the Sources of My Stuff*. (Beacon Press, Boston, 2008).〔フレッド・ピアス『「エコ罪びと」の告白――私が買ったモノはどこから来たのか？』酒井泰介訳、NHK出版〕
William Perry. *My Journey at the Nuclear Brink*. (Stanford University Press, Stanford, CA, 2015).〔ウィリアム・J・ペリー『核戦争の瀬戸際で』松谷基和訳、東京堂出版〕
Laurence Smith. *The World in 2050: Four Forces Facing Civilization's Northern Future*. (Dutton Penguin Group, New York, 2010) .〔ローレンス・C・スミス『2050年の世界地図――迫りくるニュー・ノースの時代』小林由香利訳、NHK出版〕
Richard Wilkinson and Kate Pickett. *The Spirit Level: Why More Equal Societies Almost Always Do Better*. (Allen Lane, London, 2009).〔リチャード・ウィルキンソン、ケイト・ピケット『平等社会――経済成長に代わる、次の目標』酒井泰介訳、東洋経済新報社〕

エピローグ　教訓、疑問、そして展望

Thomas Carlyle. *On Heroes, Hero - Worship, and the Hero in History*. (James Fraser, London, 1841).〔トマス・カーライル『英雄と英雄崇拝』（カーライル選集2）入江勇起男訳、日本教文社〕
Jared Diamond and James Robinson, eds. *Natural Experiments of History*. (Harvard University Press, Cambridge, MA, 2010).〔ジャレド・ダイアモンド、ジェイムズ・A・ロビンソン編著『歴史は実験できるのか――自然実験が解き明かす人類史』小坂恵理訳、慶應義塾大学出版会〕
Geert Hofstede. *Culture's Consequences: International Differences in Work - Related Values*. (Sage, Beverly Hills, 1980).〔ギァート・ホーフステッド『経営文化の国際比較――多国籍企業の中の国民性』万成博・安藤文四郎監訳、産業能率大学出版部〕
Geert Hofstede, Gert Jan Hofstede, and Michael Minkov. *Cultures and Organizations: Software of the Mind*. (McGraw Hill, New York, 2010).〔G・ホフステード，G・J・ホフステード，M・ミンコフ『多文化世界――違いを学び未来への道を探る』岩井八郎・岩井紀子訳、有斐閣〕

Role in the World. (Random House, New York, 2017).
Jill Lepore. *These Truths: A History of the United States.* (Norton, New York, 2018).
Steven Levitsky and Daniel Ziblatt. *How Democracies Die: What History Reveals about Our Future.* (Crown, New York, 2018). 〔スティーブン・レビツキー、ダニエル・ジブラット『民主主義の死に方——二極化する政治が招く独裁への道』濱野大道訳、新潮社〕
Thomas Mann and Norman Ornstein. *It's Even Worse than It Looks: How the American Constitution System Collided with the New Politics of Extremists.* (Basic Books, New York, 2012).
Chris Matthews. *Tip and the Gipper: When Politics Worked.* (Simon & Schuster, New York, 2013).
Yascha Mounk. *The People vs. Democracy: Why Our Freedom Is in Danger and How to Save It.* (Harvard University Press, Cambridge, MA, 2018).
Robert Putnam. *Bowling Alone: The Collapse and Revival of American Community.* (Simon & Schuster, New York, 2000). 〔ロバート・D・パットナム『孤独なボウリング——米国コミュニティの崩壊と再生』柴内康文訳、柏書房〕
Joseph Stiglitz. *The Price of Inequality: How Today's Divided Society Endangers Our Future.* (Norton, New York, 2012). 〔ジョセフ・E・スティグリッツ『世界の 99%を貧困にする経済』楡井浩一・峯村利哉訳、徳間書店〕
Sherry Turkle. *Reclaiming Conversation: The Power of Talk in a Digital Age.* (Penguin, New York, 2015). 〔シェリー・タークル『一緒にいてもスマホ——ＳＮＳとＦＴＦ』日暮雅通訳、青土社〕

第 11 章　世界を待ち受けるもの

Scott Barrett. *Environment and Statecraft: The Strategy of Environmental Treaty-making.* (Oxford University Press, Oxford, 2005).
Scott Barrett. *Why Cooperate? The Incentive to Supply Global Public Goods.* (Oxford University Press, Oxford, 2007).
Nick Bostrom and Milan Cirkovic, eds. *Global Catastrophic Risks.* (Oxford University Press, Oxford, 2011).
Jared Diamond. *Collapse: How Societies Choose to Fail or Succeed.* (Viking Penguin, New York, 2005). 〔ジャレド・ダイアモンド『文明崩壊——滅亡と存続の命運を分けるもの』楡井浩一訳、草思社〕
Tim Flannery. *Atmosphere of Hope: Searching for Solutions to the Climate*

McKinsey Global Institute. *The Future of Japan: Reigniting Productivity and Growth*. (McKinsey, Tokyo, 2015).
David Pilling. *Bending Adversity: Japan and the Art of Survival*. (Penguin, London, 2014).〔デイヴィッド・ピリング『日本――喪失と再起の物語――黒船、敗戦、そして3・11』仲達志訳、早川書房〕
Frances McCall Rosenblugh, ed. *The Political Economy of Japan's Low Fertility*. (Stanford University Press, Stanford, CA, 2007).
Sven Steinmo. *The Evolution of Modern States: Sweden, Japan, and the United States*. (Cambridge University Press, Cambridge, 2010).〔スヴェン・スタインモ『政治経済の生態学――スウェーデン・日本・米国の進化と適応』山崎由希子訳、岩波書店〕
N.O. Tsuia and L.S. Bumpass, eds. *Marriage, Work, and Family Life in Comparative Perspective: Japan, South Korea, and the United States*. (University of Hawaii Press, Honolulu, 2004).
Lee Kuan Yew. *From Third World to First: The Singapore Story: 1964-2000*. (HarperCollins, New York, 2000).〔リー・クアンユー『リー・クアンユー回顧録――ザ・シンガポール・ストーリー』小牧利寿訳、日本経済新聞社〕

第9章・第10章　アメリカを待ち受けるもの

Larry Bartels. *Unequal Democracy: The Political Economy of the New Gilded Age*, 2nd ed. (Princeton University Press, Princeton, NJ, 2016).
Ari Berman. *The Modern Struggle for Voting Rights in America*. (Farrar, Straus and Giroux, New York, 2015).
Joseph Califano, Jr. *Our Damaged Democracy: We the People Must Act*. (Touchstone, New York, 2018).
Tim Flannery. *The Eternal Frontier: An Ecological History of North America and Its Peoples*. (Text, Melbourne, 2001).
Howard Friedman. *The Measure of a Nation: How to Regain America's Competitive Edge and Boost Our Global Standing*. (Prometheus, New York, 2012).
Al Gore. *The Assault on Reason*. (Penguin, New York, 2017).〔アル・ゴア『理性の奪還――もうひとつの「不都合な真実」』竹林卓訳、武田ランダムハウスジャパン〕
Steven Hill. *Fixing Elections: The Failure of America's Winner Take All Politics*. (Routledge, New York, 2002).
Robert Kaplan. *Earning the Rockies: How Geography Shapes America's*

Australia's Involvement in Southeast Asian Conflicts 1948-1965. (Allen & Unwin, North Sydney, Australia, 1992).
Marilyn Lake. British world or new world? *History Australia* 10, no. 3: 36-50 (2013).
Stuart Macintyre. *A Concise History of Australia*, 4th ed. (Cambridge University Press, Port Melbourne, Australia, 2016).
Neville Meaney. The end of "white Australia" and Australia's changing perceptions of Asia, 1945-1990. *Australian Journal of International Affairs* 49, no. 2: 171-189 (1995).
Neville Meaney. Britishness and Australia: Some reflections. *Journal of Imperial and Commonwealth History* 31, no. 2: 121-135 (2003).
Mark Peel and Christina Twomey. *A History of Australia*. (Palgrave Macmillan, Houndmills, UK, 2011).
Deryck Schreuder and Stuart Ward, ed. *Australia's Empire*. (Oxford University Press, Oxford, 2008).
Gwenda Tavan. The dismantling of the White Australia policy: Elite conspiracy or will of the Australian people? *Australian Journal of Political Science* 39, no. 1: 109-125 (2004).
David Walker. *Anxious Nation: Australia and the Rise of Asia 1850-1939*. (University of Queensland Press, St. Lucia, Australia, 1999).
Stuart Ward. *Australia and the British Embrace: The Demise of the Imperial Ideal*. (Melbourne University Press, Carlton South, Australia, 2001).
Frank Welsh. *Australia: A New History of the Great Southern Land*. (Overlook, New York, 2004).

第8章　日本を待ち受けるもの

W.G. Beasley. *The Japanese Experience: A Short History of Japan*. (University of California Press, Berkeley, 1999).
Ian Buruma. *The Wages of Guilt: Memories of War in Germany and Japan*. (Farrar, Straus and Giroux, New York, 1994).〔イアン・ブルマ『戦争の記憶』石井信平訳、筑摩書房〕
John Dower. *Embracing Defeat: Japan in the Wake of World War Two*. (Norton, New York, 1999).〔ジョン・ダワー『敗北を抱きしめて――第二次大戦後の日本人』三浦陽一・高杉忠明訳、岩波書店〕
Eri Hotta. *Japan 1941: Countdown to Infamy*. (Knopf, New York, 2013).〔堀田江理『1941　決意なき開戦――現代日本の起源』人文書院〕

(Deutsche Verlags, Stuttgart, 2002).
Hans-Joachim Noack. *Willy Brandt: Ein Leben, ein Jahrhundert*. (Rowohlt, Berlin, 2013).
Andreas Rodder. *Die Bundesrepublik Deutschland 1969-1990*. (Oldenbourg, Munchen, 2004).
Axel Schildt. *Die Sozialgeschichte der Bundesrepublik Deutschland bis 1989/90*. (Oldenbourg, Munchen, 2007).
Hanna Schissler, ed. *The Miracle Years*. (Princeton University Press, Princeton, NJ, 2001).
Gregor Schollgen. *Willy Brandt: Die Biographie*. (Propylaen, Berlin, 2001). 〔グレゴーア・ショレゲン『ヴィリー・ブラントの生涯』岡田浩平訳、三元社〕
Edith Sheffer. *Burned Bridge: How East and West Germans Made the Iron Curtain*. (Oxford University Press, Oxford, 2011).
Nathan Stoltzfus and Henry Friedlander, eds. *Nazi Crimes and the Law*. (Cambridge University Press, Cambridge, 2008).
Nikolaus Wachsmann. *KL: A History of the Nazi Concentration Camps*. (Farrar, Straus and Giroux, New York, 2015).
Hans-Ulrich Wehler. *Deutsche Gesellschaftsgeschichte*, vol. 5: *Bundesrepublik und DDR 1949-1990*. (C.H. Beck, Munchen, 2008).
Harald Welzer, Sabine Moller, and Karoline Tschuggnall. *Opa war kein Nazi: Nationalsozialismus und Holocaust im Familiengedachtnis*. (Fischer, Frankfurt, 2002).
Irmtrud Wojak. *Fritz Bauer 1903-1968*. (C.H. Beck, Munchen, 2011).
Alexei Yurchak. *Everything Was Forever, Until It Was No More: The Last Soviet Generation*. (Princeton University Press, Princeton, NJ, 2006). 〔アレクセイ・ユルチャク『最後のソ連世代――ブレジネフからペレストロイカまで』半谷史郎訳、みすず書房〕

第７章　オーストラリア――われわれは何者か？

Peter Brune. *A Bastard of a Place: The Australians in Papua*. (Allen & Unwin, Crows Nest, Australia, 2003).
Anthony Burke. *Fear of Security: Australia's Invasion Anxiety*. (Cambridge University Press, Cambridge, 2001).
James Curran and Stuart Ward. *The Unknown Nation: Australia after Empire*. (Melbourne University Press, Carlton South, Australia, 2010).
Peter Edwards. *Crises and Commitments: The Politics and Diplomacy of*

New York, 2014).
M.C. Ricklefs. *A History of Modern Indonesia*. (Macmillan Education, London, 1981).
Geoffrey Robinson. *The Dark Side of Paradise: Political Violence in Bali*. (Cornell University Press, Ithaca, NY, 1995).
Geoffrey Robinson. *If You Leave Us Here, We Will Die: How Genocide Was Stopped in East Timor*. (Princeton University Press, Princeton, NJ, 2010).
Geoffrey Robinson. *The Killing Season: A History of the Indonesian Massacres, 1965-66*. (Princeton University Press, Princeton, NJ, 2018).
John Roosa. *Pretext for Mass Murder: The September 30th Movement and Suharto's Coup d'Etat in Indonesia*. (University of Wisconsin Press, Madison, 2006).
J. Sidel. *Riots, Pogroms, Jihad: Religious Violence in Indonesia*. (Cornell University Press, Ithaca, NY, 2006).
Bradley Simpson. *Economists with Guns: Authoritarian Development and U.S.-Indonesian Relations, 1960-1968*. (Stanford University Press, Stanford, CA, 2008).

第6章　ドイツの再建

Neal Bascomb. *Hunting Eichmann*. (Mariner, Boston, 2010).
Jillian Becker. *Hitler's Children: The Story of the Baader-Meinhof Terrorist Gang*, 3rd ed. (Pickwick, London, 1989).〔ジリアン・ベッカー『ヒットラーの子供たち――テロの報酬』熊田全宏訳、日本工業新聞社〕
Gordon Craig. *The Germans*. (Putnam, New York, 1982).〔ゴードン・A・クレイグ『ドイツ人』眞鍋俊二訳、みすず書房〕
Norbert Frei. *1968: Jugendrevolte und Globaler Protest*. (Deutscher Taschenbuch Verlag, Munchen, 2008).〔ノルベルト・フライ『1968年――反乱のグローバリズム』下村由一訳、みすず書房〕
Ulrich Herbert, ed. *Wandlungsprozesse in Westdeutschland*. (Wallstein, Gottingen, 2002).
Ulrich Herbert. *Geschichte Deutschlands im 20. Jahrhundert*. (C.H. Beck, Munchen, 2014).
Michael Hughes. *Shouldering the Burden of Defeat: West Germany and the Reconstruction of Social Justice*. (University of North Carolina Press, Chapel Hill, 1999).
Peter Merseburger. *Willy Brandt 1913-1992: Visionar und Realist*.

1976).
Edwin Williamson. Chapter 4. Chile: Democracy, revolution and dictatorship. Pp. 485-510, in *The Penguin History of Latin America*, rev. ed. (Penguin, London, 2009).

第5章　インドネシア、新しい国の誕生

Benedict Anderson. *Java in a Time of Revolution*. (Cornell University Press, Ithaca, NY, 1972).
Edward Aspinall. *Opposing Suharto: Compromise, Resistance, and Regime Change in Indonesia*. (Stanford University Press, Stanford, CA, 2005).
Harold Crouch. *The Army and Politics in Indonesia*, rev. ed. (Cornell University Press, Ithaca, NY, 1988).
Harold Crouch. *Political Reform in Indonesia after Soeharto*. (Institute of Southeast Asia Studies, Singapore, 2010).
R.E. Elson. *Suharto: A Political Biography*. (Cambridge University Press, Cambridge, 2001).
R.E. Elson. *The Idea of Indonesia: A History*. (Cambridge University Press, Cambridge, 2008).
Herbert Feith. *The Decline of Constitutional Democracy in Indonesia*. (Cornell University Press, Ithaca, NY, 1962).
George Kahin. *Nationalism and Revolution in Indonesia*. (Cornell University Press, Ithaca, NY, 1970).
George Kahin and Audrey Kahin. *Subversion as Foreign Policy: The Secret Eisenhower and Dulles Debacle in Indonesia*. (New Press, New York, 1995).
J.D. Legge. *Sukarno: A Political Biography*. 3rd ed. (Archipelago Press, Singapore, 2003).
Daniel Lev. *The Transition to Guided Democracy: Indonesian Politics 1957-59*. (Cornell University Press, Ithaca, NY, 1966).
Katharine McGregor. *History in Uniform: Military Ideology and the Construction of Indonesia's Past*. (NUS Press, Singapore, 2007).
Joshua Oppenheimer. *The Act of Killing*. (2012). ［ドキュメンタリー映画］〔『アクト・オブ・キリング』〕
Joshua Oppenheimer. *The Look of Silence*. (2014). ［ドキュメンタリー映画］〔『ルック・オブ・サイレンス』〕
Elizabeth Pisani. *Indonesia etc.: Exploring the Improbable Nation*. (Norton,

ネスト・サトウ『一外交官の見た明治維新』坂田精一訳、岩波書店〕
Ronald Toby. *State and Diplomacy in Early Modern Japan: Asia in the Development of the Tokugawa Bakufu*. (Princeton University Press, Princeton, NJ, 1984). 〔ロナルド・トビ『近世日本の国家形成と外交』速水融・永積洋子・川勝平太訳、創文社〕
James White. State building and modernization: The Meiji Restoration. Pp. 499-559, in *Crisis, Choice and Change: Historical Studies of Political Development*, ed. G.A. Almond, S.C. Flanagan, and R.J. Mundt. (Little, Brown, Boston, 1973).

第4章　すべてのチリ人のためのチリ

Patricio Aylwin Azocar. *El Reencuentro de los Democratas: Del Golpe al Triunfo del No*. (Ediciones Grupo Zeta, Santiago, 1998).
Edgardo Boeninger. *Democracia en Chile: Lecciones para la Gobernabilidad*. (Editorial Andres Bello, Santiago, 1997).
Erica Chenoweth and Maria Stephan. *Why Civil Resistance Works: The Strategic Logic of Nonviolent Conflict*. (Columbia University Press, New York, 2011).
Simon Collier and William Sater. *A History of Chile, 1808-1994*. (Cambridge University Press, Cambridge, 1996).
Pamela Constable and Arturo Valenzuela. *A Nation of Enemies: Chile under Pinochet*. (Norton, New York, 1991).
Sebastian Edwards. *Left Behind: Latin America and the False Promise of Populism*. (University of Chicago Press, Chicago, 2010).
Carlos Huneeus. *El Regimen de Pinochet*. (Editorial Sudamericana Chilena, Santiago, 2000).
Peter Kronbluh. *The Pinochet File: A Declassified Dossier on Atrocity and Accountability*. (New Press, New York, 2013).
Thomas Skidmore, Peter Smith, and James Green. Chapter 10. Chile: Repression and democracy. Pp. 268-295, in *Modern Latin America*, 8th ed. (Oxford University Press, Oxford, 2014).
Arturo Valenzuela. Chile. Pp. 1-133, in *The Breakdown of Democratic Regimes*, ed. Juan Linz and Alfred Stepan. (Johns Hopkins University Press, Baltimore, 1978).
Stefan de Vylder. *Allende's Chile: The Political Economy of the Rise and Fall of the Unidad Popular*. (Cambridge University Press, Cambridge,

https://www.sotasampo.fi/en/cemeteries/list　フィンランド全国の戦没者墓地を網羅するデータベース。埋葬された人や行方不明者の数だけでなく、埋葬された一人ひとりの氏名と生まれた場所や日付までわかる。
www.sotasampo.fi　第二次世界大戦中のフィンランドおよびフィンランド人に関する情報が非常に豊富なデータベース。

第3章　近代日本の起源

Michael Auslin. *Negotiating with Imperialism: The Unequal Treaties and the Culture of Japanese Diplomacy*. (Harvard University Press, Cambridge, MA, 2004).
W.G. Beasley. *The Japanese Experience: A Short History of Japan*. (University of California Press, Berkeley, 1999).
Daniel Botsman. *Punishment and Power in the Making of Modern Japan*. (Princeton University Press, Princeton, NJ, 2005).〔ダニエル・V・ボツマン『血塗られた慈悲、笞打つ帝国。――江戸から明治へ、刑罰はいかに権力を変えたのか?』小林朋則訳、インターシフト〕
Takashi Fujitani. *Splendid Monarchy: Power and Pageantry in Modern Japan*. (University of California Press, Berkeley, 1996).
Carol Gluck. *Japan's Modern Myths: Ideology in the Late Meiji Period*. (Princeton University Press, Princeton, NJ, 1985).
Robert Hellyer. *Defining Engagement: Japan and Global Contexts, 1640-1868*. (Harvard University Press, Cambridge, MA, 2009).
Marius Jansen. *Sakamoto Ryōma and the Meiji Restoration*. (Princeton University Press, Princeton, NJ, 1961).〔マリアス・ジャンセン『坂本龍馬と明治維新』平尾道雄・浜田亀吉訳、時事通信出版局〕
Donald Keene. *Emperor of Japan: Meiji and His World, 1852-1912*. (Columbia University Press, New York, 2002).〔ドナルド・キーン『明治天皇』角地幸男訳、新潮社〕
Kyu Hyun Kim. *The Age of Visions and Arguments: Parliamentarianism and the National Public Sphere in Early Meiji Japan*. (Harvard University Press, Cambridge, MA, 2007).
Shoryo Kawada, John Manjiro. *Drifting Toward the Southeast: The Story of Five Japanese Castaways*. (Spinner, New Bedford, MA, 2003).〔ジョン万次郎述、河田小龍記『漂巽紀畧：全現代語訳』谷村鯛夢訳、北代淳二監修、講談社〕
Ernest Satow. *A Diplomat in Japan*. (Seeley Service, London, 1921).〔アー

みなさんがみつけやすく、読んで本当に役に立ったと思える文献を選んだのだ。私が挙げた参考文献の大半は、学術雑誌に掲載された論文ではなく、一般の大きな図書館なら置いてあるような本だ。本書で論じられている国についてもっと知りたいという読者のみなさんに、面白い、よくわかる、と思っていただける本が多いと思う。ひとつお願いがある。つぎの本にどんな参考文献を載せればよいかを決めるときの参考にしたいので、みなさん自身の希望を書いて送っていただけたら幸いである。

Seppo Hentila, Markku Kuisma, Pertti Haapala, and Ohto Manninen. Finlandization for better and for worse. *Historical Journal / Historiallinen Aikakauskirja*. No. 2: 129–160 (1998).

Max Jakobson. *Finland Survived: An Account of the Finnish-Soviet Winter War 1939-1940*, 2nd ed. (Otava, Helsinki, 1984).

Eino Jutikkala and Kauko Pirinen. *A History of Finland*, 6th ed. (WS Bookwell Oy, Helsinki, 2003).

Sakari Jutila. *Finlandization for Finland and the World*. (European Research Association, Bloomington, IN, 1983).

Urho Kekkonen. *A President's View*. (Heinemann, London, 1982).

Tiina Kinnunen and Ville Kiviimaki, eds. *Finland in World War 2: History, Memory, Interpretations*. (Brill, Leiden, 2012).

Matti Klinge. *A Brief History of Finland*, 3rd ed. (Otava, Helsinki, 2000).
〔マッティ・クリンゲ『フィンランド小史』百瀬宏訳、フィンランド大使館〕

Walter Laqueur. *The Political Psychology of Appeasement: Finlandization and Other Unpopular Essays*. (Transaction Books, New Brunswick, NJ, 1980).

Ohto Manninen, Riitta Hjerppe, Juha-Antti Lamberg, Markku Kuisma, and Pirjo Markkola. Suomi — Finland. *Historical Journal / Historiallinen Aikakauskirja*. No. 2: 129-160 (1997).

George Maude. *The Finnish Dilemma: Neutrality in the Shadow of Power*. (Oxford University Press, London, 1976).

Johanna Rainio-Niemi. *The Ideological Cold War: The Politics of Neutrality in Austria and Finland*. (Routledge, New York, 2014).

Esko Salminen. *The Silenced Media: The Propaganda War between Russia and the West in Northern Europe*. (St. Martin's Press, New York, 1999).

William Trotter. *A Frozen Hell: The Russo-Finnish Winter War of 1939-40*. (Algonquin Books, Chapel Hill, NC, 1991).

Steven Zaloga. *Gustaf Mannerheim*. (Osprey, Oxford, 2015).

Health 58: 338-343 (1968).
Richard James and Burt Gilliland. *Crisis Intervention Strategies*, 8th ed. (Cengage, Boston, 2016).
Erich Lindemann. *Beyond Grief: Studies in Crisis Intervention*. (Jason Aronson, New York, 1979).
Rick A. Myer. *Assessment for Crisis Intervention: A Triage Assessment Model*. (Brooks Cole, Belmont, CA, 2001).
Howard J. Parad, ed. *Crisis Intervention: Selective Readings*. (Family Service Association of America, New York, 1965).
Kenneth Yeager and Albert Roberts, eds. *Crisis Intervention Handbook: Assessment, Treatment, and Research*, 4th ed. (Oxford University Press, New York, 2015).

Crisis: The Journal of Crisis Intervention and Suicide Prevention. (Volumes 1-38, 1980-2017) に掲載された論文。

第2章　フィンランドの対ソ戦争

ふつう、学術書の巻末には何十ページ分もの脚注がある。読者は、脚注を頼りにあちこちの研究図書館で専門雑誌の記事などの文献を閲覧し、本文の詳細な記述の論拠を確かめることができる。私のこれまでの著書（『若い読者のための第三のチンパンジー』『銃・病原菌・鉄』『人間の性はなぜ奇妙に進化したのか』『文明崩壊』『歴史は実験できるのか』）には、そういうやりかたが適していたように思う。高度に専門的な論文をたくさん利用していたからだ。新石器時代に大粒の種子を持つ野生の穀物がどこに分布していたか、とか、中世グリーンランドに住んでいたヴァイキングのゴミ捨て場のなかに魚の骨はどのくらいの割合で含まれているか、といった記述は、どこに出典を求めればよいか大半の読者のみなさんには見当もつかないだろう。だが、たくさんの参考文献を載せた結果、私の本は、とても長く、重く、値段が高くなってしまった。ある友人は私に文句をいってきた。「ジャレド、君の本は良いんだけど、夜ベッドに仰向けに寝転がって読んでいると、重くて首や腕が痛くなってしまう。お願いだから、次の本はもうちょっと軽くしてくれよ」
『昨日までの世界』では、脚注や参考文献をすべて巻末に入れるのではなく、ウェブサイトにも一部は載せた。それでたしかに長さや重さや値段は削ることができた。こうして、ウェブ上の脚注や参考文献を実際に何人の読者が見たかがわかるようになったのだが、一年間に全世界で一人か二人だった。

そういうわけで、今度の本では別のやりかたを試してみることにした。読者の

参考文献

第１章　個人的危機

この章のための参考文献として挙げたのは、危機心理療法の今がよくわかる最近出版された書籍と、心理療法のこの分野がどのように発展してきたかを示す古い書籍、書籍内の章、雑誌の記事である。

Donna C. Aguilera and Janice M. Messick. *Crisis Intervention: Theory and Methodology*, 3rd ed. (Mosby, St. Louis, MO, 1978).〔ドナ・C・アギュララ『危機介入の理論と実際――医療・看護・福祉のために』小松源助・荒川義子訳、川島書店〕

Robert Calsyn, Joseph Pribyl, and Helen Sunukjian. Correlates of successful outcome in crisis intervention therapy. *American Journal of Community Psychology* 5: 111-119 (1977).

Gerald Caplan. *Principles of Preventive Psychiatry*. (Basic Books, New York, 1964).〔G・カプラン『予防精神医学』新福尚武監訳、河村高信ほか訳、朝倉書店〕

Gerald Caplan. Recent developments in crisis intervention and the promotion of support service. *Journal of Primary Prevention* 10: 3-25 (1985).

Priscilla Dass-Brailsford. *A Practical Approach to Trauma*. (Sage Publications, Los Angeles, CA, 2007).

James L. Greenstone and Sharon C. Leviton. *Elements of Crisis Intervention: Crises and How to Respond to Them*, 3rd ed. (Brooks-Cole, Belmont, CA, 2011).

Charles Holahan and Rudolf Moos. Life stressors, resistance factors, and improved psychological functions: An extension of the stress resistance paradigm. *Journal of Personality and Sociopsychology* 58: 909-917 (1990).

Gerald Jacobson. Programs and techniques of crisis intervention. Pp. 810-825, in *Child and Adolescent Psychiatry, Socioculture and Community Psychiatry*, ed. G. Caplan. (Basic Books, New York, 1974).

Gerald Jacobson. Crisis-oriented therapy. *Psychiatric Clinics of North America* 2, no. 1: 39-54 (1979).

Gerald Jacobson, Martin Strickler, and Wilbur Morley. Generic and individual approaches to crisis intervention. *American Journal of Public*

口絵写真クレジット

6.1: U.S. Army Center for Military History
6.2: Courtesy of www.b24.net
6.3: U.S. Information Agency / National Archives & Records Administration (NARA)
6.4: © Barbara Klemm
6.5: © 51/1970 Der Spiegel
6.6: National Digital Archives of Poland (NAC)
7.1: From the collection of the National Archives of Australia
7.2: © Johncarnemolla / Dreamstime
7.3: Leonard Zhukovsky / Shutterstock.com
7.4（オーストラリア国旗）:Lachlan Fearnley, Wikimedia CC Attribution-Share Alike 3.0 Unported license
7.4（イギリス国旗）:Edward Orde, Wikimedia CC Attribution-Share Alike 4.0 International license
7.5: National Archives and Records Administration, NAID 533108
7.6: Australian War Memorial
7.7: Source unknown
7.8: Australian War Memorial
7.9: From the collection of the National Archives of Australia
7.10: Knödelbaum, Wikipedia. Creative Commons Attribution-Share Alike 3.0 Unported license
9.1: U.S. Navy photo by Mass Communication Specialist 2nd Class Ernest R. Scott / Released
9.2: © Tyler Olson / Shutterstock.com
9.3: Courtesy of the Port of Los Angeles
9.4: Bob Nichols / United States Department of Agriculture (USDA)
9.5: Lyndon Baines Johnson Library photo by Frank Wolfe / NARA
9.6: Courtesy of Alan Chevat
9.7: Thomas Edison National Historical Park
9.8: © Jim Harrison
9.9: Courtesy Ronald Reagan Library / NARA
9.10: Strom Thurmond Collection, Special Collections & Archives, Clemson University
9.11: Republished with permission of National Journal Group, Inc., from National Journal, March 30: 2012; permission conveyed through Copyright Clearance Center, Inc.
10.1: AP Photo / Paul Sakuma
10.2: Courtesy of Larry Hall
11.1: U.S. Department of Defense

図 6, 7, 8, 9: Matt Zebrowski

著訳者紹介

ジャレド・ダイアモンド（Jared Diamond）

カリフォルニア大学ロサンゼルス校（UCLA）地理学教授

1937年ボストン生まれ。ハーバード大学で生物学、ケンブリッジ大学で生理学を修めるが、やがてその研究領域は進化生物学、鳥類学、人類生態学へと発展していく。カリフォルニア大学ロサンゼルス校医学部生理学教授を経て、同校地理学教授。アメリカ科学アカデミー、アメリカ芸術科学アカデミー、アメリカ哲学協会会員。アメリカ国家科学賞、タイラー賞、コスモス賞、ピュリツァー賞、マッカーサー・フェロー、ブループラネット賞など受賞多数。

現在も大学で学部生向けに地理学を教え、引退の予定はない。あまりの博識ぶりと研究対象範囲の広さに、ある書評に「ジャレド・ダイアモンドというのは、匿名の専門家グループが使うペンネームではないかと疑われている」と書かれたほどである。妻マリーや息子マックスとジョシュア、友人たちと過ごす時間のほかは、自宅近くの渓谷で毎日バードウォッチングをし、週何回かはジムでバーベルトレーニングをこなし、週一度はイタリア語会話のレッスンを受け、クラシック音楽の室内楽団でピアノを演奏している。ロサンゼルス在住。

jareddiamond.org

小川敏子（おがわ・としこ）

翻訳家。東京生まれ、慶應義塾大学文学部英文学科卒業。小説からノンフィクションまで幅広いジャンルで活躍。ルース・ドフリース『食糧と人類』、ジェシー・S・ニーレンバーグ『「話し方」の心理学』ほか訳書多数。

川上純子（かわかみ・じゅんこ）

津田塾大学学芸学部国際関係学科卒業後、出版社勤務を経て、シカゴ大学大学院人文学科修士課程修了。フリーランスで翻訳・編集の仕事に携わる。コリー・オルセン『トールキンの「ホビット」を探して』、アル・ライズ＆ジャック・トラウト『ポジショニング戦略』ほか訳書多数。

翻訳協力　岩井木綿子、神月謙一、新田享子、藤村奈緒美、
株式会社トランネット
編集協力　深井彩美子

本書は二〇一九年一〇月に日本経済新聞出版社から刊行された同名書を文庫化したものです。

日経ビジネス人文庫

危機《きき》と人類《じんるい》 (下《げ》)

2020年10月1日 第1刷発行
2020年10月16日 第2刷

著者
ジャレド・ダイアモンド

訳者
小川敏子《おがわ・としこ》
川上純子《かわかみ・じゅんこ》

発行者
白石 賢

発行
日経BP
日本経済新聞出版本部

発売
日経BPマーケティング
〒105-8308 東京都港区虎ノ門4-3-12

ブックデザイン
間村俊一

本文DTP
アーティザンカンパニー

印刷・製本
中央精版印刷株式会社

Printed in Japan ISBN978-4-532-19990-6